COMO AUMENTAR O SEU PRÓPRIO SALÁRIO

UMA ENTREVISTA REVELADORA COM O HOMEM MAIS RICO DO MUNDO*

NAPOLEON HILL

Título original: *How to Raise Your Own Salary*

Copyright © 1953, 1981 by The Napoleon Hill Foundation

Como aumentar o seu próprio salário

4ª edição: Agosto 2022

Direitos reservados desta edição: CDG Edições e Publicações

*O conteúdo desta obra é de total responsabilidade do autor
e não reflete necessariamente a opinião da editora.*

Autor:
Napoleon Hill

Tradução:
Fernanda Junges

Preparação de texto:
Lúcia Brito

Projeto gráfico:
Dharana Rivas

DADOS INTERNACIONAIS DE CATALOGAÇÃO NA PUBLICAÇÃO (CIP)

Hill, Napoleon.
  Como aumentar o seu próprio salário / Napoleon Hill ; tradução de Fernanda Junges. – 2. ed. – Porto Alegre : CDG, 2020.
  256 p.

  ISBN: 978-65-5047-035-7
  Título original: How to Raise Your Own Salary

  1. Sucesso 2. Técnicas de autoajuda I. Título II. Junges, Fernanda

20-1459   CDD - 158.1

Angélica Ilacqua - Bibliotecária - CRB-8/7057

Produção editorial e distribuição:

contato@citadel.com.br
www.citadel.com.br

* Autor de mais de 120 milhões de cópias vendidas no mundo segundo a Fundação Napoleon Hill.
* Em 1901, Andrew Carnegie vendeu seu grupo de empresas relacionadas ao aço para o grupo JP Morgan por US$ 401 milhões de dólares, o equivalente a pouco mais de 2,1% do PIB norte-americano. Hoje sua fortuna equivaleria a cerca de US$ 374 bilhões de dólares, segundo a Time.com.

COMO AUMENTAR O SEU PRÓPRIO SALÁRIO

NAPOLEON HILL

2022

ANDREW CARNEGIE

Fundador da United States Steel Corporation, cujas doações generosas possibilitaram a criação das BIBLIOTECAS PÚBLICAS CARNEGIE em todo o país. Patrocinador de Napoleon Hill, por intermédio de quem ofereceu ao mundo a primeira filosofia prática do sucesso, baseada em sua experiência de vida. Foi essa filosofia que lhe permitiu progredir de jornaleiro à fama e fortuna como o maior industrial do seu tempo.

NAPOLEON HILL

Escolhido por Andrew Carnegie para organizar a "ciência do sucesso" com base nas experiências de vida de Carnegie e mais de quinhentos outros empresários e profissionais de alto escalão que colaboraram, a pedido de Carnegie, para aperfeiçoar a filosofia que proporcionou sucesso a milhões de pessoas em todo o mundo.

Cidade de Whiteville

CAROLINA DO NORTE
14 de abril de 1953

GABINETE DO PREFEITO

Sr. W. Clement Stone, gerente geral

Napoleon Hill Associates

Chicago, Illinois

Meu caro Sr. Stone

Primeiro, deixe-me felicitá-lo por sua antevisão referente ao plano de longo alcance de tornar a filosofia de sucesso de Napoleon Hill disponível às pessoas de todo o país. Tenho algum conhecimento do poder potencial dessa filosofia porque ela me ajudou a dominar um dos inimigos mais terríveis do homem, a pobreza.

Meu pai era um ferreiro de aldeia, e sou o décimo numa família de doze filhos, de modo que se poderia dizer que fiquei familiarizado com a pobreza desde cedo. Com esforço árduo consegui passar na sexta série na escola. Engraxei sapatos, entreguei compras, vendi jornal, trabalhei numa fábrica de meias, lavei carros, fui ajudante de mecânico e mais tarde mecânico e capataz.

Um ano antes de eu estudar a Filosofia da Ciência do Sucesso de Napoleon Hill, minha casa foi colocada à venda sob hipoteca, e fico feliz em dar o crédito a essa filosofia por ter me ajudado a virar a maré em minhas finanças em uma escala que permitiu que eu me aposentasse dez anos depois. Eu havia planejado me aposentar aos 50 anos, mas tive condições de fazê-lo aos 44 anos e agora estou fazendo as coisas que sempre quis fazer, com anos suficientes pela frente, espero, que me permitam realizar uma modesta contribuição para fazer deste um mundo melhor onde viver.

Com esse objetivo, permita-me repetir mais uma vez o que já disse a Napoleon Hill, isto é, que estou às ordens para promover a grande obra que você assumiu de levar a filosofia do sucesso de Hill às pessoas por meio de rádio, cinema, cursos a domicílio e dos muitos livros de sucesso que Napoleon escreveu.

Recentemente, em 1952, inspirado pela filosofia de Napoleon Hill, desenvolvi uma palestra que fui convidado a proferir do Atlântico ao Pacífico, inclusive sete vezes em minha cidade. A filosofia da Ciência do Sucesso é básica e, quando aplicada, ajudará qualquer um, seja um clérigo, banqueiro, padeiro ou fabricante de castiçais.

S. L. Braxton

S. Lee Braxton
(prefeito de Whiteville)

A CIDADE PEQUENA MAIS PROGRESSISTA DA CAROLINA DO NORTE

COMO AUMENTAR O SEU PRÓPRIO SALÁRIO

por Napoleon Hill

Autor de
Mais esperto que o diabo
Atitude mental positiva
A escada para o triunfo
A ciência do sucesso
Quem aprende enriquece
Quem pensa enriquece - O legado
O Manuscrito Original - As leis do triunfo e do sucesso de Napoleon Hill
Você pode realizar os seus próprios milagres

Os livros escritos pelo Dr. Napoleon Hill inspiraram milhões de pessoas em todas as partes do mundo, e os princípios descobertos por ele são tão práticos hoje quanto na época de sua primeira entrevista com Andrew Carnegie, em 1908.

A leitura deste livro vai inspirá-lo a compreender os grandes benefícios das conversas entre Hill e o grande industrial Andrew Carnegie, que foi da Escócia para os Estados Unidos e começou a trabalhar aos treze anos de idade com um salário de US$ 1,20 por semana.

A fórmula do sucesso apresentada em *Como aumentar o seu próprio salário* vai lhe provar que "tudo o que a mente humana pode conceber e acreditar, ela pode conquistar.".

Publicado por
THE NAPOLEON HILL FOUNDATION
PO Box 1277
Wise, Virgínia 24293
Don M. Green, diretor executivo

SUMÁRIO

"A famosa fórmula de sucesso de um grande industrial norte-americano que ensinou milhares de pessoas a aumentar seus próprios rendimentos."

1. DESENVOLVA A DEFINIÇÃO DE OBJETIVO — 12
2. UTILIZE O PRINCÍPIO DO MASTERMIND — 26
3. DESENVOLVA UMA PERSONALIDADE ATRAENTE — 45
4. FAÇA USO DA FÉ APLICADA — 70
5. VÁ ALÉM — 86
6. APLIQUE O ESFORÇO INDIVIDUAL ORGANIZADO — 111
7. CULTIVE A VISÃO CRIATIVA — 131
8. EXERCITE A AUTODISCIPLINA — 148
9. ORGANIZE SEUS PENSAMENTOS — 163
10. APRENDA COM A DERROTA — 176
11. BUSQUE INSPIRAÇÃO (*ENTUSIASMO APLICADO*) — 188
12. CONTROLE SUA ATENÇÃO — 197
13. ADOTE A REGRA DE OURO — 205
14. COOPERE — 214
15. GERENCIE SEU TEMPO E SEU DINHEIRO — 221
16. FAÇA DA SAÚDE UM HÁBITO — 229
17. BENEFICIE-SE DA FORÇA CÓSMICA DO HÁBITO — 238
18. CONSERVE A FONTE DE TODA A RIQUEZA — 248

INTRODUÇÃO DO EDITOR
A HISTÓRIA POR TRÁS DESTE VOLUME

*O homem capaz de realizar uma tarefa sem se escusar
está no caminho da autopromoção.*

Em *Como aumentar o seu próprio salário*, Napoleon Hill oferece todos os dezessete Princípios do Sucesso EM UM ÚNICO VOLUME, conforme ensinado a ele por Andrew Carnegie em pessoa e por outros homens bem-sucedidos que doaram seu tempo e experiência voluntariamente.

Napoleon Hill conta o segredo de como conquistar *riqueza, poder, prestígio*. Conta como o homem comum pode aprender a utilizar os segredos dos homens mais importantes e mais ricos dos Estados Unidos.

Neste livro você vai descobrir a resposta para todos os seus problemas, quer esteja buscando aumentar sua renda ou apenas procurando paz de espírito, felicidade e harmonia em casa ou no local de trabalho. Você tem aqui não apenas os meios para ganhar mais dinheiro, mas uma filosofia do sucesso com a qual *você pode definir seu objetivo de vida e alcançá-lo*, assim como milhares de outros fizeram.

Leia as perguntas investigativas que Hill fez a Andrew Carnegie. Tire proveito das francas e esclarecedoras declarações do filantropo sobre COMO ELE CONSTRUIU SUA RIQUEZA. Esse escritor inspirador fez do rastreamento dessas respostas o trabalho de sua vida e descobriu que outros homens concordavam! Por fim Napoleon Hill soube que havia feito uma descoberta sensacional: QUE A APLICAÇÃO DE CERTOS PRINCÍPIOS FUNDAMENTAIS GARANTIRIA O SUCESSO PARA QUALQUER UM QUE OS UTILIZASSE. Todo o segredo do sucesso está escrito em *Como aumentar o seu salário*. Esta edição foi revisada e modernizada.

Com estilo objetivo e esclarecedor, Hill escreve a partir de seu conhecimento íntimo dos homens mais ricos do mundo e de sua associação com eles. Hill descobriu e oferece a verdadeira filosofia sobre a qual todo sucesso duradouro é construído.

Napoleon Hill relata as entrevistas pessoais com Carnegie nas palavras do próprio Rei do Aço, registrando cada pergunta e resposta. Toda a lei, composta de dezessete etapas, está condensada neste volume e fornece um plano diretor para se alcançar o sucesso.

A teoria de que a estrada para a riqueza é difícil e tortuosa está morta e enterrada. Você aprenderá que a estrada é ampla e suave para aqueles que aplicam os dezessete princípios da Ciência do Sucesso. Aquela promoção vai parecer fácil. Aquele trabalho de alto nível não parecerá tão distante.

Se você, como milhares de outros homens e mulheres, tem o sonho de se aposentar algum dia, mas acha que seu objetivo está tão longe de ser alcançado quanto estava há cinco, dez, quinze anos, AJA AGORA! Comece decidindo *quanto dinheiro você precisa para a aposentadoria, para uma casa nova, um carro ou para a educação do seu filho.* Nós o levaremos agora ao estudo pessoal de Andrew Carnegie, onde Napoleon Hill recebeu sua primeira lição sobre o sucesso.

THE NAPOLEON HILL FOUNDATION
W. CLEMENT STONE

LEMBRE-SE

A qualidade do serviço que você presta, mais a quantidade e a atitude mental ao prestá-lo determinam o tipo de trabalho que você tem e o quanto recebe por ele.
— NAPOLEON HILL

Capítulo 1

DESENVOLVA A
DEFINIÇÃO DE OBJETIVO

P — Gostaria que você retrocedesse ao começo de sua carreira e descrevesse para mim, passo a passo, os princípios de realização pelos quais começou sua ascensão, sem dinheiro, sem grande influência e com pouca escolaridade, e elevou-se a uma posição de grande afluência e riqueza. Visto que estou solicitando essas informações em nome de homens e mulheres que não têm tempo nem oportunidade de adquirir conhecimento sobre as regras do sucesso com aqueles que foram bem-sucedidos, peço que você renuncie a todas as formalidades e fale clara e francamente, de maneira que qualquer pessoa de inteligência mediana possa compreender.

R — Muito bem, vou descrever as regras da realização pessoal responsáveis pelas minhas conquistas, mas com a condição de que você organize essas regras de relacionamento humano em uma filosofia que fique disponível a qualquer pessoa que queira aprender a dominá-la e utilizá-la.

Estou pedindo para que você se encarregue de uma das tarefas construtivas que selecionei para distribuir minha fortuna. No devido tempo, doarei o dinheiro que acumulei, fazendo isso por meio de iniciativas que causem o menor dano e o maior bem possíveis, mas minha verdadeira riqueza — aquela porção que eu gostaria de doar para o bem da humanidade — é composta dos princípios da realização pessoal que estou confiando a você.

Ao ajudá-lo a organizar as regras da realização pessoal, entendo que você executará uma pesquisa contínua até ter comparado minha experiência com a experiência de outros homens reconhecidos como sucessos em muitas áreas de atuação, a fim de que possa oferecer ao mundo uma filosofia do sucesso com flexibilidade suficiente para atender às necessidades de todas as pessoas, independentemente da vocação ou objetivo de vida. Uma sólida filosofia da realização individual deve apresentar uma compreensão clara dos princípios que trazem sucesso e dos que levam ao fracasso.

P — Aceito suas condições, e pode ter certeza de que não vou parar até o trabalho estar concluído, independentemente do tempo necessário. Sua fé na minha capacidade de realizar essa tarefa é toda a inspiração de que preciso para assegurar sua continuidade até terminá-la. Você começará a

DESENVOLVA A DEFINIÇÃO DE OBJETIVO

fazer agora uma análise compreensível de todos os princípios do sucesso que empregou em seu desenvolvimento pessoal?

R – Para começar, deixe-me afirmar que existem dezessete princípios essenciais do sucesso, e toda pessoa que atinge seu objetivo principal em qualquer atividade deve utilizar uma combinação destes princípios.

Vamos citar primeiro o mais importante desses princípios. Ele está no topo da lista porque não se conhece ninguém que tenha obtido sucesso sem aplicá-lo. Você pode chamá-lo de princípio da definição de objetivo.

Estude qualquer pessoa reconhecida como um sucesso permanente e você descobrirá que ela tem um objetivo principal definido, um plano para a realização desse objetivo e que ela dedica a maior parte de seus pensamentos e esforços para a realização desta meta.

Meu objetivo principal é produzir e comercializar aço. Concebi este objetivo enquanto trabalhava como operário. *Ele tornou-se uma obsessão* para mim. Levava-o para a cama comigo à noite e para o trabalho pela manhã. Meu objetivo definido tornou-se mais do que uma mera vontade, tornou-se um *desejo ardente*! Esse é o único tipo de objetivo definido que parece trazer os resultados desejados.

Enfatize por todos os meios a seu alcance a grande diferença entre uma mera vontade e um *desejo ardente* que assume as proporções de uma obsessão. Todo mundo quer as melhores coisas da vida, tais como dinheiro, uma boa posição, fama e reconhecimento, mas a maioria das pessoas nunca vai além do estágio da "vontade". Homens que sabem exatamente o quê querem da vida e estão determinados a obtê-lo não se contentam em ficar na vontade. Eles estimulam a vontade até se tornar um *desejo ardente* e respaldam essa vontade com esforço contínuo baseado em um plano sólido. É necessário que induzam outras pessoas a cooperar na execução de seu plano.

Nenhuma grande conquista é possível sem a ajuda de outras mentes. Mais adiante explicarei como os homens bem-sucedidos atuam para induzir os outros a cooperar.

P – Antes de alcançar o objetivo definido você teve que fazer uso de uma grande quantidade de dinheiro como capital operacional. Como fez para conseguir esse dinheiro, uma vez que começou sem capital próprio? Gostaria que respondesse a essa questão detalhadamente, pois, mais cedo ou mais tarde, quase todas as pessoas chegam ao ponto em que poderiam alcançar grandes realizações se tivessem pelo menos o capital para começar bem.

R – O primeiro passo da pobreza para a riqueza é o mais difícil. Eu poderia simplificar essa afirmação dizendo que toda a riqueza e todas as coisas materiais que qualquer um possa adquirir pelo próprio esforço começam na forma de uma imagem mental clara e concisa daquilo que se busca. Quando essa imagem cresce ou é forçada às proporções de uma obsessão, ela é assumida pela mente subconsciente graças à alguma lei oculta da natureza que o mais sábio dos homens ainda não compreende. A partir desse ponto, a pessoa é atraída ou guiada na direção do equivalente físico da imagem mental.

Voltarei ao assunto da mente subconsciente muitas vezes antes de terminarmos, pois é um dos fatores vitais em todas as realizações excepcionais.

Quanto à minha experiência ao dar o primeiro passo para a realização do meu objetivo definido de vida, posso descrevê-la muito claramente em poucas palavras.

Primeiro, eu sabia que queria produzir aço. Então provoquei esse desejo até ele tornar-se uma obsessão motriz. Com isso quero dizer que meu desejo me impulsionava dia e noite.

Aí dei o passo seguinte na execução de meu objetivo, vendendo minha ideia a outro trabalhador. Era um amigo meu que também não tinha dinheiro, mas teve a capacidade mental de reconhecer o valor de minha ideia e a coragem de se unir a mim na execução. Nós dois induzimos outros dois homens — de visão, coragem e iniciativa — a se interessar por nosso plano de produzir e comercializar aço.

Nós quatro formamos o núcleo de um grupo de MasterMind que mais tarde aumentou até consistir de mais de vinte homens — os homens que me ajudaram a adquirir minha fortuna, para não falar da fortuna que fizeram para si mesmos em virtude de nossos esforços conjuntos. Por intermédio do entusiasmo combinado do meu grupo de MasterMind, induzimos outros homens a fornecer o dinheiro necessário para executar nossa ideia. Vou explicar o princípio do MasterMind detalhadamente mais adiante. Agora estamos preocupados com o ponto de partida de onde iniciei a busca de meu objetivo principal.

P – Devo entender a partir do que você diz que a definição de objetivo favorece a ação de uma lei natural na realização de um objetivo?

R – Gostaria que você observasse outros homens bem-sucedidos enquanto trata de organizar essa filosofia, pois notará que cada um deles começou, assim como eu, com um objetivo definido e um plano definido para sua execução. Se olhar bem de perto, outra coisa que irá observar em re-

DESENVOLVA A DEFINIÇÃO DE OBJETIVO 15

lação aos homens bem-sucedidos é o fato de que alcançam sucesso fazendo um esforço aparentemente igual ao empregado por outros que não são bem-sucedidos.

É um mistério para algumas pessoas como homens com pouca ou nenhuma escolaridade muitas vezes têm sucesso, enquanto outros com extensa escolaridade fracassam. Olhe com cuidado e você descobrirá que os grandes sucessos são o resultado da compreensão e utilização de uma *atitude mental positiva* pela qual a natureza auxilia os homens a transformar seus objetivos em seus equivalentes físicos e financeiros. *Atitude mental* é a qualidade da mente que dá poder a seus planos e pensamentos. Lembre-se desse fato e destaque-o ao organizar a filosofia da realização individual.

P — Quanto tempo é necessário para que a atitude mental comece a atrair os requisitos físicos e financeiros do objetivo principal de uma pessoa?

R — Isso depende inteiramente da natureza e da extensão dos desejos e do controle que a pessoa exerce sobre a própria mente para mantê-la livre do medo, da dúvida e das limitações autoimpostas. Esse tipo de controle provém de vigilância constante, mantendo a mente livre de todos os pensamentos negativos e deixando-a aberta para o ingresso e orientação da Inteligência Infinita.

Um objetivo definido envolvendo uma centena de dólares, por exemplo, pode ser transformado em seu equivalente financeiro em poucos dias ou mesmo em algumas horas ou minutos, enquanto o desejo por um milhão de dólares pode exigir muito mais tempo, dependendo em certa medida do que se tem para dar em troca do milhão de dólares.

A melhor maneira que consigo imaginar para descrever o tempo necessário para a transformação de um objetivo definido em seu equivalente físico ou financeiro pode ser precisamente representada pela determinação do *tempo exato necessário para a prestação do serviço ou do valor equivalente que se pretende dar em troca desse objetivo.*

Antes de terminar de descrever os dezessete princípios do sucesso, espero ser capaz de provar que existe uma relação definitiva entre *dar* e *receber*. A falta de compreensão dessa realidade levou muitos homens à dor e ao fracasso.

P — Você está querendo dizer que a lei natural não favorece a tentativa de obter algo a troco de nada?

R — Tudo o que está conectado com a natureza e com as leis naturais é fundamentado em causa e efeito. De modo geral, as riquezas e as coisas materiais que os homens adquirem são efeito de algum tipo de serviço útil que prestaram. Minha fortuna não chegou a mim antes que eu tivesse entregue a outros valores definidos na forma de grandes quantidades de aço de qualidade. Gostaria que você enfatizasse esta grande verdade quando levar as regras do sucesso ao conhecimento do mundo.

Não se limite a afirmar que todo o sucesso começa na forma de um objetivo principal definido, mas enfatize que a única maneira conhecida de garantir que um objetivo definido seja alcançado plenamente, por meio das forças da lei natural que age na mente dos homens, é estabelecendo primeiro uma causa para tal realização, mediante um serviço útil prestado em espírito de harmonia.

P — Como se deve expressar a natureza do objetivo principal definido? É suficiente apenas escolher um objetivo e mantê-lo em mente ou existe uma forma melhor de traduzir esse objetivo dominante em seu equivalente físico?

R — Isso depende inteiramente do tipo de mente que se tem. Uma mente bem disciplinada é capaz de manter e agir sobre um objetivo definido sem qualquer forma de ajuda externa ou artificial. Uma mente indisciplinada precisa de uma muleta na qual se apoiar ao lidar com um objetivo principal definido.

O melhor método a ser adotado por quem tem uma mente indisciplinada é escrever uma descrição completa do seu objetivo principal e a seguir adotar o hábito de lê-la em voz alta pelo menos uma vez por dia. O ato de descrever detalhadamente o objetivo obriga a pessoa a ser específica quanto à sua natureza. A leitura habitual fixa o objetivo na mente, onde ele pode ser captado pelo subconsciente e colocado em prática.

P — Você tem o hábito de escrever seu objetivo principal?

R — Segui esse hábito há muitos anos, quando lutava para trocar a vida de operário pela de gerente industrial. Além disso, fui muito mais longe do que simplesmente ler a descrição do meu objetivo; eu me encontrava todas as noites com meu grupo de MasterMind e tínhamos reuniões em forma de mesa-redonda com a finalidade de construir planos para executar minha meta principal.

Recomendo vivamente o hábito da mesa-redonda. É um hábito que ainda cultivo. Acredito que você descobrirá que todos os homens de sucesso digno de nota mantêm esse hábito de discussão íntima de planos com conselheiros e sócios.

DESENVOLVA A DEFINIÇÃO DE OBJETIVO

Aprendi, anos atrás, que nenhuma mente sozinha é completa. Quando chegarmos à discussão do princípio do MasterMind, vou explicar por que duas ou mais mentes trabalhando juntas em harmonia têm mais poder do que uma sozinha.

Você encontrará indícios que comprovam essa grande verdade em toda a Bíblia, se pesquisar com cuidado e entender o que lê. Jesus de Nazaré entendeu o princípio do MasterMind e fez uso efetivo dele na aliança com seus discípulos. Foi ali que tive a primeira pista a respeito dessa surpreendente lei da natureza.

P — Espero que me perdoe por mencionar isto, mas ouvi dizer que você foi severamente criticado por ter acumulado uma grande fortuna enquanto milhares de homens que trabalharam para você permaneceram comparativamente pobres. Algumas pessoas acham que você fez sua fortuna às custas de quem trabalhou para você. Poderia explicar sua visão a respeito da grande diferença entre suas conquistas financeiras e as dos homens que trabalham para você?

R — Fico muito feliz que você tenha feito essa pergunta. Muitos outros fizeram a mesma pergunta. Vou lhe responder da mesma maneira que respondi a eles. Primeiro, deixe-me explicar que pretendo doar praticamente cada dólar da riqueza que possuo antes de morrer, mas apresso-me em dizer que estou achando muito difícil doar o dinheiro onde ele faça mais bem do que mal.

Parece estranho, mas é verdade que *os homens raramente beneficiam-se do dinheiro, exceto daquele que eles fazem por merecer.* De bom grado eu doaria cada dólar que possuo para os homens que trabalham para mim se isso não lhes fosse causar mais danos do que benefícios. O bem que existe no dinheiro está em como ele é utilizado e não simplesmente em sua posse. De modo geral, o homem que ganha seu próprio dinheiro adquire junto um pouco da sabedoria necessária para o uso construtivo deste recurso.

Você pediu que eu explique a razão da grande diferença entre minhas conquistas financeiras e a situação financeira dos que trabalham para mim. Só posso dizer que acumulei uma grande riqueza porque estava disposto a assumir grandes responsabilidades e prestar um serviço de natureza abrangente.

Dos milhares de homens que trabalham para mim, arrisco o palpite de que menos de vinte estariam dispostos a assumir minhas responsabilidades e trabalhar tantas horas quanto eu trabalho se eu lhes desse todo o meu dinheiro em troca. Poucos homens que trabalharam para mim mostraram-se dispostos a assumir tais responsabilidades, e é significativo que cada um destes é tão rico quanto deseja ser.

Em um único ano paguei a homens como Charlie Schwab até um milhão de dólares por seus serviços, e a maior parte foi pagamento por serviços que eles prestaram muito além do exigido em relação aos salários regulares. Porém, antes de pagar essas somas enormes a esses homens, eles haviam se tornado praticamente indispensáveis para mim pela disponibilidade em assumir responsabilidades e me aliviar da carga que eu carregava. Homens com esse tipo de atitude mental conseguem fixar seus rendimentos, e há pouco que se possa fazer para impedi-los de obter seu próprio preço.

Nunca estabeleci a escala salarial de qualquer homem que trabalha para mim. Todo homem define sua escala salarial, de acordo com o tipo de serviço que presta — a qualidade e a quantidade de serviço, mais a atitude mental com que presta o serviço. Ao entender essa verdade você compreenderá que não existe injustiça na diferença entre as fortunas que os homens acumulam.

P — A partir do que você diz, concluo que a maioria dos homens que trabalha para você não têm um objetivo principal definido na vida, pois, se tivessem, seriam tão ricos quanto você. Correto?

R — Você tem a liberdade de conversar com quantos dos meus homens quiser, mas vai descobrir que a meta mais elevada da maioria deles é apenas conseguir manter o emprego que têm. Eles estão onde estão e recebem o salário que recebem unicamente por causa das limitações que eles mesmos criaram em suas mentes.

Nada que eu possa fazer vai mudar isso. Apenas eles mesmos podem mudar. Meus homens começaram exatamente na mesma posição que eu ocupava há alguns anos. Tiveram os mesmos privilégios de avanço pessoal que eu tive. Vivemos no país mais rico e livre do mundo, onde nenhum homem é limitado exceto por sua própria atitude mental e seus próprios desejos.

Pegue a si mesmo como exemplo. Coloquei em suas mãos a maior oportunidade que um escritor americano já teve. Estou lhe dando livre acesso a uma vida inteira de experiências práticas sobre a acumulação de riqueza mediante a prestação de serviço útil.

Nos próximos anos, abrirei as portas que levarão você aos ricos depósitos de experiência de alguns dos homens mais bem-sucedidos que este país já produziu. Você terá uma grande quantidade de conhecimento à sua disposição.

DESENVOLVA A DEFINIÇÃO DE OBJETIVO

Se aproveitar essa oportunidade, você poderá conquistar mais espaço do que qualquer outro filósofo que já se preocupou com os problemas dos seres humanos.

P — Muita gente acredita que as oportunidades de conquistar independência financeira são muito menores hoje do que quando você começou sua carreira. Alguns acreditam que você e outros homens ricos praticamente monopolizam o campo de oportunidades e não darão chance aos outros. Você se importaria de dizer o que acha dessa teoria?

R — Fico feliz que você tenha usado a palavra "teoria", pois a crença de que existe escassez de oportunidades em um país como o nosso nada mais é senão pura teoria. A verdade é a seguinte: nos Estados Unidos da América, temos mais oportunidades de fazer fortuna em troca de serviços úteis do que em todos os outros países juntos. Este é um país novo. Estamos apenas nos aproximando da era em que vamos nos tornar o maior país industrial do planeta. Dentro dos próximos anos, veremos avanços maravilhosos no campo da indústria.

Falta de oportunidade nos Estados Unidos? Ora, por favor! Você não percebe que nossa única escassez será de imaginação, autoconfiança e iniciativa necessárias aos homens no futuro deste país? Tenho pouca paciência com gente que não vê futuro nos Estados Unidos. Se analisar aqueles que reclamam da "falta de oportunidade", perceberá que usam essa desculpa como álibi para a relutância em assumir responsabilidades e usar suas mentes.

Está chegando a hora em que o mundo inteiro se voltará para os Estados Unidos em busca de novas ideias, novas invenções, novas oportunidades, habilidade, imaginação. Vejo pelo menos cinquenta anos de oportunidades para os jovens deste país, e cada hora desses anos lhes trará vantagens muito maiores do que as que eu tive.

Homens que se queixam de falta de oportunidade me lembram o congressista que pouco tempo atrás quis introduzir um projeto de lei no Congresso estipulando o fechamento do Escritório de Patentes com base na afirmação de que não havia mais nada a ser patenteado. Espero que você não se torne vítima dessa crença míope de que este país não tem mais oportunidades.

P — Tenho certeza de que a sua excelente visão ainda terá muito mais a dizer sobre as oportunidades que esta grande nação oferece a homens e mulheres dispostos a aprender as regras do sucesso, utilizá-las durante o jogo da vida e reivindicar seus prêmios à medida que avançam.

Você fez uma forte e inspiradora declaração de encorajamento aos jovens desta nação, quem dera eles tivessem imaginação, autoconfiança e iniciativa para ver e tirar partido das oportunidades que este país lhes proporciona. Deseja acrescentar algo mais à declaração de esperança nas conquistas futuras dos Estados Unidos?

R — Sim, gostaria de lhe propor um desafio! Gostaria de registrar em sua mente o fato de que você tem a maior oportunidade de todos os jovens que conheço dessa geração, pois está sendo treinado e preparado para apresentar ao povo deste país uma nova filosofia de conquista individual que inspirará homens e mulheres em todas as esferas da vida a reconhecer e abraçar essa era de abundância de oportunidades.

Sua missão de vida é ajudar a inspirar o povo com o renascimento do espírito do americanismo. Meu maior desejo é que você consiga compreender essa visão da maneira como a vejo e que no devido tempo possa inspirar outros a ter a mesma visão.

O mundo das grandes oportunidades está atualmente disponível, como sempre esteve, apenas àqueles com grande visão. Se você se perder no desejo obsessivo de se tornar útil aos outros, irá se encontrar no reconhecimento voluntário do bem que está fazendo.

Esse pensamento não é nenhuma novidade É tão antigo quanto o mundo e há de permanecer enquanto a civilização existir. Estou enfatizando tal pensamento porque ele deve funcionar como um cordão de ouro, uma força vinculativa amarrando toda a filosofia do sucesso.

P — Espero ter a força de caráter para aceitar seu desafio! Só posso prometer usar fielmente os talentos de que disponho para honrar sua confiança. Sou apenas um rapaz, e meu maior recurso é a sede de conhecimento e a disposição para pagar o preço que seja necessário para obtê-lo.

R — Em uma frase você descreveu o maior recurso que qualquer jovem pode possuir: a sede de conhecimento e a disposição para obtê-lo! Se escrever essa frase na sua definição de objetivo de vida e nunca menosprezar seu valor, pode ter certeza de que ocupará mais espaço na história norte-americana do que qualquer outro escritor de sua geração.

Lembre-se de que as realizações de um homem correspondem infalivelmente à filosofia com que ele se relaciona com os outros. Se mantiver a intenção de dar algo em troca do conhecimento que deseja, você por certo se tornará tão útil ao mundo que ele será obrigado a recompensá-lo nos termos que você quiser. Esse é o espírito do verdadeiro americanismo.

P — Você fez referências frequentes ao termo "americanismo". Por favor, poderia fazer uma análise detalhada do que entende por esse termo? Acredito que muita gente tenha passado os olhos pela palavra "americanismo" sem ter uma concepção clara do que significa.

R — Essa é uma excelente sugestão, e espero que você incorpore na filosofia do sucesso uma análise plena e completa do americanismo para que outras pessoas possam buscar a oportunidade de alcançar a independência financeira na qual nossa nação baseia-se.

Todo sucesso começa com a definição de um objetivo. Todas as pessoas que buscam sucesso pessoal nos Estados Unidos devem entender e respeitar os fundamentos do americanismo. Aqueles que negligenciam ou se recusam a apoiar fielmente as instituições do americanismo podem estar contribuindo inconscientemente para a ruptura desses pilares de sustentação, eliminando assim a fundação onde estão apoiadas suas próprias oportunidades de sucesso pessoal. É óbvio que nenhum indivíduo poderá desfrutar de sucesso permanente se estiver fora de sintonia com as forças que lhe deram a oportunidade de sucesso.

P — Você se refere a "pilares de sustentação" das instituições americanas. Se importaria de nomeá-los e descrevê-los?

R — Eu adoraria. O primeiro dos grandes pilares que distinguem este país de todos os outros é *a forma americana de governo*. Ela foi originalmente redigida na forma da Constituição dos Estados Unidos, proporcionando o maior direito possível à liberdade individual, liberdade de pensamento, liberdade de expressão e liberdade de culto.

Acima de tudo, a liberdade de iniciativa individual dá a cada cidadão o direito de escolher sua ocupação e estabelecer o preço para seu conhecimento, habilidade e experiência. Nenhum outro país no mundo oferece aos cidadãos uma escolha tão abundante de oportunidades para a comercialização de seus serviços como os proporcionados sob nossa forma de governo.

P — Você nomeou o primeiro dos "pilares" fundamentais de nossa grande nação. Poderia prosseguir e falar sobre o segundo?

R — O segundo pilar é nosso *sistema industrial*, com seus incomparáveis recursos naturais de matéria-prima e liderança, coordenados como estão com o espírito americano da democracia e apoiados pela forma americana de governo. Enquanto houver harmonia, compreensão e cooperação entre os líderes da indústria e funcionários do governo, todos os cidadãos irão beneficiar-se, direta ou indiretamente, de nosso sistema industrial em expansão.

Esta é definitivamente uma nação industrial. A indústria não apenas gera a maior parte da renda dos homens assalariados, como absorve grande parte dos produtos da agricultura e é a principal fonte de sustento para homens e mulheres que trabalham profissionalmente. Não se pode separar o "americanismo" da indústria sem destruir um dos mais fortes e importantes pilares do americanismo.

P — Espero sinceramente que os líderes do governo e da indústria nunca se recusem a trabalhar em harmonia para um fim comum. Isso geraria dificuldades econômicas a cada um de nós. Qual você considera o próximo "pilar" importante?

R — O pilar de número três é nosso *sistema bancário,* uma vez que fornece o sangue vital que mantém nosso sistema industrial, nossa agricultura e nossos sistemas profissionais ativos e flexíveis a um custo que não é um fardo para ninguém. Compreenda a natureza do serviço prestado por nosso sistema bancário e você terá se livrado para sempre dos poucos ignorantes que reclamam dos pecados imaginários de "Wall Street".

Todas as pessoas bem informadas sabem que neste país temos um sistema duplo de governo, com uma divisão política operando em Washington e uma divisão financeira operando em Nova York. Quando esses dois ramos da nossa vida nacional funcionam harmoniosamente, prosperamos. Além disso, temos os recursos políticos e financeiros para competir e superar qualquer outro país do mundo.

Os bancos são tão essenciais para o funcionamento do sistema em que vivemos quanto o comércio e os escritórios profissionais. Na verdade, nenhuma forma de comércio ou de negócios poderia ser exercida com sucesso sem o acesso direto ao dinheiro ou crédito fornecido pelos bancos.

P — Muito bem, sua explicação sobre a importância de nossos bancos dará a muitos de nós uma opinião diferente sobre eles. Os bancos são o único auxílio financeiro ao nosso sistema econômico?

R — Não, existe outro muito importante. O quarto pilar essencial é *nosso sistema de seguros de vida,* que funciona como a maior instituição nacional de poupança individual e oferece uma flexibilidade ao nosso sistema econômico que não seria possível somente com o sistema bancário. Nenhuma outra instituição americana proporciona uma fonte de poupança que assegura ao indivíduo a proteção de sua família e, ao mesmo tempo, livra sua mente de preocupações ligadas à chegada da velhice com suas incertezas

DESENVOLVA A DEFINIÇÃO DE OBJETIVO

econômicas. A instituição do seguro de vida é definitivamente uma parte essencial dos Estados Unidos.

P — Suas afirmações sobre os quatro "pilares" mencionados dão muito o que pensar. Você disse que existem seis importantes diferenças entre nosso país e todos os outros?

R — Exatamente, existem mais duas. A quinta é o *nosso espírito nacional de amor pela liberdade*, nossa exigência do privilégio da autodeterminação conforme expresso pelos pioneiros da indústria e do governo, e o amor nacional pela liberdade de expressão, pensamento e ação, que foram as características distintivas dos grandes líderes produzidos pelos Estados Unidos no passado.

P — E qual é o sexto?

R — O sexto é *nosso senso nacional de justiça*, que nos inspira a lutar pela proteção dos fracos tanto quanto dos fortes e nunca tolerou a anexação territorial por conquista sem a adequada compensação.

Nesses seis itens você encontrará tudo o que mais distingue este país de todos os outros. Ao apresentar a filosofia do sucesso, certifique-se de destacar o fato de que *qualquer coisa que enfraqueça qualquer um dos seis pilares do americanismo debilita igualmente a totalidade do nosso sistema nacional.*

Certifique-se de enfatizar também que não basta apenas abster-se de fazer ou dizer alguma coisa que possa enfraquecer esses pilares, mas que é dever de todos os americanos defender esses fundamentos de todos os que tentarem enfraquecê-los ou destruí-los.

P — Após seu resumo brilhante das características mais distintas de nossa nação, que garantem nossas inestimáveis liberdades individuais e a oportunidade de sucesso pessoal, existe alguma precaução especial que gostaria de dar a respeito delas?

R — Existe uma tendência crescente neste país de homens de mentalidade radical encontrarem falhas em nossa forma de governo, nosso sistema industrial, nosso sistema bancário e em tudo mais que represente tipicamente o americanismo. Não podemos deixar que eles destruam a maior nação do mundo simplesmente porque pregamos e praticamos o direito à liberdade de expressão.

O direito à liberdade de expressão não traz consigo uma licença para difamar homens respeitáveis simplesmente por terem sido bem-sucedidos! Desde o início da civilização a riqueza encontrou o caminho até as mãos de homens que pensam de forma precisa, homens com definição de objetivo, homens com imaginação aguçada e iniciativa para transformar imaginação em serviço útil. Foi essa verdade que me levou a crer que *o melhor método de distribuição de riqueza é a distribuição dos princípios pelos quais a riqueza é conquistada.*

P — Você fez menção aos grandes recursos deste país. Qual você considera o maior de nossos recursos nacionais?

R — Ao falar dos grandes recursos deste país devemos ter em mente que o maior deles não é o dinheiro nos bancos, nem os minerais na terra, nem as árvores nas florestas ou tampouco a riqueza de nosso solo, mas a atitude mental, imaginação e espírito pioneiro dos homens que associaram experiência e educação a essas matérias-primas, transformando-as assim em vários tipos de serviço útil ao nosso povo e aos povos de outras nações.

A verdadeira riqueza desta nação não é material nem tangível. Nossa verdadeira riqueza consiste no poder intangível do pensamento e em como ele é expresso por nossos líderes que entendem e aplicam a filosofia da realização individual. Ela se reflete na visão e nos horizontes mais amplos e nas maiores ambições e iniciativas. Qualquer um que não compreenda essa verdade não será capaz de entender por que nosso país é o "mais rico e mais livre" do mundo.

P — Por que você coloca a definição de objetivo no topo da lista dos 17 princípios da realização?

R — Definição de objetivo é obviamente uma necessidade para todos que querem alcançar o sucesso, já que ninguém pode alcançá-lo sem antes saber exatamente aonde quer chegar. É interessante saber que cerca de 98% das pessoas não têm um objetivo importante, e é significativo que aproximadamente a mesma percentagem seja considerada um fracasso.

A *definição de objetivo*, para ter valor duradouro, deve ser adotada e aplicada como hábito diário. A ausência desse hábito leva a outro, fatal para o sucesso: o hábito de ficar à deriva.

P — Você se importaria de me dizer qual a sua definição da palavra "sucesso"?

R — Minha definição de sucesso é a seguinte: *"O poder para adquirir o que se quiser na vida, sem violar os direitos dos outros".*

P — Não é verdade que o sucesso é frequentemente resultado de "sorte"?

R — Se analisar minha definição de sucesso, você verá que o elemento sorte não está presente. Um homem pode até deparar com uma oportunidade por mero acaso ou sorte, e às vezes isso acontece, mas ele estranha-

DESENVOLVA A DEFINIÇÃO DE OBJETIVO

mente largará essa oportunidade na primeira vez que for atingido por um obstáculo.

Um homem pode conseguir uma oportunidade graças a um empurrãozinho, mas só continuará de posse dela mediante o ímpeto, o que exige *definição de objetivo*!

P — Em sua definição de sucesso você utilizou a palavra "poder". Você disse que o sucesso é conseguido pelo "poder com que se pode adquirir o que se quiser".

R — O poder pessoal é adquirido por uma combinação de traços e hábitos individuais, alguns dos quais serão explicados mais detalhadamente quando falarmos dos outros dezesseis princípios da realização. Resumidamente, as dez qualidades do poder pessoal (que chamamos de regra de dez pontos do poder pessoal) são as seguintes:

Definição de objetivo
Rapidez de decisão
Solidez de caráter (honestidade intencional)
Disciplina rigorosa sobre as próprias emoções
Desejo obsessivo de prestar um serviço útil
Conhecimento profundo da própria ocupação
Tolerância em todos os assuntos
Lealdade aos associados pessoais e fé em um Ser Supremo
Sede constante de conhecimento
Imaginação alerta

Observe que essa regra de dez pontos abrange apenas os traços que qualquer um pode desenvolver. Observe também que esses traços levam ao desenvolvimento de uma forma de poder pessoal que pode ser utilizado sem "violar os direitos dos outros." Essa é a única forma de poder pessoal que qualquer um pode dar-se ao luxo de exercer.

Capítulo 2
UTILIZE O PRINCÍPIO DO MASTERMIND

P — Chegamos agora ao segundo princípio, que você chamou de MasterMind. Poderia por favor definir o que quer dizer com o termo "MasterMind", de modo que todos nós tenhamos um entendimento claro do que significa?

R — MasterMind é "uma aliança de duas ou mais mentes, trabalhando juntas em espírito de perfeita harmonia para a realização de um objetivo definido".

P — Quer dizer que a simples escolha de um objetivo principal de vida não é por si só suficiente para garantir o sucesso?

R — Para alcançar seu objetivo principal, caso este seja de proporções acima da mediocridade, um indivíduo deverá relacionar-se com os membros de sua aliança de MasterMind de maneira que usufrua do benefício integral de seus cérebros em espírito de harmonia! A incapacidade de compreender a importância da harmonia e da simpatia pelo objetivo da parte de cada membro de uma aliança de MasterMind custou a muitos homens suas chances de sucesso nos negócios.

Um indivíduo pode reunir um grupo de homens cuja cooperação ele parece ter, e talvez tenha na superfície, mas o que importa não é a aparência superficial, é a "atitude mental" de cada membro do grupo. Antes de que qualquer aliança possa constituir um MasterMind, todos os homens do grupo devem ter o coração e a cabeça em afinidade absoluta com o objetivo da aliança *e devem estar em perfeita harmonia com o líder e com todos os outros membros da aliança.*

P — Acho que entendo seu ponto, mas não vejo como um homem pode ter a certeza de estar induzindo seu associado a trabalhar com ele em perfeita harmonia, em uma aliança de MasterMind. Poderia explicar como isso é feito?

R — Claro, posso dizer exatamente como relações harmoniosas são estabelecidas e mantidas. Para começar, lembre-se de que todas as ações do ser humano baseiam-se em um motivo definido. Somos criaturas de *hábito* e *motivo*. Começamos a fazer alguma coisa por causa de um motivo, continuamos a fazê-la tanto pelo motivo quanto pelo hábito, mas pode chegar

UTILIZE O PRINCÍPIO DO MASTERMIND

o tempo em que o motivo é esquecido e continuamos por causa do hábito estabelecido.

Há nove principais motivos aos quais as pessoas reagem. Vou descrevê-los e então você verá por si como os homens são influenciados a trabalhar com os outros em espírito de harmonia.

No início da organização de um grupo MasterMind, o líder deve selecionar primeiro os membros que têm capacidade de fazer o que lhes será exigido e em segundo lugar os homens que vão reagir em espírito de harmonia com o motivo específico proposto a eles em troca de sua ajuda.

P — Acredito que em ocasiões anteriores você tenha se referido a esses nove grandes motivos de ação voluntária como o "alfabeto do sucesso". Agora começo a entender por que os descreve assim. Poderia nomeá-los?

R — Aqui estão os nove motivos. A combinação de alguns deles cria a "força motriz" por trás de tudo o que fazemos:

1. A emoção do AMOR (o portal para o poder espiritual).
2. A emoção do SEXO (que, embora puramente biológica, pode servir como um poderoso estimulante para a ação, quando transformada).
3. Desejo de GANHO FINANCEIRO.
4. Desejo de AUTOPRESERVAÇÃO.
5. Desejo de LIBERDADE DE CORPO E MENTE.
6. Desejo de AUTOEXPRESSÃO, levando à fama e reconhecimento.
7. Desejo de perpetuação da VIDA APÓS A MORTE.

Os últimos dois motivos são negativos, mas muito poderosos como estimulantes à ação. São eles:

1. A emoção da RAIVA, muitas vezes expressa como inveja ou ciúme.
2. A emoção do MEDO.

Essas são as nove principais abordagens para todas as mentes! O líder de uma aliança de MasterMind bem-sucedida deve depender de um ou mais desses motivos básicos para induzir cada membro de seu grupo a cooperar em harmonia da forma necessária para obter o sucesso.

P — Em sua vasta experiência, quais você diria que foram as emoções que provocaram a maior reação?

R — Os dois motivos aos quais os homens reagem mais generosamente em alianças de negócios são a emoção do sexo e o desejo de ganho financeiro.

A maioria dos homens deseja dinheiro mais do que qualquer outra coisa, mas com frequência o querem *principalmente para agradar à mulher que escolheram*. Aqui, portanto, a força motivadora é tripla: AMOR, SEXO E GANHO FINANCEIRO.

Há um tipo de homem, no entanto, que trabalhará mais arduamente por reconhecimento do que por ganho financeiro.

P — Parece que o indivíduo que consegue formar com sucesso uma organização de homens em uma aliança de MasterMind deve conhecer muito bem a espécie humana. Poderia explicar como conseguiu escolher com êxito os homens do seu grupo de MasterMind? Você os escolheu à primeira vista ou pelo método de tentativa e erro, substituindo aqueles que se mostraram inadequados à finalidade para a qual foram escolhidos?

R — Nenhum homem é suficientemente inteligente para julgar outros à primeira vista com precisão. Existem certos indicadores superficiais que podem ser sugestivos das habilidades de um homem, mas há uma qualidade mais importante do que todas as outras como fator decisivo do valor de um homem como membro de uma aliança de MasterMind, e essa qualidade é sua "atitude mental" em relação a si e seus associados.

Se a atitude mental é negativa e ele tem a tendência de ser egoísta, autocentrado ou provocativo de forma hostil nas relações com outros, não se encaixará em uma aliança de MasterMind. Além do mais, se tal homem permanecer como membro de um grupo de MasterMind, sua influência poderá se tornar tão obstrutiva aos outros membros que ele destruirá a utilidade deles, bem como a sua própria.

Alguns dos membros do nosso grupo de MasterMind vieram de nossos quadros de trabalhadores depois de terem demonstrado sua capacidade. Outros foram trazidos de fora pelo método de tentativa e erro. Alguns dos homens mais capazes do nosso MasterMind começaram de baixo e trilharam seu caminho até o topo trabalhando em muitos departamentos diferentes de nossa indústria.

Tais homens conhecem o valor da harmonia e do esforço cooperativo. Esse é um dos segredos de sua habilidade em se promover a altas posições.

O homem que tem qualquer tipo de capacidade, além da atitude mental correta em relação aos associados, é geralmente encontrado no topo da escada, não importa qual seja a sua ocupação. Há um grande prêmio pela eficiência somada à atitude mental correta. Gostaria que você destacasse esse fato na apresentação da filosofia da realização individual.

P — E quanto ao indivíduo que organiza um grupo de homens em uma aliança de MasterMind? Não é necessário que seja um mestre na área em que atua antes de poder gerenciar outros com sucesso?

R — Sei muito pouco sobre as normas técnicas da produção e comercialização de aço. Não é essencial que eu tenha esse conhecimento. É aqui que o MasterMind mostra-se essencial.

Estou cercado por mais de vinte homens cuja combinação de educação, experiência e habilidade me dá o benefício integral de tudo o que se sabe até o momento sobre a fabricação e a comercialização do aço. Minha tarefa é *manter esses homens inspirados pelo desejo de fazer o melhor trabalho possível*.

Meu método de inspiração pode ser facilmente rastreado até as nove motivações básicas, especialmente ao desejo de ganho financeiro. Tenho um sistema de compensação que permite a cada membro do meu grupo de MasterMind decidir qual será a sua recompensa financeira, mas o sistema está concebido de maneira que, além de um certo salário máximo estabelecido para cada homem, o indivíduo deve dar prova definitiva de merecer ganhar mais do que aquele valor antes que possa receber. Esse sistema incentiva a iniciativa individual, a imaginação e o entusiasmo e leva ao desenvolvimento pessoal e crescimento contínuos.

Lembre-se, meu objetivo principal de vida é o desenvolvimento dos homens, não apenas o acúmulo de dinheiro. O dinheiro que possuo veio como uma recompensa natural por meu esforço no desenvolvimento dos homens.

P — Você afirma que todo o sucesso de proporções notáveis é resultado da compreensão e da aplicação do princípio do MasterMind. Não existem algumas exceções a essa regra? Não poderia um homem se tornar um grande artista, um grande pregador ou um vendedor de sucesso sem fazer uso desse princípio?

R — A resposta à pergunta, da maneira como você a colocou, é NÃO! Um homem pode se tornar um artista, um pregador ou um vendedor sem a aplicação direta do MasterMind, mas não conseguirá tornar-se grande em nenhum desses campos sem o auxílio desse princípio.

Uma Providência onisciente organizou o mecanismo mental de maneira que nenhuma mente sozinha é completa. A riqueza da mente, no sentido mais amplo, vem da aliança harmoniosa de duas ou mais mentes trabalhando em conjunto para a realização de um objetivo definido.

Existem indústrias e empresas de apenas um homem, mas não são grandes, e existem indivíduos que passam pela vida sem aliar-se com outras mentes em espírito de harmonia, mas não são grandes, e suas conquistas são escassas.

Você deve incluir na filosofia os fatores que permitem que um indivíduo eleve-se além da mediocridade. O mais importante desses fatores é a compreensão do poder que está disponível para a pessoa que combina sua força mental com a de outras pessoas, recebendo assim todos os benefícios de uma força intangível que nenhuma mente sozinha pode experimentar.

P — Poderia citar uma ou duas alianças de MasterMind em ação que eu possa mencionar para meus alunos nos próximos anos?

R — Nossa forma de governo é um excelente exemplo do princípio do MasterMind em ação, combinando o esforço de cooperação harmoniosa das unidades federais e estaduais do governo. Sob essa aliança amigável temos crescido e prosperado como nenhuma outra nação conhecida.

Venha até a janela e lhe mostrarei, lá no pátio ferroviário, um belo exemplo do MasterMind em ação no setor de transporte. Você verá um trem de carga sendo preparado para a partida. O trem está a cargo de um grupo de homens que coordenou seus esforços em espírito de harmonia.

O condutor é o líder da tripulação. Ele só consegue levar o trem até o destino porque todos os outros membros da tripulação reconhecem e respeitam sua autoridade e executam suas instruções em espírito de harmonia. O que você acha que aconteceria com esse trem se o maquinista se recusasse a obedecer os sinais do condutor?

P — Poderia acontecer um acidente com vítimas.

R — Exatamente! Administrar um negócio com sucesso requer a aplicação do mesmo princípio de MasterMind essencial para a operação de um trem. Quando falta harmonia entre os envolvidos na gestão de uma empresa, a falência não está longe. Você está me acompanhando? Quero que entenda isso porque trata-se da parte essencial de qualquer atividade bem-sucedida em todos os campos da atividade humana.

P — Entendo o princípio do MasterMind, embora nunca tivesse pensado que fosse a única fonte de suas estupendas conquistas na indústria do aço e a base de sua enorme fortuna.

R — Não! Não é a única fonte de minhas realizações! Outros princípios que vou descrever mais adiante contribuíram para o acúmulo da minha fortuna e para a construção de uma grande indústria siderúrgica, mas são menos importantes que o MasterMind. O segundo princípio mais importante é o

UTILIZE O PRINCÍPIO DO MASTERMIND

da definição de objetivo, que já descrevi. Esses dois princípios combinados produzem o que o mundo chama de indústria de sucesso. Nenhum deles, por si só, poderia trazer o sucesso.

Veja aqueles mendigos lá embaixo no trem de carga e terá um exemplo perfeito de um grupo de homens sem definição de objetivo nem MasterMind. Também é um exemplo de falta objetivo e de coordenação de esforços. Se aqueles homens colocassem suas cabeças a trabalhar juntas, definissem um objetivo e adotassem um plano para realizá-lo, poderiam muito bem ser a tripulação que opera aquele trem de carga em vez de um infeliz e miserável grupo de homens sem-teto.

P — Como é que esses homens nunca foram instruídos a respeito dos princípios da realização que você está descrevendo para mim? Por que não descobriram o poder do MasterMind como você?

R — Não descobri o princípio do MasterMind. Me apropriei dele, tirei literalmente da Bíblia.

P — Da Bíblia? Nunca ouvi dizer que a Bíblia ensinasse a filosofia prática da realização e do sucesso. Em que parte da Bíblia você encontrou o princípio do MasterMind?

R — Encontrei no Novo Testamento, na história de Cristo e seus doze discípulos. Você deve se lembrar dela. Até onde sei, Cristo foi a primeira pessoa na história a fazer uso definido do princípio do MasterMind. Recorde o poder incomum de Cristo e o poder dos seus discípulos depois de ele ter sido crucificado. Minha teoria é de que o poder de Cristo surgiu de sua relação com Deus e o poder de seus discípulos surgiu da aliança harmoniosa que tinham com ele.

> *Em verdade vos digo que tudo o que ligardes na terra será ligado no céu, e tudo o que desligardes na terra será desligado no céu. Também vos digo que, se dois de vós concordarem na terra acerca de qualquer coisa que pedirem, isso lhes será feito por meu Pai, que está nos céus. Porque, onde estiverem dois ou três reunidos em meu nome, aí estou eu no meio deles.*
>
> — *Mateus 18:18-20*

Ele revelou uma grande verdade quando disse a seus seguidores que poderiam realizar coisas ainda maiores, pois havia descoberto que a combinação de duas ou mais mentes em espírito de harmonia e com um objetivo definido em vista proporciona entrar em contato com o poder da Mente Universal.

Chamo sua atenção para o que aconteceu quando Judas Iscariotes traiu a fé de Cristo. A quebra do vínculo de harmonia gerou ao mestre a maior catástrofe de sua vida, e, por uma questão prática, deixe-me sugerir que, quando o vínculo de harmonia é quebrado, por qualquer causa que seja, entre os membros de um grupo de MasterMind que opera um negócio ou uma casa, *a ruína está próxima*!

P — O MasterMind pode trazer benefícios práticos em outros tipos de relações além das comerciais?

R — Sim! Pode ser de uso prático em qualquer forma de relacionamento humano onde a cooperação seja necessária. Pegue uma residência, por exemplo, e observe o que acontece quando um homem, sua esposa e os outros membros da família colocam suas cabeças e corações a trabalhar para o bem comum de toda a família. Você encontrará felicidade, satisfação e segurança financeira.

Você já deve ter ouvido que a esposa de um homem pode ajudá-lo ou quebrá-lo!

Bem, isso é verdade, e eu vou lhe explicar por quê. A aliança entre um homem e uma mulher casados cria a mais perfeita forma de MasterMind conhecida, desde que a aliança combine amor, compreensão, unidade de objetivo e completa harmonia. Evidência disso é o fato de que se pode encontrar a influência de uma mulher como a principal força motivadora na vida de praticamente todos os homens capazes de realizações notáveis ao longo dos séculos.

Privilegiado é o homem que se casa com uma mulher que dedica a vida a fortalecer o poder da mente dele misturando-a com a sua em um espírito de compreensão e harmonia. Esse tipo de mulher nunca irá "quebrar" homem algum, ela provavelmente irá ajudá-lo a realizar feitos que ele não alcançaria sem a ajuda dela.

P — Se entendi corretamente, a aplicação e o uso corretos do princípio do MasterMind dão a um indivíduo o benefício da educação e da experiência de outras pessoas, mas vão muito além disso e ajudam tal indivíduo a entrar em contato com e usar as forças espirituais disponíveis para ele. É isso?

R — É exatamente esse o meu entendimento. Um grande psicólogo disse certa vez que, sempre que duas mentes entram em contato, nasce dessa associação uma terceira mente, intangível e de maior poder que as outras duas. Se essa terceira mente se tornará uma ajuda ou obstáculo para uma ou ambas as mentes em contato, dependerá inteiramente da atitude mental de cada uma delas. Se a atitude de ambas as mentes for harmoniosa, simpática e cooperativa, então a terceira será benéfica para ambas. Se a atitude de uma delas ou de ambas as mentes em contato for antagônica, controversa ou hostil, a terceira será prejudicial.

O MasterMind não foi criado pelo homem, você sabe. Faz parte do grande sistema das leis naturais e é tão imutável quanto a lei da gravitação que mantém as estrelas e os planetas em seus lugares e igualmente definido em todas as fases de sua operação. Podemos não ser capazes de influenciar essa lei, mas podemos entendê-la e adaptar-nos de forma que ela nos traga grandes benefícios, independentemente de quem sejamos ou de nossa vocação.

P — Partindo de sua análise do princípio do MasterMind, fiquei com a impressão de que homens privados da educação fundamental não precisam limitar sua ambição por causa disso, uma vez que é possível e prático usarem a educação de outros. Também tenho a impressão, a partir do que você disse, de que nenhum homem jamais será capaz de adquirir educação suficiente para alcançar sucesso notável sem o auxílio de outras mentes. Essa conclusão está correta?

R — Ambas as afirmações estão corretas. Falta de instrução não é desculpa válida para o fracasso, assim como escolaridade exaustiva não é garantia de sucesso. Alguém disse uma vez que conhecimento é poder, mas essa é uma meia verdade, pois conhecimento é apenas poder em potencial. *O conhecimento pode tornar-se poder apenas quando organizado e expresso em termos de ação definida.*

Há uma grande diferença entre ter muito conhecimento e ser educado. A diferença se tornará evidente se você procurar a raiz latina da qual a palavra "educar" é derivada. "Educar" vem do latim *educare*, que significa extrair, desenvolver a partir de dentro, crescer com a utilização. *Não significa adquirir e armazenar conhecimento!*

Como expliquei no primeiro princípio, sucesso é o poder de se obter tudo o que se deseja na vida sem violar os direitos dos outros. Observe que usei a palavra *poder*! Conhecimento não é poder, *mas a apropriação e uso do conhecimento e das experiências de outros homens para a realização de um objetivo definido é poder;* mais do que isso, é poder da mais benéfica ordem.

P — Admitindo a verdade e sabedoria de tudo o que você disse, como alguém começa a apropriar-se desse poder e aplicá-lo?

R — O homem que aplica o princípio do MasterMind com a finalidade de aproveitar a mente de outros homens *geralmente começa assumindo total controle do poder de sua própria mente!* Falarei mais sobre o processo pelo qual isso pode ser feito quando chegarmos às lições sobre iniciativa e autoconfiança, mas agora gostaria de enfatizar a importância de eliminar as limitações autoimpostas que a maioria das pessoas coloca em sua própria mente.

Em um país como os Estados Unidos, onde existe abundância de todas as formas de riqueza, onde todos os homens são livres para escolher sua ocupação e viver como quiserem, não há razão para alguém limitar as próprias conquistas, nem para sentir-se satisfeito sem todos os bens materiais que seu desejo pessoal exija.

Em nosso país existe um grande prêmio para iniciativa individual, imaginação e definição de objetivo, e este consiste no fácil acesso às coisas materiais que cada homem necessita para satisfazer sua ideia de sucesso.

Aqui um homem pode nascer pobre, mas não precisa passar a vida inteira na pobreza. Ele pode não ser alfabetizado, mas não é obrigado a permanecer assim para sempre. Mas aqui, assim como em qualquer outra parte do mundo, *nenhuma grande oportunidade beneficiará o homem que negligenciar ou recusar-se a tomar posse do próprio poder mental* e utilizá-lo para o seu desenvolvimento pessoal.

Apenas para enfatizar, repito que nenhum homem pode tomar a plena posse de seu poder mental sem combiná-lo, pelo MasterMind, com as mentes de outros para a realização de um objetivo definido.

P — Poderia descrever, passo a passo, um plano completo a ser seguido na organização de um grupo de MasterMind? Esse procedimento não está muito claro para mim e pode estar ainda menos claro para quem não tem nenhuma experiência na utilização do princípio.

R — O procedimento em cada caso individual pode ser um pouco diferente, dependendo da educação, experiência, personalidade e atitude mental da pessoa que começa a organização do grupo de MasterMind e do objetivo pelo qual o organiza, mas em todos os casos existem elementos essenciais que devem ser observados.

P — Com base no que você disse anteriormente, vou arriscar um palpite sobre qual é o primeiro passo. É a definição de objetivo.

R — Você está certo. DEFINIÇÃO DE OBJETIVO. O ponto inicial de todas as conquistas é o conhecimento definido do que se quer. Discutimos esse princípio nas nossas últimas duas entrevistas.

O segundo passo é ESCOLHER OS MEMBROS PARA O GRUPO DE MASTER MIND. Como já afirmei, cada pessoa com quem um indivíduo se alia no MasterMind *deve ter perfeita simpatia pelo objetivo da aliança* e deve ser capaz de contribuir com algo definido para a realização desse objetivo. A contribuição pode consistir de sua educação, experiência ou, como é frequentemente o caso, do uso da boa vontade que estabeleceu em seu relacionamento com o público, vulgarmente conhecido como "contatos".

P – E qual o terceiro requisito fundamental na organização de um grupo de MasterMind?

R – É o motivo. Ninguém tem o direito, e raramente alguém tem a capacidade, de induzir os outros a participar como membros de um grupo de MasterMind sem dar algo em troca pelo serviço recebido. O motivo pode ser recompensa financeira ou alguma forma de troca de favores, mas deve ser algo de igual ou maior valor do que o serviço esperado.

Nunca é demais enfatizar que o homem que tentar construir um MasterMind sem assegurar-se de que cada membro dela *receba o lucro proporcional a seu valor na aliança* está condenado ao fracasso.

P – Estou correto ao recordar que em ocasiões anteriores você enfatizou a necessidade da harmonia em um grupo de MasterMind?

R – Está sim. A completa harmonia precisa prevalecer entre todos os membros de uma aliança de MasterMind se eles quiserem garantir seu sucesso.

Não pode haver deslealdade "pelas costas" por parte de nenhum membro do grupo. Cada um deve subordinar suas opiniões pessoais e seus desejos de avanço pessoal ao máximo benefício do grupo como um todo, *pensando apenas em termos da realização bem-sucedida do objetivo da aliança.*

Na escolha dos aliados de um grupo de MasterMind, a primeira consideração a ser feita é se determinado indivíduo *pode e irá* trabalhar para o bem do grupo ou não. Qualquer membro que se mostre incapaz disso deverá ser imediatamente substituído por alguém que possa e vá. *Não pode haver exceções nesse ponto.*

P – Tenho a sensação de que estamos chegando em algum lugar. O que acontece depois de um objetivo ter sido definido e as pessoas apropriadas terem sido selecionadas?

R – Então chega a hora de agir! Uma vez formado, um grupo de MasterMind deve tornar-se e permanecer ativo para ser eficaz. O grupo deve seguir um plano definido, em um período definido, rumo a um fim definido.

Indecisão, inação e demora destruirão a utilidade do grupo. Existe um velho ditado que diz que a melhor maneira de evitar que uma mula dê um coice é mantê-la tão ocupada que ela sequer tenha tempo ou predisposição para coicear.

Pode-se dizer o mesmo dos homens. O sucesso em qualquer empreendimento exige TRABALHO definido, bem organizado e contínuo! Ainda não inventaram nada que possa substituir o TRABALHO! Nem todos os cérebros do mundo são suficientes para permitir que um homem alcance sucesso notável sem TRABALHO!

P — Ao continuar sua explicação dos requisitos fundamentais para a organização de um grupo de MasterMind bem-sucedido, poderia explicar qual o papel do líder do grupo?

R — O líder que organiza o grupo deve realmente liderar. Em se tratando de trabalho, deve ser o primeiro a chegar ao local de trabalho e o último a sair; além disso, deve dar um bom exemplo a seus associados, trabalhando tanto ou mais do que eles. O melhor de todos os "chefes" é aquele que se torna praticamente indispensável e não aquele que apenas tem a última palavra quando decisões devem ser tomadas e planos devem ser traçados. O lema de todos os líderes deveria ser "o maior entre vocês será o servo de todos"!

P — Bem, há uma pergunta que eu gostaria de fazer, mas estava esperando que talvez você a respondesse antes que eu perguntasse. Com base em sua vasta experiência, qual desses fatores é o mais determinante, por si só, para o sucesso ou fracasso de uma aliança de MasterMind?

R — ATITUDE MENTAL. Em uma aliança de MasterMind, assim como em todas as outras relações humanas, o fator que, mais do que todos os outros, determina a extensão e a natureza da cooperação que se tem dos outros é a sua própria atitude mental.

Posso dizer sinceramente que, na minha relação com meu grupo de MasterMind, nunca houve um momento em que eu não tenha desejado que cada um dos homens da aliança recebesse os maiores benefícios pessoais possíveis e não houve um único momento em que eu não tenha tentado, com toda a minha capacidade, desenvolver em cada um deles a potencialidade máxima de suas próprias capacidades.

Uma das mais belas visões sobre a Terra, e uma das mais inspiradoras, é a de um grupo de homens que trabalha em conjunto em espírito de perfeita harmonia, cada um pensando apenas no que pode fazer para o benefício do grupo. Foi esse espírito que deu força quase sobre-humana aos esfarrapados e desnutridos oficiais do exército de George Washington na luta francamente desfavorável contra soldados mais equipados. Onde quer que se encontre um empregador e seus funcionários trabalhando juntos com esse espírito de ajuda mútua, encontra-se uma organização de sucesso.

Um dos principais benefícios do treinamento esportivo é que ele tende a ensinar os homens a fazer o trabalho de equipe em espírito de harmonia! É uma pena que, depois de deixar a escola, os homens nem sempre carreguem para os seus locais de trabalho o mesmo espírito de equipe.

A vida é menos penosa para o homem que tem espírito desportivo. Portanto, deixe que o espírito desportivo se torne um fator importante em

UTILIZE O PRINCÍPIO DO MASTERMIND

cada empreitada do MasterMind e que *comece com o homem que organiza o grupo*. Os outros absorverão o espírito a partir do exemplo.

P — Como o mundo seria melhor se as pessoas pudessem aprender a observar apenas o fundamento que você chamou de "trabalho em equipe". Diga-me, existem mais regras para a formação de uma aliança de MasterMind bem-sucedida?

R — Existe mais uma, que pode ser chamada de RELAÇÃO DE CONFIDENCIALI-DADE. A relação existente entre os homens do MasterMind deve ser confidencial. O objetivo da aliança *nunca deve ser discutido fora do grupo*, a menos que tal objetivo seja a realização de algum serviço público. A melhor de todas as formas possíveis de se dizer ao mundo o que se pretende fazer é *mostrar ao mundo o que já foi feito*.

Ouvi dizer que todos os grandes homens — e existem poucos deles em cada geração — sempre têm algum objetivo em mente que *não é conhecido por ninguém, exceto por eles mesmos e por seu Deus*. Talvez você não anseie ser grande, mas pode beneficiar-se mantendo essa afirmação em mente e evitando anunciar suas metas e planos antes da realização.

P — Poderia dizer qual acredita ser a mais importante aliança de MasterMind dos Estados Unidos?

R — A mais importante aliança de MasterMind dos Estados Unidos, ou de todo o mundo, é a aliança entre os estados de nosso país. Dessa aliança provém a liberdade de que temos tanto orgulho. *A força da aliança reside no fato de que é voluntária* e apoiada pelo povo em espírito de harmonia.

A aliança entre os estados criou a maior variedade de oportunidades para o exercício da iniciativa individual que existe em todo o mundo. Todo o nosso sistema foi projetado e é mantido como meio favorável ao apoio da iniciativa privada e incentivo à iniciativa pessoal, com base nas nove motivações básicas.

P — Você se importaria de nos lembrar como essa maravilhosa aliança opera?

R — O funcionamento da aliança de MasterMind com que nosso país é governado é simples. A aliança é constituída por três poderes, conhecidos como executivo, judiciário e legislativo, trabalhando em espírito de harmonia, em resposta direta à vontade do povo.

Esse sistema é utilizado na gestão individual dos estados, assim como na gestão da aliança entre os estados, conhecida como governo federal. O sistema pode ser modificado pela vontade do povo e quase todos os funcionários públicos que o administram podem ser exonerados com um aviso breve.

Até agora não foi encontrado um sistema de relacionamento humano melhor do que esse, nem existe perspectiva de se encontrar em um futuro próximo. Talvez nunca encontremos, e não será necessário *desde que nosso sistema atual seja gerenciado como seus fundadores pretendiam que fosse* — para o maior benefício possível a todos, sem privilégios especiais para ninguém.

P — Você fez uma breve referência à aplicação do MasterMind no gerenciamento bem-sucedido do lar. Poderia aprofundar esse assunto e explicar como esse princípio pode ser aplicado na gestão de uma casa?

R — Estou feliz por você ter pensado nisso, pois a experiência me ensinou que os relacionamentos na casa de um homem têm influência importante sobre suas realizações empresariais e profissionais.

A aliança entre um homem e uma mulher casados cria uma relação que influencia profundamente a natureza espiritual de ambas as partes. O casamento é, portanto, a aliança humana mais favorável para a utilização eficaz do princípio do MasterMind.

P — Suponho que no casamento, assim como em todos os outros relacionamentos, existem algumas precauções que podem ser tomadas para garantir o bom funcionamento do MasterMind. Poderia explicar quais são as mais importantes?

R — No topo da lista está A ESCOLHA DO CÔNJUGE. Um casamento bem-sucedido começa com a escolha inteligente do cônjuge. Deixe-me explicar o que quero dizer com escolha inteligente. Primeiro, um homem precisa testar sua parceira em potencial com uma série de conversas francas e íntimas. Deve dizer como pretende ganhar a vida e assegurar-se de que ela esteja de pleno acordo com ele, tanto quanto à escolha da ocupação quanto aos métodos de trabalho.

Será de ajuda inestimável a um homem se sua esposa ficar tão completamente convencida de sua atividade profissional e de seu método de ganhar a vida que seu interesse possa ser descrito como intensamente entusiástico; mas o envolvimento mínimo necessário nesse importantíssimo fundamento da sociedade conjugal deve ser a aprovação sem reservas da ocupação. A incapacidade de entender isso já destruiu a possibilidade de aplicação do MasterMind em muitos casamentos.

P — O que você acha dos chamados "triângulos amorosos", quando homens casados se interessam por outras mulheres mais do que por suas esposas?

UTILIZE O PRINCÍPIO DO MASTERMIND

R — Acho que não é exagero afirmar que a maioria deles tem início por causa da falta de interesse das esposas pelo trabalho deles. Faz parte da natureza do homem buscar associação próxima com aqueles que mostram grande interesse por seu trabalho. O ego masculino precisa ser alimentado pelo encorajamento pessoal, e ninguém está melhor posicionado para tratar disso do que a esposa.

P — E nos casos em que um homem e a esposa estão envolvidos na mesma ocupação ou no mesmo negócio e trabalhando em conjunto por um objetivo comum?

R — Em todos os casos em que observei tais circunstâncias, fiquei impressionado com o fato de que a proximidade na associação profissional levou também a um relacionamento social mais próximo, o que deixou muito pouco tempo de sobra para que qualquer um deles pudesse se interessar por outra pessoa ou por qualquer coisa que não dissesse respeito a ambos.

P — Existe alguma outra vantagem quando o homem e a esposa têm interesse mútuo pela fonte de renda familiar?

R — Sim, pois isso leva a uma compreensão mútua sobre as despesas domésticas e pessoais. Se a esposa sabe precisamente como o marido ganha dinheiro e quanto ganha, ela irá, se for uma parceira fiel, ajustar as despesas pessoais e da família de acordo com a renda; mais do que isso, ela o fará com alegria.

P — Até agora você falou sobre o homem que ainda não escolheu uma parceira. E sobre o homem já casado? O que ele pode fazer se escolheu uma mulher que não tem interesse em sua ocupação, ou talvez nenhum interesse em comum?

R — Na maioria dos casos desse tipo é necessário que o marido venda seu trabalho à esposa com o objetivo de induzi-la a começar tudo de novo sob um plano que assegure uma estreita cooperação entre eles. Existem poucos casamentos que não precisam da renovação do plano de relacionamento em intervalos frequentes, garantindo o máximo benefício para ambas as partes e para os filhos, quando há crianças.

P — De que plano para melhorar e manter relacionamentos você fala? Poderia dar algumas instruções específicas?

R — Seria bom se os casais reservassem um horário regular para uma reunião de MasterMind confidencial pelo menos uma vez por semana, durante a qual chegariam a um entendimento sobre cada fator vital do relaciona-

40 NAPOLEON HILL

mento, tanto dentro quanto fora da vida doméstica. O contato permanente entre um homem e sua esposa é um elemento essencial para a harmonia e para o esforço cooperativo.

P — Entendo que você definitivamente não aprova que qualquer uma das partes de um casamento dê as coisas como garantidas. Correto?

R — Correto. O princípio do MasterMind não pode ser aplicado com sucesso em um casamento sem um programa planejado deliberada e cuidadosamente. Uma discussão ocasional dos assuntos do casamento não é suficiente. Deve haver um período estabelecido reservado para as reuniões de MasterMind, e esse programa deve ser respeitado e executado com a mesma cortesia, a mesma definição de objetivo e a mesma formalidade observadas por homens de negócios que usam o MasterMind na gestão de suas atividades.

Afortunados serão os casais que prestarem atenção nesse conselho e fizerem o melhor uso possível do mesmo, pois com certeza descobrirão uma forma de aperfeiçoar o casamento que nunca poderá ser alcançada por mera atração física ou emoção sexual.

P — Na última declaração você mencionou a emoção sexual. Por causa da falta de educação geral sobre sexo, acredito que esse tema deva ser tratado com delicado discernimento. No entanto, é um assunto de tamanha importância que não pode ser ignorado. Lembro que você colocou e emoção do sexo como o segundo dos nove motivos básicos que incitam os homens à ação voluntária. Sem dúvida, você, que entende os homens tão bem, tem algumas palavras de sabedoria para nós sobre o assunto. Poderia discuti-lo?

R — A emoção do sexo é a própria fonte de inspiração da natureza, com a qual ela fornece a homens e mulheres o desejo impulsor para *criar, construir, conduzir e dirigir!* Cada grande artista, cada grande músico e cada grande dramaturgo dá expressão à emoção do sexo transmutado em empreendimento humano. Os homens de visão, iniciativa e entusiasmo que lideram e destacam-se na indústria e nos negócios devem sua superioridade à emoção sexual transmutada.

P — É óbvio que a emoção do sexo é a principal fonte de atração que leva homens e mulheres a se casarem. Por isso, é bom investigar a relação entre a emoção do sexo e o princípio do MasterMind. O que você tem a dizer sobre esse assunto?

R — O homem bem informado não tardará em reconhecer as possibilidades disponíveis para ele ao combinar a emoção do sexo com qualquer plano que adote como objeto da aliança de MasterMind com sua esposa. A mesma

UTILIZE O PRINCÍPIO DO MASTERMIND

sugestão oferece benefícios maravilhosos para a mulher interessada tanto em ajudar o marido em sua ocupação quanto em manter o interesse dele por ela. Porém, devemos lembrar que o relacionamento sexual, para ser de benefício duradouro como meio de inspiração, deve ser de natureza altamente romântica.

P — Por que você destaca a importância de romance?

R — Porque, onde quer que você encontre evidências da grandeza de um homem, não importa com que idade ou vocação, também encontrará evidências de espírito romântico. A bolota gera um carvalho apenas em resposta ao estímulo dos raios do sol. O pássaro quebra a casca do ovo e estica as asas apenas em resposta ao calor fora dele. E a semente da realização que repousa no cérebro de todos os homens responde mais rapidamente ao calor do amor e carinho de uma mulher.

Ignore o chamado do romance quando ele surgir dentro de você e estará ocultando seus talentos na escuridão do esquecimento. Pelo contrário, ouça o chamado desse mensageiro da Inteligência Infinita, trate-o com civilidade e compreensão quando ele chegar, e ele lhe entregará a chave para o Templo da Sabedoria, cujas portas estão trancadas dentro de seu coração e cérebro. Tudo o que é grande e bom no homem e na mulher está lá apenas pelo dom do amor de Deus.

Mantenha a chama do romance acesa. Deixe que ele se torne parte — uma parte importante — da cerimônia do MasterMind, e sua relação conjugal renderá frutos inestimáveis em ambos os aspectos, material e espiritual.

P — Pelo que você disse sobre o espírito do romance, fico com a impressão de que ele é uma grande força motriz que pode ser usada na busca da vocação de um homem, bem como na devoção ao objeto de sua afeição. É essa a impressão que você pretende transmitir?

R — Exatamente, e disse isso porque a força nascida da combinação do amor e do sexo é o próprio *elixir da vida*, com o qual a natureza exprime todo o esforço criativo. Entenda essa realidade e você entenderá por que o maior uso que um homem pode fazer do MasterMind é aquele que surge da aliança com a mulher que ele escolheu; entenderá também por que é tão essencial o homem manter o relacionamento com a esposa no plano do romance.

P — Como se faz para acender esse fogo emocional tão poderoso?

R — O espírito de romance nasce da combinação das emoções do AMOR e do SEXO. *Entusiasmo, força motriz, interesse aguçado* e *visão* são essenciais para o sucesso em qualquer vocação, e esses estados mentais podem ser produzidos por vontade própria pela pessoa que converte as motivações do AMOR e do SEXO — dois dos mais fortes dos nove motivos básicos — em um interesse obsessivo por sua ocupação.

Romance é uma mistura das emoções de AMOR e SEXO. É um impulso normal e saudável se não for degradado pelo desejo físico. Ele remove o aspecto maçante do trabalho duro. Eleva os pensamentos do trabalhador mais humilde ao status de gênio. Afasta o desânimo e o substitui pela definição de objetivo. Transforma a pobreza em uma poderosa e irresistível força de conquista. Incita a imaginação e *a obriga a se tornar ativa e criativa*! É o coração e a alma de todos os homens de feitos notáveis que já "deixaram suas pegadas nas areias da história".

P — Poderia explicar como aplicar o princípio do MasterMind aos esforços diários de um indivíduo para se apropriar de sua quota de oportunidade americana?

R — Agora vou analisar algumas das utilizações individuais deste grande princípio universal, já que ele pode ser aplicado no desenvolvimento de várias relações humanas que *contribuem para a realização do objetivo principal de vida.*

Cada um dos estudantes da filosofia da realização pessoal deve reconhecer o fato de que a conquista do maior objetivo de sua vida pode ser alcançada apenas com uma série de passos e que todos os pensamento que ele tem, todas as transações em que se envolve no relacionamento com outras pessoas, todos os planos que cria e todos os erros que comete têm influência vital em sua capacidade de atingir a meta escolhida.

O OBJETIVO PRINCIPAL deve ser apoiado e acompanhado por esforço contínuo, e a parte mais importante desse esforço consiste *no tipo de esforço aplicado no relacionamento com outras pessoas.* Com essa verdade bem fixa na mente, não é difícil entender como é importante ter cuidado ao escolher os associados, *especialmente aqueles com quem se entrará em contato íntimo diariamente.*

P — Poderia nomear e discutir algumas das fontes de relação humana que o homem com um objetivo principal definido de vida deve cultivar durante seu progresso em direção a seu objetivo? Qual é, por exemplo, a primeira dessas fontes?

R — A primeira fonte importante de relações humanas, fora do casamento, é a que existe entre um homem e aqueles com quem ele trabalha no exercício de sua ocupação diária. Existe uma tendência, comum a todos os homens, de que um indivíduo assuma os maneirismos, a atitude mental, a filosofia

UTILIZE O PRINCÍPIO DO MASTERMIND

de vida, os pontos de vista políticos, a inclinação econômica e outros traços gerais do mais extrovertido dos homens com quem trabalha diariamente. A tragédia dessa tendência é o fato de que nem sempre o homem mais extrovertido entre os associados é sério; muitas vezes é um homem com *caráter mais duvidoso!*

No entanto, em quase todos os grupos de associados de trabalho pode-se encontrar pessoas cuja influência e cooperação podem ser úteis. O homem de discernimento com um objetivo principal definido de vida irá provar sua sabedoria ao estabelecer amizades próximas apenas com aqueles que podem e estão dispostos a ser mutuamente benéficos a ele. Os outros ele irá *evitar diplomaticamente!*

O homem com um objetivo definido vai fazer um inventário cuidadoso de cada pessoa com quem trabalha diariamente e vai enxergar cada uma delas como uma possível fonte de conhecimento que poderá pegar emprestado e usar na sua promoção. Se olhar ao redor de forma inteligente, ele irá descobrir que o local de trabalho é literalmente uma sala de aula na qual pode adquirir a maior de todas as educações, aquela que vem com a *experiência*. O homem com um objetivo construtivo de vida jamais sentirá inveja de seus superiores; ao invés disso, estudará seus métodos e se apropriará de seus conhecimentos.

P — Como se pode fazer o melhor uso do tipo de educação que você acabou de mencionar?

R — Lembrando-se dos nove motivos básicos, juntamente com a sugestão de que *ninguém nunca faz nada sem motivo*. Homens emprestam sua experiência, seu conhecimento e sua ajuda a outros homens porque têm motivo suficiente para fazê-lo.

Obviamente, o homem que se relaciona com os colegas com atitude mental amigável e cooperativa tem mais chances de aprender com eles do que o homem beligerante, irritável, descortês ou negligente nos pequenos gestos de cortesia que existem entre todas as pessoas cultas.

O velho ditado de que "um homem pode pegar mais moscas com mel do que com sal" deveria ser bem lembrado pelo homem que deseja aprender com os colegas que sabem mais do que ele e cuja cooperação ele precisa e procura.

P — Obrigado por um esplêndido resumo das vantagens que podem ser adquiridas com o que poderíamos chamar de aliança de MasterMind OCUPACIONAL. Qual é o outro tipo de aliança necessária para a realização do objetivo principal de vida?

R — A próxima em importância é a aliança EDUCACIONAL. A educação de um homem nunca termina. O homem cujo objetivo principal definido de vida é de proporções notáveis deve continuar a ser um estudante e deve aprender de todas as fontes possíveis — especialmente das fontes de onde pode extrair conhecimentos específicos e experiências relacionadas a seu objetivo principal.

As bibliotecas públicas são gratuitas. Elas oferecem uma grande variedade de conhecimento organizado em todos os assuntos conhecidos pela civilização. Comportam, em todas as línguas, a soma total de todos os conhecimentos do homem. O homem bem-sucedido se encarrega de ler livros e aprender fatos importantes relativos a seu trabalho provenientes da experiência de outros homens antes dele.

O programa de leitura de um homem deve ser escolhido tão cuidadosamente quanto sua dieta diária, pois é o alimento sem o qual ele não pode crescer mentalmente. O homem que gasta todo seu tempo de leitura com revistas de humor ou de sexo não está direcionado a grandes conquistas. Um homem deve incluir em seu programa de leitura diária algum material que definitivamente proporcione conhecimento que possa usar na consecução de seu objetivo principal. A leitura aleatória pode ser atraente, mas raramente é útil no que refere à ocupação de um homem.

P — Você destacou a leitura. Ela é a única fonte de educação disponível para um homem com um objetivo definido de vida?

R — De forma alguma. Mediante a escolha cuidadosa de seus associados diários, um indivíduo pode aliar-se a homens com quem pode adquirir farta educação em conversas comuns. Clubes profissionais e de negócios oferecem a oportunidade de formar alianças de grande benefício educacional, desde que se escolha os clubes e as associações individuais dentro deles com um objetivo definido em mente. Desta forma, muitos homens travam relacionamentos sociais ou profissionais de grande valor na realização de seu objetivo principal.

Nenhum homem pode ser bem-sucedido na vida sem o hábito de cultivar amigos. A palavra "contato", conforme usada em relação à convivência pessoal, é importante. Se um homem assume a tarefa de aumentar sua lista de "contatos" pessoais, não pode prever os benefícios enquanto está cultivando relacionamentos, mas chegará a hora em que esses conhecidos estarão prontos e dispostos a ajudá-lo se ele tiver feito um bom trabalho em vender-se para eles.

Capítulo 3
DESENVOLVA UMA PERSONALIDADE ATRAENTE

"Se você quer um trabalho executado sem demora e bem feito, peça para um homem ocupado. O homem ocioso conhece uma profusão de desculpas e subterfúgios."

P — Chegamos agora ao terceiro dos dezessete princípios da realização individual, que você chamou de "personalidade atraente". Acredito que você tenha separado os fatores por trás da personalidade em características distintas, das quais apenas uma não pode ser desenvolvida por qualquer pessoa normal. Poderia descrever essas características, com especial ênfase àquelas que considera dde maior importância para um indivíduo conseguir traçar seu caminho na vida com sucesso?

R — Não irei apenas descrever as características de uma personalidade atraente, mas, antes de terminar, *também darei uma fórmula simples com a qual todas exceto uma dessas características podem ser desenvolvidas e mantidas.* A simples menção desses traços de personalidade será de pouco valor a menos que o indivíduo se aproprie deles e os use. Começaremos com a descrição do mais importante, que é a ATITUDE MENTAL POSITIVA. Pode-se ter uma boa ideia do importante papel que a atitude mental exerce na vida de um indivíduo considerando que ela influencia o tom de voz, a expressão do rosto, a postura do corpo e modifica cada palavra falada, bem como determina a natureza de cada emoção sentida. Mais do que isso: modifica cada pensamento que é liberado, estendendo assim sua influência a todos dentro de seu alcance pela telepatia.

Por uma questão de contraste, vamos citar algumas coisas desagradáveis que a atitude mental negativa provoca. Ela amortece o entusiasmo, limita a iniciativa, derruba o autocontrole, subjuga a imaginação, prejudica o desejo de ser cooperativo, torna o homem mal-humorado e intolerante e, como se não fossem danos suficientes para garantir o fracasso, termina por destruir o poder de raciocínio. Essas são apenas algumas das maneiras pelas quais uma atitude mental negativa *pode prejudicar o próprio indivíduo*, independentemente do dano que ele cause a outros com suas influências negativas.

P — Como uma atitude mental negativa afeta um vendedor já pela manhã?

R — Seria muitíssimo melhor que ele permanecesse em casa. Além de não fazer as vendas que faria se sua atitude mental fosse agradável, ele também fará inimigos e perderá clientes.

P — Uma atitude mental negativa pode afetar um profissional como um advogado ou um médico?

R — O advogado que for para o tribunal com uma atitude mental negativa encontrará o tribunal e o júri opondo-se a ele, embora ele possa ter um caso perfeitamente justo, e o médico que encontrar seus pacientes com uma atitude mental negativa fará mais mal do que bem, embora possa ser qualificado na profissão.

Um homem pode ter toda a cultura que a civilização moderna pode oferecer, ter uma série de diplomas em seu nome e ser o mais qualificado em sua área de atuação, mas ainda assim será um fracasso, tão certo quanto dois e dois são quatro, *se carregar uma atitude mental ruim consigo!* A única coisa que as pessoas simplesmente não toleram é uma atitude mental negativa.

P — Você deu alguns exemplos dos resultados de uma atitude mental negativa. Poderia citar o exemplo de um homem com atitude mental positiva e explicar como isso afetou a vida dele?

R — Pegue Charlie Schwab, por exemplo, para quem paguei mais de um milhão de dólares de bônus extra em um único ano. Analise sua personalidade nos mínimos detalhes e ficará perto de descobrir por que muitos de meus associados acumularam suas próprias fortunas. Charlie veio a mim como um trabalhador comum. Tinha pouca escolaridade e pouquíssimos talentos especiais, mas tinha um trunfo importante que indica a pista para o sucesso dele. *Tinha uma atitude mental perfeita em relação a si mesmo e a todos os outros com quem entrava em contato!* Como ele tinha essa atitude? Bem, ele provavelmente nasceu em um meio favorável para seu cultivo, mas adquiriu o hábito de expressá-la porque se associou a um grupo de homens que adotaram como dever diário o desenvolvimento e manutenção de uma atitude mental positiva.

Antes de passar para a próxima característica de uma personalidade atraente, deixe-me dizer que a atitude mental deve ser levada em consideração em todas as outras qualidades da personalidade que iremos analisar. Ela está definitivamente relacionada com todas elas, um fato muito significativo.

DESENVOLVA UMA PERSONALIDADE ATRAENTE

P — Uma vez que apresentarei a filosofia da realização para muitos pensadores realistas, estou vivamente interessado no "por que" e "como" de todos os princípios que você menciona. Poderia, portanto, explicar como alguém pode desenvolver tal atitude?

R — A maneira mais simples de responder à sua pergunta é dizendo que uma atitude mental positiva pode ser desenvolvida pela *compreensão e aplicação* de todos os fatores da personalidade atraente. Você verá, portanto, quando eu terminar minha análise dessas qualidades da personalidade, que sua pergunta terá sido respondida.

P — Muito bem, ouvirei atentamente o que você diz, de modo a recolher pistas que possam ser úteis no desenvolvimento desses traços desejáveis. Qual é o segundo fator de personalidade?

R — FLEXIBILIDADE. Por esse termo entendo a capacidade de adaptar-se a mudanças repentinas e circunstâncias emergenciais sem perder o senso de equilíbrio. Um homem com disposição flexível deve ser como um camaleão, o pequeno membro da família dos répteis que muda de cor rapidamente para se harmonizar com o ambiente. Sem essa capacidade é quase impossível ter uma personalidade atraente, já que as condições sempre cambiantes da vida e dos relacionamentos humanos exigem adaptabilidade individual.

Alguns homens são injustos o suficiente para culpar outras pessoas por sua desgraça, mas a verdade é que cada um é o que é e está onde está *por causa de sua atitude mental, expressa pela personalidade.*

P — Esta é uma grande afirmação! Ela exclui quase que por completo os elementos de "sorte" e "apadrinhamento", que a maioria das pessoas lamenta não ter tido ao avaliar sua condição de vida.

R — Sim, de fato. Quando apresentar a filosofia da realização, passe essa ideia em termos que levem as pessoas a fazer um inventário honesto de si mesmas para que possam encontrar e corrigir seus defeitos de personalidade. Costumo pensar que seria uma bênção se todas as escolas públicas incluíssem o estudo da personalidade atraente como obrigatório no currículo. Os jovens precisam ser ensinados, muito cedo na vida, que nenhuma quantidade de instrução irá assegurar o sucesso a menos que aprendam a negociar agradavelmente com outras pessoas.

E observe como a flexibilidade está definitivamente relacionada à *atitude mental*!

P — E isso nos leva ao terceiro dos fatores importantes de uma personalidade agradável, que é?

R — SINCERIDADE DE PROPÓSITO. Nunca foi encontrado um substituto satisfatório para este traço de caráter. Digo que é um traço de caráter porque é algo que *mais arraigado em um ser humano do que qualquer mera qualidade da personalidade.*

A sinceridade de propósito, ou a falta dela, mostra-se tão evidente nas palavras e nos atos dos homens que até mesmo o mais novato analista de caráter pode reconhecer sua presença ou ausência. A pessoa que não é sincera anuncia sua fraqueza em cada palavra que diz, na expressão do rosto, nos temas de conversa, na escolha de colaboradores íntimos, no tipo de serviço que presta relacionado à sua ocupação e de outras formas menos perceptíveis, ainda que possa ser um ator habilidoso, com grande capacidade de camuflar sua real natureza.

O proverbial tipo "concordino" é objeto de escárnio em todo o mundo, principalmente porque todos reconhecem sua falta de sinceridade. Nunca esquecerei da primeira oposição feita por Charlie Schwab. Ele estava comigo há pouco tempo quando o mandei fazer certas mudanças no trabalho que eu acreditava que deveriam ser feitas. Ele me ouviu até o fim, então me olhou diretamente nos olhos e, com um largo sorriso bem-humorado no rosto, disse: "Tudo bem, chefe, é você quem manda; mas preciso dizer que seu pedido vai lhe custar dinheiro porque você não está tão a par dessa questão quanto eu".

Algo na maneira como ele falou me deixou sem espaço para interpretar o comentário como insubordinação, então segurei a ordem, fui investigar e acabei descobrindo que ele estava certo e eu errado. Daquele dia em diante comecei a acompanhar Charlie de perto e encontrei nele qualidades de personalidade e de caráter que fizeram com que se tornasse de valor inestimável para mim. Portanto, não é exagero dizer que Charlie teve sua chance comigo por causa de sua sinceridade de propósito.

Vale verdadeiramente a pena incluir a sinceridade de propósito como um dos fatores da personalidade!

P — Com essa sólida verdade ainda ressoando em nossos ouvidos — o ressoar da sinceridade, pode-se dizer —, passaremos para o quarto fator de uma personalidade agradável. Podéria nomeá-lo?

R — É a RAPIDEZ DE DECISÃO. Observe os homens ao seu redor e perceberá que os indecisos não são nem populares, nem bem-sucedidos. Vivemos em

DESENVOLVA UMA PERSONALIDADE ATRAENTE

um mundo em movimento rápido, e aqueles que não se movem rapidamente não conseguem acompanhar o ritmo.

Os homens bem-sucedidos tomam decisões firme e rapidamente e ficam irritados e incomodados com quem não age prontamente. Chamo a atenção para o fato de que a rapidez de decisão é um hábito e, portanto, está intimamente relacionada à atitude mental. Você pode até tentar, mas não conseguirá separar nenhum desses traços da personalidade atraente da atitude mental.

Chamo a atenção também para a estreita relação entre rapidez de decisão e definição de objetivo. Assim, você vai observar que esses traços de personalidade têm conexão direta com todos os dezessete princípios da filosofia da realização.

Vivemos em um país onde a realização individual em grande escala é possível por causa da abundância de oportunidades, mas as oportunidades não esperam por ninguém! O homem com visão para reconhecê-las e rapidez de decisão para agarrá-las vai avançar, mas os outros não.

É assim que o mundo funciona! Ele sempre dá lugar para o homem que sabe exatamente o que quer e está determinado a obtê-lo!

P — Dizem que cortesia é a coisa mais barata e ainda assim a mais rentável do mundo. Onde você coloca esse traço de personalidade?

R — CORTESIA é o próximo fator a ser discutido. É parte essencial de uma personalidade atraente. Quanto ao custo, vou além e digo que a cortesia é absolutamente *grátis*. Custa somente o tempo necessário para expressá-la no contato diário com os outros. Talvez justamente a sua gratuidade contribua para sua escassez, visto que é uma qualidade de personalidade tão rara que, quando alguém depara com ela, rapidamente nota a pessoa que a expressa.

P — Qual a sua definição de cortesia?

R — Minha ideia de cortesia é a seguinte: é o *hábito* de respeitar os sentimentos dos outros em todas as circunstâncias, o *hábito* de se dar ao trabalho de ajudar outra pessoa menos afortunada sempre que possível e, por último mas não menos importante, o *hábito* de controlar o egoísmo em todas as formas. Perceba novamente a relação definitiva entre cortesia e atitude mental! Cortesia é um meio com o qual alguém pode projetar sua influência a fontes de oportunidade que não alcançaria sem ela.

P — Depois da cortesia, o que vem na lista dos elementos essenciais de uma personalidade agradável?

R — Em seguida, mencionarei um par de irmãos gêmeos. O primeiro é o TOM DE VOZ. A palavra falada é, em grande parte, o meio pelo qual se exprime a personalidade com maior frequência; por isso o tom de voz deve estar tão completamente sob controle que possa ser matizado e modificado para transmitir um significado adicional além do significado das meras palavras expressas, pois ele transmite um significado separado, conscientemente ou não. A ideia é, portanto, cultivar a voz para que possa ser usada para transmitir o significado específico desejado.

O homem que desenvolveu uma personalidade 100% atraente sabe como transmitir cada emoção que sente pelo tom da voz. Pode expressar raiva, medo, curiosidade, desprezo, dúvida, afeição, coragem, sinceridade, desdém, ansiedade e uma vasta gama de outros sentimentos.

Além disso, ele tem o *hábito* de controlar a voz cada vez que fala, pois somente com o hábito se atinge a perfeição na dramatização do discurso. O preço da perfeição aqui, como acontece em tantas outras coisas, é a prática eterna. *Todas as pessoas que desenvolvem uma personalidade atraente devem estudar a própria voz e colocá-la sob controle para que possam transmitir qualquer sentimento que desejem.* Se não existe nenhum professor de oratória ao seu alcance, você pode tornar-se seu próprio professor, praticando diante de um espelho até atingir a perfeição.

P — Você disse que o TOM DE VOZ era um de dois irmãos gêmeos. Qual a natureza do outro irmão?

R — Oh, o outro irmão é o HÁBITO DE SORRIR. Não cometa o erro de achar que o simples hábito de sorrir não é parte importante da personalidade e não esqueça que é um hábito que pode ser diretamente associado à atitude mental. Se não está seguro disso, *tente sorrir quando estiver com raiva!* Sugiro que se pratique o controle de voz diante de um espelho, pois certas expressões da fala não podem ser dramatizadas adequadamente a menos que acompanhadas de um sorriso.

P — É possível que esses irmãos gêmeos tenham outros parentes próximos? Qual é a próxima característica de uma personalidade desejável?

R — É a EXPRESSÃO DO ROSTO. Você já deve ter ouvido falar que os analistas de caráter podem dizer muito sobre a natureza de uma pessoa apenas olhando de relance a expressão do rosto. Bem, é verdade, mas os analistas de caráter não estão sozinhos na capacidade de julgar as pessoas pela expressão facial. Todos nós fazemos isso constantemente, quer estejamos conscientes disso ou não.

Você pode dizer muito sobre o que se passa na mente de uma pessoa pela expressão do rosto. Os mestres em vendas podem dizer muito sobre os reais pensamentos de um potencial comprador a partir da observação cuidadosa da expressão facial. Se não for capaz disso, não é um mestre em vendas. Além disso, os vendedores inteligentes aprendem a avaliar o que se passa na mente de outra pessoa pelo tom da voz.

Assim, o sorriso, o tom de voz e a expressão do rosto constituem uma janela aberta através da qual todos podem ver e sentir o que se passa na mente das pessoas. Isso naturalmente sugere à pessoa inteligente o uso de cautela em relação a essa janela aberta. A pessoa inteligente saberá quando manter a janela fechada! Também saberá quando abri-la!

P — Me perdi na contagem dos diferentes traços da personalidade atraente já mencionados por causa de meu intenso interesse em suas observações. Qual é o próximo traço?

R — Estamos no número nove, que é a DIPLOMACIA. Há sempre uma hora certa e errada para tudo. A diplomacia consiste no hábito de fazer e dizer a coisa certa no momento certo, e vou enumerar uma lista das maneiras mais comuns em que as pessoas mostram falta de tato. Sugiro que esta lista possa ser de benefício imensurável como uma verificação da personalidade. Aqui está ela:

1. Descuido com o tom de voz, muitas vezes falando em tons rudes e antagônicos que ofendem.
2. Falar fora de hora, quando o silêncio seria mais apropriado.
3. Interromper outros que estão falando.
4. Sobrecarregar o pronome pessoal.
5. Fazer perguntas impertinentes, geralmente para impressionar os outros com a importância do próprio questionador.
6. Inserir assuntos pessoais íntimos na conversa quando isso é embaraçoso para outros.
7. Ir aonde não foi convidado.
8. Presunção.
9. Ostentar regras da sociedade como adorno pessoal.
10. Fazer visitas pessoais em horários inconvenientes.
11. Manter pessoas ao telefone com conversa desnecessária.
12. Escrever cartas para quem não se tem nenhuma desculpa razoável de abordar.
13. Oferecer opiniões quando não solicitadas, especialmente sobre assuntos com os quais não se está familiarizado.

14. Questionar abertamente a solidez da opinião dos outros.
15. Recusar solicitações de outros de forma arrogante.
16. Falar depreciativamente de pessoas na frente dos amigos delas.
17. Repreender pessoas de quem se discorda sobre algum assunto.
18. Falar de males físicos das pessoas na presença delas.
19. Corrigir subordinados e associados na presença de outros.
20. Reclamar quando pedidos de favores são recusados.
21. Abusar da amizade ao pedir favores.
22. Usar linguagem profana ou ofensiva.
23. Expressar desagrado muito livremente.
24. Falar de doenças e desgraças.
25. Criticar nossa forma de governo ou a religião de outra pessoa.
26. Familiaridade excessiva com as pessoas em todas as ocasiões.

P — Aquele que verificar sua personalidade com essa lista e descobrir que não comete nenhum dos erros é realmente um indivíduo raro e afortunado. Posso ver que a diplomacia é mais um traço de personalidade relacionado à atitude mental. O que aparece como o número dez?

R — No décimo lugar vem a TOLERÂNCIA. Vamos definir tolerância simplesmente como mente aberta. A pessoa tolerante é aquela que mantém a mente aberta para novos fatos, novos conhecimentos e novos pontos de vista sobre todos os assuntos. *Me arrisco a dizer que esta definição classifica a maioria de nós como intolerantes.*

Observe também, antes de avançarmos muito na análise desse assunto, quão intimamente tolerância e diplomacia estão ligadas e também como ambas estão definitivamente relacionadas à atitude mental. Tente o quanto quiser, não há como escapar da importância da atitude mental. *Ela surge por toda parte, em todas as relações humanas!*

Antes de encerrar esse assunto, gostaria de enumerar alguns entraves específicos que os homens criam para si mesmos por meio da intolerância, que:

1. Torna inimigos aqueles que gostariam de ser amigos.
2. Faz cessar o crescimento da mente, *limitando a busca por conhecimento*.
3. Desencoraja a imaginação.
4. Proíbe a autodisciplina.
5. Impede a precisão do pensamento e do raciocínio.

DESENVOLVA UMA PERSONALIDADE ATRAENTE

Além disso, também prejudica o caráter de formas invisíveis e desconhecidas que limitam a utilização das forças espirituais disponíveis para abrir a mente.

P — Você certamente deu à intolerância a importância que ela merece. Isso conclui a rodada dos dez primeiros elementos essenciais de uma personalidade desejável. Suponho que poderíamos chamá-los de "Dez Mais" de uma personalidade positiva. E vamos agora à próxima rodada. Qual é o número onze?

R — O décimo primeiro traço da personalidade atraente é a FRANQUEZA DE CONDUTA E DE DISCURSO. Todo mundo desconfia do homem que recorre a subterfúgios em vez de lidar francamente com seus associados diários. Conheci homens tão escorregadios que você não conseguiria tirar deles uma declaração clara e direta sobre nenhum assunto, e ainda não vi um homem desse tipo em quem se possa confiar.

Esse tipo de homem não mente de forma direta, mas o que ele faz dá exatamente no mesmo, ao deliberadamente sonegar fatos importantes de quem tem direito de saber. Esse hábito é uma forma de desonestidade que, se mantido por muito tempo, vai minar o mais sólido caráter. Homens de caráter sólido sempre têm a coragem de falar e lidar diretamente com as pessoas e seguem esse hábito mesmo que às vezes possa resultar em desvantagem pessoal. Homens que recorrem a subterfúgios para enganar os outros raramente têm muita confiança em si mesmos.

P — Tenho certeza de que todos preferem lidar com uma pessoa franca e honesta. A longo prazo, gente que pensa estar enganando os outros está apenas enganando a si mesma. Mas qual o número doze nessa série de traços de personalidade desejáveis?

R — O número doze é SENSO DE HUMOR AGUÇADO. Um senso de humor bem desenvolvido ajuda a pessoa a se tornar flexível e ajustável às diferentes circunstâncias da vida. Também permite relaxar e tornar-se humana em vez de permanecer fria e distante. Além disso, um senso de humor aguçado *impede que um homem leve a si mesmo e a vida muito a sério* — tendência para a qual muita gente tem uma inclinação.

Sempre sinto pena do homem que não consegue relaxar e rir quando é adequado fazê-lo, pois o riso é o melhor dos tônicos mentais. Não tenho certeza, mas acho que é também um bom tônico físico. Um senso de humor aguçado, não importa como se apresente, proporciona grande relaxamento. Os norte-americanos gastam milhões de dólares anualmente com circo, teatro e cinema para obter esse tipo de fuga.

O senso de humor serve até mesmo para uma melhor aparência física, uma vez que ajuda a manter as linhas do rosto suavizadas e leva ao *hábito de sorrir*, que é um dos traços importantes da personalidade atraente. E há uma relação definida entre senso de humor e atitude mental. Um senso de humor aguçado incentiva uma *atitude mental positiva*.

P — Você deixa muito claro que ter uma personalidade atraente é um recurso de grande valor para qualquer um. Os fatores que está apresentando possibilitarão que as pessoas façam inventário dos recursos de suas personalidades, assim como de suas possíveis fraquezas. Suas sugestões e instruções permitirão que reforcem quaisquer pontos fracos e aumentem a capacidade de negociar com a vida em termos mais favoráveis. Qual é o próximo traço necessário para o desenvolvimento de uma personalidade atraente?

R — Chegamos agora ao mais profundo e abrangente de todos os elementos que compõem uma personalidade atraente — a FÉ NA INTELIGÊNCIA INFINITA. A fé está entrelaçada a todos os princípios da filosofia da realização, uma vez que o poder intangível da fé é a essência de cada grande conquista, não importa qual sua natureza ou objetivo. Minha análise desse tema, portanto, é uma responsabilidade que não ouso negligenciar. *Fazer isso seria como tentar ensinar astronomia sem fazer referência às estrelas!*

Entenda, no entanto, que qualquer referência que eu faça ao tema da fé não tem nada a ver com o sobrenatural, nem com quaisquer conotações teológicas. Vou falar do poder da fé somente como uma necessidade inevitável para o homem que deseja fazer o máximo uso de sua mente para a conquista de fins materiais.

Nenhuma filosofia sobre a realização pessoal estaria completa sem o reconhecimento claro e definitivo do poder da fé. A razão disso é que o estado mental conhecido como fé fornece o maior canal para a expressão de *iniciativa, imaginação, entusiasmo, autoconfiança* e *definição de objetivo*. Sem ela ninguém pode elevar-se acima da mediocridade! Negligenciar o tema da fé seria, portanto, algo como disponibilizar o maquinário mais completo para um homem sem fornecer energia para operá-lo.

P — Você está dizendo que o cérebro de um homem é na verdade uma máquina muito refinada, construída intricada e precisamente para executar a função definida de viver?

R — Sim, estou, e o poder que opera esta máquina é uma forma de energia externa, e a fé é o portão principal pelo qual um indivíduo pode dar a seu cérebro acesso pleno e livre ao grande poder universal que o opera.

DESENVOLVA UMA PERSONALIDADE ATRAENTE

A mão que abre o portão e permite a livre entrada do poder que opera o cérebro é o desejo, ou *motivo*! Ninguém até agora descobriu outra maneira de abrir o portão. Ele pode ser aberto em vários graus, dependendo do *motivo* e do *desejo*. Apenas aqueles desejos que assumem a proporção de uma obsessão — *desejos ardentes* — servem para escancarar a abertura.

Um *desejo ardente*, no sentido em que uso o termo, é aquele acompanhado por um emoção profunda. Meros desejos mentais, oriundos da razão pura, não abrem o portão para o cérebro tão amplamente quanto os desejos do coração misturados com emoção. Quero deixar este ponto muito claro e enfatizá-lo de todas as maneiras possíveis, *pois é o fundamento do tema da fé.*

P — Poderia dar alguns exemplos dos benefícios práticos a serem obtidos por aqueles que aprendem a usar o poder da fé?

R — Gostaria de começar afirmando que o estado mental conhecido como fé elimina automaticamente a intolerância, libertando a mente das limitações criadas pelo homem. Afinal de contas, *o que é a intolerância senão uma mente parcialmente fechada?* Assim como a escuridão é dissipada pelo simples processo de acender a luz, a intolerância é eliminada abrindo a mente para o influxo do poder que dá ao cérebro a visão para abranger todas as realidades da vida em vez de apenas algumas.

Em seguida, eu diria que a abertura da mente pela fé proporciona uma perspectiva mais ampla do mundo e das pessoas que vivem nele. Essa mesma receptividade pavimenta o caminho para uma melhor compreensão de *todas as relações humanas*; portanto, serve para apoiar *todos os traços* da personalidade atraente.

O terceiro benefício para aqueles que usam o poder da fé é que uma mente aberta permite o influxo de energia que remove todos os obstáculos imaginários do caminho da realização individual e ajuda a superar os obstáculos reais. Como alguém tão apropriadamente declarou: "Onde a fé é o guia, o indivíduo não tem como perder-se".

P — Poderia citar em ordem os fatos que considera mais significativos em relação ao assunto da fé?

R — Um fato de importância profunda é que o poder disponível pela fé é inesgotável e não há penalidade *de qualquer natureza para o uso gratuito desse poder!* Esse fato denota a intenção do Criador de uso pleno e completo desse poder universal por todos os que desejem usá-lo e para qualquer finalidade essencial ao bem-estar do homem.

É também significativo que o método para entrar em contato e utilizar esse poder é simples e *está ao alcance de todas as pessoas*. Ele consiste da apropriação voluntária do poder por meio do *desejo* ou *motivo*.

Mais um fato importante é que o poder do pensamento é a única coisa sobre a qual qualquer ser humano tem controle completo, e a prerrogativa do indivíduo a esse respeito foi habilmente protegida por um sistema que faz com que seja impossível para uma pessoa saber como outra está fazendo uso do seu poder do pensamento.

P — Parece então que a única privacidade real que um homem tem é a de que desfruta dentro de si e com seus pensamentos em sua mente. Que verdade profunda e inspiradora!

R — Sim, e o homem que não consegue compreender o significado dos fatos que mencionamos nunca terá uma personalidade atraente no sentido mais pleno da palavra. O homem que os entende e aplica remove todas as limitações de sua mente. *A recompensa prometida vale todo o esforço que se coloque no entendimento desses fatos.*

P — Qual é o próximo traço da personalidade atraente?

R — É o senso de justiça aguçado. Parece banal lembrar as pessoas de que um indivíduo não pode esperar se tornar popular e atraente se não lidar de maneira justa com os outros, mas a conhecida deficiência nesse aspecto torna necessária a discussão do assunto.

P — Talvez seja melhor você definir o que quer dizer com justiça.

R — Justiça, conforme uso o termo aqui, significa *honestidade intencional!* Muita gente é honesta por uma questão de conveniência, mas essa honestidade é tão flexível que pode ser adaptada a qualquer circunstância em que seus interesses imediatos possam ser melhor atendidos. Não é esse tipo de honestidade que estamos analisando. Estamos falando da honestidade deliberada, tão rigidamente observada que o indivíduo é motivado por ela tanto em circunstâncias que podem não ser de benefício imediato quanto naquelas que prometem a maior recompensa possível.

P — Você se importaria de citar alguns dos benefícios práticos mais óbvios do senso de justiça aguçado?

R — Ele estabelece a base da confiança, sem a qual ninguém pode ter uma personalidade atraente.

Constrói um caráter fundamentalmente sincero e sólido que, por si só, é uma das maiores forças de atração.

DESENVOLVA UMA PERSONALIDADE ATRAENTE

Não só atrai as pessoas, como oferece oportunidades de ganho pessoal na ocupação profissional.

Proporciona uma sensação de autoconfiança e respeito próprio.

Coloca o indivíduo em um relacionamento melhor e mais compreensivo com a própria consciência.

Atrai amigos e desencoraja inimigos.

Limpa o caminho para o estado mental conhecido como fé.

Protege contra a destrutividade da controvérsia com outras pessoas.

Ajuda a pessoa a agir com mais iniciativa em relação ao objetivo principal de vida.

Nunca prejudica ou sujeita a qualquer forma de constrangimento.

O senso de justiça aguçado não só ajuda no desenvolvimento da personalidade atraente, como é um recurso de valor inestimável em quase todos os relacionamentos humanos. Desencoraja a avareza, a ganância e o egoísmo e proporciona ao indivíduo uma melhor compreensão de seus direitos, privilégios e responsabilidades. *O senso de justiça aguçado tem grande e definida influência no desenvolvimento de outros traços da personalidade atraente.*

P — Chegamos ao número quinze dos traços de uma personalidade atraente, que é:

R — **A** ADEQUAÇÃO DE PALAVRAS. Entre pessoas cultas talvez não haja maior fonte de aborrecimento do que o uso descuidado das palavras. Coloquialismos e gírias podem ser razoáveis às vezes, mas, quanto menos usados, melhor. Nosso idioma é repleto de palavras que possuem todas as nuances possíveis de significado. Portanto, não existe desculpa válida para o hábito de usar palavras que ofendam. E claro que o uso de palavras profanas é indefensável.

P — Poderia sugerir um método pelo qual uma pessoa possa assegurar-se de ter um vocabulário apropriado?

R — Um conhecido meu cuja habilidade no uso das palavras é superior ao de qualquer outra pessoa que já conheci dedica trinta minutos por dia para *ler o dicionário!* Sim, literalmente *ler.* Ele tem um vocabulário surpreendentemente grande, e nunca o ouvi usar uma palavra inadequada na vida. Além disso, sua escolha de palavras mostra que ele usa apenas aquelas que transmitem precisamente o significado pretendido.

P — Já que você mencionou, é verdade que as palavras que um homem utiliza são o indicador pelo qual ele é inicialmente julgado pelos outros, e por isso elas assumem enorme importância como um fator da personalidade.

R — As palavras são o meio pelo qual o homem mais frequentemente expressa seus pensamentos; portanto, a natureza das palavras que ele usa fornece uma pista precisa do tipo de mente que ele possui. Esse fato me leva à conclusão de que duas coisas devem estar na lista de tarefas diárias das pessoas com personalidade atraente: *o cuidado com a escolha das palavras e o cuidado com o tom de voz em que as palavras são proferidas!*

P — Como resultado de sua análise, me peguei pensando que coisa maravilhosa é a palavra. Gostaria que você continuasse a discorrer sobre a importância das palavras por um momento.

R — A capacidade de expressar pensamentos com palavras é uma das diferenças que separam o homem de todos os outros seres vivos. As palavras são o meio engenhoso do Criador para conceder ao homem um canal ilimitado para a expressão de pensamentos. As palavras são uma dádiva especial de Deus para o homem.

Com essa dádiva, a combinação do conhecimento e da experiência humana pode se tornar bem comum do indivíduo mais humilde. Se não tivéssemos palavras para transmitir os pensamentos, a utilização do MasterMind seria extremamente limitada, e todos os homens seriam praticamente obrigados a passar a vida sem utilizar o conhecimento adquirido por outros antes deles.

P — Qual é o décimo sexto traço de uma personalidade atraente?

R — Eu o denominei CONTROLE EMOCIONAL. Já foi afirmado por aqueles que estudaram o assunto que as emoções do homem controlam sua conduta! A alegação parece razoável. A maioria de nós é dirigida mais pelas emoções do que pela razão. Fazemos ou nos abstemos de fazer coisas por causa de como nos sentimos. A emoção, portanto, pode ser definida com a palavra SENTIMENTO. Esta palavra é importante e poderosa, uma vez que define a força motivadora que controla a maioria de nossas ações ao longo da vida. Certamente devemos aprender o máximo possível sobre a força que *nos eleva a grandes realizações ou nos lança à derrota*. É precisamente isso o que o poder da emoção faz. Em vista desse fato significativo, precisamos saber controlar esse poder, não apenas para adicionar atratividade à nossa personalidade, *mas para evitar uma vida de fracasso e miséria.*

P — O que sugere como primeiro passo para se desenvolver tal controle sobre as emoções?

R — O primeiro passo é identificar as emoções para que possamos reconhecê-las, e para nos ajudar nesta tarefa um psicólogo preparou uma lista das

DESENVOLVA UMA PERSONALIDADE ATRAENTE

emoções mais comuns manifestadas em nossa vida diária. São sete emoções positivas e sete emoções negativas.

As sete emoções negativas são:

1. MEDO (Existem sete formas diferentes de medo, que discutiremos mais adiante.)
2. CIÚME
3. ÓDIO E INVEJA
4. VINGANÇA E MALÍCIA
5. GANÂNCIA
6. SUPERSTIÇÃO E DESCONFIANÇA
7. RAIVA

Agora as sete emoções positivas:

1. AMOR
2. SEXO
3. ESPERANÇA
4. FÉ
5. DESEJO
6. OTIMISMO
7. LEALDADE

Nessas quatorze emoções pode-se encontrar as letras do alfabeto de um idioma que grafa tanto SUCESSO quanto FRACASSO! Essas quatorze palavras representam literalmente o teclado do instrumento musical da vida, no qual um indivíduo reproduz os acordes da harmonia que conduzem à felicidade no seu sentido mais amplo, ou as discórdias da infelicidade que levam à miséria e à obscuridade.

Cada uma das quatorze emoções está relacionada à "atitude mental". Por isso enfatizo a importância da atitude mental. Essas emoções não representam nada *exceto* atitude mental, não são nada mais do que sentimentos ou estados mentais. Mais importante ainda: estão sujeitas à organização, orientação e controle completo por qualquer pessoa normal. Este é o teclado da vida no qual o indivíduo pode compor a música que sua alma vai cantar por toda a vida.

P — Como o Criador deu ao homem o controle sobre essa grande partitura da sinfonia da vida?

R — Dando a ele o controle sobre seus pensamentos. *A única coisa que o indivíduo deve fazer é assumir o controle de sua mente e exercer esse controle.*

Ele não pode evitar ou negligenciar isso *sem condenar sua vida aos ventos errantes do acaso!*

Lembre-se, antes de encerrarmos esse assunto, que o ponto em que um indivíduo começa a assumir o controle da própria mente — e isso inclui as emoções, claro — é quando adota um objetivo principal definido.

Definição de objetivo é o ponto de partida de toda realização. Vê-se, portanto, como sucesso e fracasso estão definitivamente relacionados com as quatorze emoções. Metade delas são o prenúncio do fracasso. A outra metade são as construtoras do sucesso.

P — Ouso dizer que qualquer um que faça uma cópia da lista das quatorze emoções e se examine cuidadosamente quanto a cada uma delas, com base em um cronograma definido, fará grandes avanços em direção ao domínio de suas emoções.

R — Correto. Deve-se elaborar um gráfico de verificação e adquirir o hábito de classificar-se em cada uma das emoções diariamente. Esse procedimento surpreenderá a todos que o tentarem. Também pode levar a mudanças na personalidade que surpreenderão agradavelmente os colegas de trabalho. Essa abordagem é positiva para o autocontrole, que deve ser *buscado* e *alcançado* por todos que querem ter a certeza de fazer a vida valer a pena.

P — Você cobriu os dezesseis primeiros traços de uma personalidade atraente. O que vem a seguir?

R — Vamos chamá-lo de INTERESSE ALERTA em pessoas, lugares e coisas. Sem a capacidade de fixar o interesse em um assunto ou pessoa e mantê-lo durante o tempo que a ocasião exigir, nenhuma pessoa terá uma personalidade atraente. De modo geral, você não pode prestar maior elogio a uma pessoa do que concentrar-se nela quando ela deseja sua atenção. Dizem que ser capaz de ouvir direito é uma conquista maior do que ser capaz de falar bem.

É uma maneira de agradar aos outros e de adquirir conhecimento útil ao mesmo tempo. O hábito de olhar em outra direção ou de brincar com algum objeto enquanto alguém está falando está entre as piores formas de desrespeito. O hábito de interromper quando os outros estão falando é um *insulto imperdoável!* Estas talvez sejam palavras duras, mas descrevem com exatidão um fato importante.

P — Você está sugerindo que a incapacidade de perceber detalhes e de observar o que está acontecendo ao redor é uma fraqueza por demais comum?

DESENVOLVA UMA PERSONALIDADE ATRAENTE

R — Exatamente. É uma fraqueza comum que custa um preço enorme. Ao fazer um estudo cuidadoso de si mesmo conversando com outras pessoas, você vai descobrir que pode contribuir substancialmente para sua própria personalidade demonstrando interesse aguçado na personalidade de outro indivíduo.

Sugeri diversas vezes para alguns dos jovens que trabalharam conosco que, se fossem tão vivamente interessados nos colegas de trabalho e nas tarefas quanto eram quando conversavam com as namoradas, o resultado seria uma mudança positiva em seus contracheques.

Demonstrar interesse pelos outros não serve apenas para agradá-los, mas também proporciona uma excelente oportunidade para se conhecer as pessoas, observando seus maneirismos. Pode-se aprender lições valiosas observando as falhas e virtudes alheias, já que esse hábito nos leva a fazer um inventário mais preciso de nós mesmos, para nos certificarmos de não apresentar as mesmas falhas.

P — Me parece que a memória está associada ao tema do interesse e observação atentos. Estou correto?

R — Todo mundo sabe que uma boa memória é um bem de grande valor, mas nem todo mundo parece saber que uma das maiores funções de uma boa memória é fazer um inventário preciso das características das personalidades individuais e lembrá-las. Tal retentividade sempre exige observação aguçada e grande interesse na conversa trivial com as pessoas.

Poucas coisas irritam mais do que ser apresentado a alguém pela segunda vez sem que a pessoa mostre qualquer sinal de reconhecimento. Tal situação acontece todos os dias. Não é nenhum elogio para um homem, especialmente se for alguém de grande reputação no seu campo de atuação, sentir que é tão inexpressivo e sem importância que alguém a quem foi apresentado pela segunda vez não se lembra dele. Por outro lado, nada contenta mais um homem do que a demonstração de que as pessoas lembram dele, e favoravelmente.

Um dos maiores hotéis de Nova York tem um recepcionista que utiliza um sistema com o qual se lembra de praticamente todas as pessoas que se registram pela segunda vez, e ele nunca erra se a pessoa é bastante conhecida publicamente. Ele chama as pessoas pelo nome e faz questão de que elas saibam que ele as reconhece. O gerente do hotel disse que esse funcionário é um dos maiores trunfos do hotel e, o que é ainda mais interessante, recebe quase três vezes mais do que o salário usual para o cargo.

Faz parte do dever de um homem — pelo menos para consigo mesmo — enxergar todos os seus conhecidos e identificá-los de alguma maneira cada vez que falar com eles após um longo intervalo. Falta de interesse em outras pessoas é geralmente um sinal de egotismo. Aquele que se apaixonar por si mesmo encontrará alguns rivais!

P — Todos concordam prontamente que uma personalidade atraente é algo a ser desejado e buscado. Os elementos apresentados até agora formam uma lista maravilhosa com a qual as pessoas podem comparar suas personalidades, assinalando as respectivas qualidades e falhas, se for o caso. Você cobriu os primeiros dezessete traços da personalidade atraente. O que tem para hoje?

R — O décimo oitavo traço de uma personalidade atraente é o DISCURSO EFICAZ. A pessoa que não consegue ficar de pé e falar com vigor e convicção sobre qualquer assunto dentro de sua área de conhecimento fica em grande desvantagem para atrair pessoas. O mesmo se aplica ao homem que não consegue expressar-se com convicção em conversas triviais e pequenas reuniões de grupo, como conferências de negócios.

Há uma aceitação geral da crença de que a capacidade de dramatizar palavras e expressá-las com vigor em todos os momentos e condições está entre as maiores realizações humanas. Na verdade, algumas pessoas colocam essa habilidade no topo da lista de todas as realizações pessoais.

Inúmeras vezes, como podemos ver ao examinar a história da humanidade, todo o curso da civilização foi influenciado por homens capazes de dramatizar uma ideia usando a palavra falada. Temos apenas que olhar ao redor para encontrar homens que chegaram a grandes realizações pessoais devido à capacidade de vender-se para outras pessoas com um discurso dramatizado. Lembre-se de que, com o uso da palavra *discurso*, refiro-me às palavras faladas pelo homem com o objetivo de influenciar os outros, quer ele esteja falando apenas para um ou para muitos.

P — Poderia ser útil mencionar alguns dos passos necessários para preparar-se para proferir um discurso eficaz.

R — De longe o fator mais importante para um discurso eficaz é o conhecimento profundo do assunto sobre o qual se fala. *Nenhuma técnica dramática substituirá a autoconfiança que um orador sente quando sabe do que está falando!*

Uma pessoa cujo passatempo era o discurso conciso, disse certa vez que um curso inteiro de oratória poderia ser ensinado em uma frase: "Saiba o que quer dizer e diga com todo o sentimento que possa exibir; em seguida, sente-se!". *A última palavra é importante.* A hora de parar de

DESENVOLVA UMA PERSONALIDADE ATRAENTE

falar é o exato momento em que você conseguiu transmitir o pensamento que queria e nem um segundo além desse tempo. Oradores prolixos são geralmente monótonos, mas os discursos breves também serão se não comunicarem com eficácia o que as pessoas querem ouvir.

P — Várias vezes você usou a palavra "dramatizar" em relação ao discurso eficaz. Como se adquire a capacidade de dramatizar?

R — A capacidade de dramatizar o discurso vem do hábito; portanto, deve-se começar *falando vigorosamente na conversa habitual!* Existem um lugar onde grandes oradores aprendem a arte do discurso eficaz. Eles praticam com todas as pessoas com quem conversam. Nunca pronunciam uma palavra *sem respaldá-la com o sentimento necessário* para que penetre e afete a mente do ouvinte. Esse procedimento simples, *e nenhum outro*, seguido como hábito diário, fará de qualquer pessoa um orador eficaz!

P — Na nossa última conversa você destacou a importância da escolha correta das palavras. Poderia dizer onde o uso adequado das palavras se encaixa no discurso eficaz?

R — As palavras não produzirão um discurso eficaz a menos que sejam agrupadas de maneira a transmitir ideias com ilustrações e analogias que estejam dentro da experiência de todos! Lembre-se disso, pois é de extrema importância para todos que aspiram tornar-se oradores eficazes.

Já ouvi discursos de alguns homens intelectualizados que eram obras-primas do nosso idioma, mas não conseguiram influenciar ninguém por não estarem devidamente sintonizados com a mente dos ouvintes mediante o tipo certo de ilustrações.

As pessoas desejam ouvir coisas que ajudem a resolver seus problemas diários, assuntos que ajudem na luta pelas necessidades e luxos da vida. Elas ouvirão outros assuntos, *mas serão mais fortemente influenciadas quando as discussões forem interessantes devido à dramatização e ilustração.*

Todas as pessoas se ressentem do uso de palavras que não entendem, não importa o quão corretamente tenham sido usadas. Lembre-se, portanto, de que o orador eficaz não deve apenas usar ilustrações ao alcance dos ouvintes, mas deve descrevê-las com palavras que qualquer pessoa com educação comum possa compreender.

P — E os gestos? Já escutei alguns oradores que agitavam as mãos no ar ou socavam o púlpito descontroladamente ao argumentar. Qual sua opinião sobre esse assunto?

R — Gestos só podem fazer uma de duas coisas para um discurso: aumentar ou diminuir sua eficácia. Se não aumentam, diminuem. Os gestos, portanto, devem ser harmonizados de forma adequada com o conteúdo do discurso. Deve-se evitar gestos pessoais distraídos, como passar a mão no cabelo, colocar as mãos nos bolsos, brincar com a corrente do relógio ou chacoalhar moedas. Além disso, deve-se evitar a postura desleixada do corpo. Tais maneirismos podem sugerir familiaridade e levar a mente dos ouvintes para longe do discurso.

P — Me parece que muitos dos traços de uma personalidade atraente podem ser incorporados diretamente em um discurso eficaz. Estou pensando, por exemplo, no tom de voz.

R — O tom da voz é importante. Portanto, deve ser controlado. Tons muito altos e agressivos sempre ofendem o ouvinte. Os tons baixos e graves são muito mais aconselháveis. Uma voz fora de tom é tão prejudicial quanto um instrumento musical desafinado e, pelo mesmo motivo, destrói a harmonia.

Lembre-se de que se deve começar a treinar o tom de voz nas conversas informais. Uma voz bem disciplinada pode transmitir sentimentos — não pelo mero significado das palavras, mas pelo tom — que podem produzir tanto risos quanto lágrimas! O orador eficaz deve aprender a distinguir entre as palavras que são ditas sem sentimento e aquelas que dependem quase que, se não totalmente, do sentimento para influenciar o ouvinte. *O tom da voz é o instrumento* pelo qual o sentimento é transmitido.

P — Você há de concordar comigo que outro dos traços da personalidade que obviamente entra no discurso eficaz é a expressão facial.

R — O orador eficaz deve se lembrar de fazer a expressão do rosto ajustar-se à sensação que deseja transmitir. Tanto o sorriso quanto o olhar severo têm lugar apropriado no discurso, mas é importante que sejam usados apenas no lugar certo. A regra que se impõe é que a expressão do rosto deve harmonizar-se com a natureza do pensamento a ser transmitido pelo discurso.

P — Qual ingrediente de um discurso transmite o importante "sentimento" ou ânimo do orador para a audiência e a inspira a reagir como o orador deseja?

R — Entusiasmo é o elemento essencial do discurso eficaz, pois fornece às palavras o "sentimento" necessário para permitir que o orador projete seus pensamentos para dentro da mente dos ouvintes.

DESENVOLVA UMA PERSONALIDADE ATRAENTE · **65**

É difícil para qualquer um fechar a mente ao orador entusiástico ou evitar que sua mente seja penetrada pelos pensamentos de alguém que fala com o fogo do entusiasmo respaldando cada palavra. *O entusiasmo é muito contagiante!* É uma forma de sentimento que dá poder às palavras como nada mais consegue dar.

P — Se for esse o caso, por favor, diga-nos como gerar o poder mágico do entusiasmo.

R — O ponto de partida para o desenvolvimento do entusiasmo é a sinceridade de propósito e a crença completa do orador no pensamento que está se esforçando para transmitir aos outros.

Qualquer tentativa de fingir entusiasmo será facilmente reconhecida pelos ouvintes, que se ressentirão disso. Aqui novamente *o tom de voz fala tão alto que meras palavras atrapalham* e servem apenas para expor a falta de sinceridade do orador que não acredite no que esteja dizendo.

P — Poderia dizer qual discurso é considerado o mais eficaz de todos os tempos?

R — O discurso proferido mais vezes do que qualquer outro é um dos mais curtos, um dos mais dramáticos, um dos mais românticos e às vezes um dos mais trágicos de todos os discursos humanos. Consiste de apenas três palavras: "Eu te amo"! No entanto, ouvi dizer que essas três palavrinhas são apenas um complemento à transmissão do pensamento por trás delas.

O mais importante, dizem os *especialistas* no assunto, é o tom da voz, o olhar e o sentimento de entusiasmo que o orador às vezes coloca por trás do discurso.

Quando você souber explicar como se reveste o discurso com o sentimento necessário para torná-lo eficaz, também saberá como se dramatiza qualquer discurso com profundidade de sentimento e entusiasmo. Tudo remonta à sinceridade de propósito e ao desejo. *Não temos dificuldade em colocar emoção no discurso quando acreditamos no que estamos dizendo!* Além disso, se acreditamos no que dizemos e damos às nossas palavras a dose certa de sentimento, o mundo fica apto a nos reconhecer como personalidades atraentes!

P — E qual é o décimo nono traço de uma personalidade agradável?

R — VERSATILIDADE. É quase desnecessário mencionar que as pessoas que não têm uma compreensão geral do mundo em que vivem, incluindo pelo menos um conhecimento superficial da natureza humana, raramente são interessantes ou atraentes.

Um interesse geral pelas coisas e pessoas é um dos fundamentos da flexibilidade da personalidade, sem a qual raramente um indivíduo é atraente, exceto para uma porcentagem muito pequena de pessoas com quem se associa.

Com livros e benefícios educacionais tão abundantes como os que temos em nosso país, não existe desculpa para ninguém não tratar de se informar sobre uma grande variedade de assuntos. Todo homem deve ter pelo menos um conhecimento superficial dos principais acontecimentos do dia, especialmente aqueles relacionados aos destinos políticos e econômicos de seu país.

Um homem deve ter conhecimento pelo menos um pouco mais do que superficial sobre si mesmo, pois é verdade que aquele que compreende a si mesmo sabe muito sobre as outras pessoas e com isso fica qualificado a tornar-se atraente para os demais. O homem que realmente se conhece tem pouca dificuldade em entender os outros, *pois é muito parecido com os "outros"*.

P — De acordo com minha contagem, você agora está prestes a discutir a vigésima característica de uma personalidade atraente, que é:

R — AFEIÇÃO GENUÍNA PELAS PESSOAS. Todo mundo que entende de cães sabe que um cachorro reconhece instantaneamente se uma pessoa gosta de cães ou não. Além disso, cães expressam esse reconhecimento de maneira explícita. As pessoas também reconhecem ao menor sinal os indivíduos que gostam de pessoas e se ressentem daqueles que têm uma aversão natural aos outros, assim como definitivamente se sentem atraídas por aqueles que gostam de gente.

A lei da retribuição sempre opera de modo que as pessoas sejam julgadas e consideradas não apenas por seus atos, mas por suas *atitudes mentais* dominantes, pelas quais expressam seus gostos e aversões com precisão infalível. É inevitável, portanto, que a pessoa que não gosta de pessoas seja malquista, *embora possa nunca expressar abertamente seus sentimentos*. Todas as mentes se comunicam com outras por telepatia. Portanto, a pessoa que deseja ter uma personalidade atraente deve prestar atenção não apenas em seus atos, *mas também em seus pensamentos*.

P — O que você acabou de dizer parece intimamente relacionado ao que se costuma chamar de "temperamento". Gostaria de explicar qual a sua ideia de "temperamento"?

R — Eu não esperaria muito em termos de realização de um homem com "temperamento", pois aquilo que chamamos de "temperamento" nada

DESENVOLVA UMA PERSONALIDADE ATRAENTE

mais é do que emoção descontrolada, e emoção sob controle é um dos mais essenciais de todos os poderes da mente.

Talvez o maior dano que um temperamento descontrolado possa causar é o que resulta de uma língua descontrolada. A pessoa com temperamento descontrolado geralmente tem a língua solta, por assim dizer, com uma ponta afiada como uma lâmina de barbear e sem consideração por quem possa ferir. Todos nós conhecemos tais línguas, *mas nunca nos sentimos particularmente atraídos pelos proprietários delas!*

A maioria das pessoas fala demais e diz muito pouco sob as circunstâncias mais favoráveis, mas o homem com um mau temperamento e uma língua afiada com frequência fala sem querer e diz coisas das quais se arrepende para o resto da vida. Tal pessoa não tem uma personalidade atraente, é óbvio.

P — O que você tem a dizer sobre aqueles que expressam derrotismo e aceitam o fracasso como destino?

R — Ninguém se importa muito com a pessoa que abandonou a esperança de realização pessoal ou que não tem ambição de atingir algum objetivo digno na vida. O mundo perdoará a maioria dos erros de um homem se ele tiver grandes metas e firme esperança em suas realizações, mas não irá perdoá-lo por fracasso devido à indiferença ou desesperança.

P — É possível a um homem permitir que, por falta de autodisciplina, seus hábitos pessoais o controlem e ainda assim permanecer atraente para os outros?

R — Os excessos nos hábitos de comer, beber ou se relacionar sexualmente destroem o magnetismo pessoal e fazem com que a pessoa que os comete se torne objeto de escárnio de todos que a conhecem. Não vou pregar moral, mas simplesmente dizer que o homem que não tem orgulho suficiente para controlar esses hábitos íntimos provavelmente será um fracasso em todas as empreitadas, pois esses hábitos geralmente estão associados a outros hábitos desagradáveis que tornam o desenvolvimento e a manutenção de uma personalidade atraente impossíveis.

P — Uma das causas mais comuns de uma personalidade não atraente é a tendência a ser rabugento, irritado, nervoso e impaciente. Você se importaria de se expressar sua opinião sobre isso?

R — Impaciência nada mais é do que a expressão visível de egoísmo ou falta de autodisciplina. Consequentemente, nunca inspira a simpatia de ninguém. É uma atitude mental negativa causada geralmente por hábitos de intemperança relacionados à comida, bebida e sexo, como mencionei antes, ou problemas de saúde provocados por estas formas de intemperança.

Intoxicação devido a hábitos alimentares impróprios é uma das principais causas de impaciência e irritabilidade. Um médico me disse certa vez que, se as pessoas mantivessem seu sistema digestivo tão limpo quanto mantêm o exterior do corpo, haveria pouca gente precisando de médico.

P — Qual traço de personalidade é o próximo na lista?

R — É a HUMILDADE DE CORAÇÃO. Arrogância, ganância, vaidade e egotismo nunca são encontrados no homem de personalidade agradável.

P — Mas humildade não é geralmente associada à timidez?

R — Não no sentido em que estou usando o termo. Significa um espírito modesto, com base no reconhecimento de que mesmo o maior dos homens é, em comparação ao sistema e ao plano de vida geral, apenas um fragmento do todo.

A humildade de coração é resultado de uma verdadeira compreensão da relação do homem com o Criador, somada ao reconhecimento de que as bênçãos materiais da vida são um presente do Criador para o bem comum de toda a humanidade. O homem que está tranquilo com a sua consciência e em harmonia com o Criador é sempre humilde de coração e geralmente tem uma personalidade atraente.

P — Acredito que estejamos no vigésimo segundo traço de uma personalidade atraente. Poderia nomeá-lo, por favor?

R — Eu o chamo de TEATRALIDADE POSITIVA. A teatralidade, como um dos traços da personalidade atraente, é uma combinação de várias das outras características, misturadas e usadas de modo adequado.

É a capacidade de combinar expressão facial, tom de voz, apresentação pessoal adequada, escolha de palavras, controle das emoções, cortesia, discurso eficaz, versatilidade, atitude mental, senso de humor, ênfase e diplomacia de tal forma a dramatizar qualquer circunstância ou ocasião a fim de atrair *atenção favorável*.

O termo "teatralidade", conforme utilizado aqui, não tem relação com o hábito comum de fazer piadas, palhaçadas ou fofocas, muito frequentemente usado como forma de atrair a atenção.

A próxima característica de uma personalidade atraente está relacionada a esta. Ela é chamada de:

ESPÍRITO ESPORTIVO. O homem capaz de vencer sem gabar-se e de perder sem resmungar geralmente tem a admiração dos outros.

DESENVOLVA UMA PERSONALIDADE ATRAENTE

As escolas incentivam o espírito esportivo nas atividades físicas porque os educadores sabem que *este hábito se torna parte do caráter* e, como tal, de grande utilidade nas relações humanas fora do esporte. Espírito esportivo é uma característica importante da personalidade atraente porque inspira as pessoas a cooperar de maneira amigável.

P — Por falar em maneira amigável, sempre senti que um homem com boa personalidade a revela no momento em que se apresenta, pela forma como aperta a sua mão.

R — A CAPACIDADE DE APERTAR MÃOS ADEQUADAMENTE tem muito a ver com a personalidade atraente. A pessoa que sabe cumprimentar de forma eficaz pode transmitir impressões bem definidas de muitos tipos diferentes. O homem especializado na arte de apertar mãos tem grande vantagem sobre aquele que carece dessa *habilidade estudada*.

P — Bem, chegamos ao último traço de uma personalidade atraente. Qual é?

R — É o MAGNETISMO PESSOAL. Sejamos francos desde o início ao dizer que magnetismo pessoal é uma maneira educada de descrever a energia sexual, pois é precisamente disso que se trata. Não podemos negar que a energia sexual é algo com que o indivíduo nasce e, portanto, não pode ser desenvolvida por esforço pessoal.

A energia sexual é o mecanismo da natureza com o qual ela cria e perpetua todos os seres vivos, desde a menor criatura de Deus até a sua maior obra, o homem. Portanto, não vejo razão para subterfúgios em relação à análise da energia sexual como uma das características mais importantes da personalidade, mas gostaria de deixar claro que este poder universal soma qualidades atraentes à personalidade apenas quando *controlado e utilizado de forma adequada*.

P — A qual método de controle você se refere?

R — Refiro-me à transmutação, que significa a transferência da emoção do sexo da expressão física para qualquer objetivo construtivo que se deseje alcançar.

É bem sabido que, quando um homem altamente sexual organiza essa força criativa irresistível e a redireciona para seus esforços profissionais, tem muita facilidade em convencer as pessoas a cooperar com ele.

A emoção do sexo deve ser considerada um dos fatores mais importantes de uma personalidade atraente, portanto, deixo aqui uma pista a partir da qual qualquer um inteligente o suficiente para reconhecê-la pode acrescentar muito à sua capacidade de influenciar as pessoas com sua personalidade.

Capítulo 4
FAÇA USO DA FÉ APLICADA

*"Cooperação e amizade são dois bens
que não se pode possuir antes de dar."*

P — É possível desenvolver a fé necessária para me ajudar a superar os obstáculos que provavelmente encontrarei durante minha pesquisa?

R — Minha resposta descreverá talvez o mais importante dos dezessete princípios da realização. A "fé aplicada" é um fator da realização humana que dá poder a todos que a empregam. É a grande força equalizadora que *verdadeiramente iguala todos os homens.*

P — Devo entender que todos os homens nascem iguais? Que os homens que têm uma grande autoconfiança nascem com esse traço?

R — Deixe-me esclarecer este ponto vital antes que você cometa o mesmo erro que tantos outros cometeram ao supor que os indivíduos que alcançam grande sucesso nascem com alguma qualidade genial não possuída por outros. A autoconfiança é um estado mental sob o controle do indivíduo e não um traço inato possuído por alguns e não por outros.

Existem vários graus de autoconfiança, e a razão disso explicarei mais adiante. A suprema autoconfiança é baseada na fé na Inteligência Infinita, e pode ter certeza de que ninguém nunca alcança este estado mental sem ter uma firme crença na Inteligência Infinita e estabelecer contato com ela.

O ponto de partida para o desenvolvimento da autoconfiança é a definição de objetivo. Por isso este princípio foi colocado em primeiro lugar na filosofia da realização individual.

É bem sabido que o homem que sabe exatamente o que quer, tem um plano definido para consegui-lo e está realmente envolvido na execução desse plano não tem dificuldade em acreditar na capacidade de ter êxito. É igualmente bem sabido que o homem indeciso, o sujeito que hesita e procrastina, logo perde a confiança na própria capacidade e acaba por não fazer nada. É fácil compreender isto.

P — Mas o que acontece quando alguém sabe o que quer, tem um plano para consegui-lo, coloca o plano em funcionamento e mesmo assim encontra a derrota? A derrota não destrói a autoconfiança?

FAÇA USO DA FÉ APLICADA

R — Essa é a pergunta que eu esperava que você fizesse. Ela me dá a oportunidade de retificar um erro comum que muita gente comete. A derrota tem um benefício peculiar merecedor de destaque: o fato de que cada fracasso traz consigo, na circunstância do fracasso em si, a semente de um benefício equivalente. Examine o histórico dos líderes verdadeiramente grandes em todas as esferas da vida e descobrirá que o sucesso deles é diretamente proporcional ao domínio das derrotas.

A vida tem um modo de desenvolver força e sabedoria nas pessoas em função da derrota e do fracasso temporários, e não ignore o fato de que não existe fracasso permanente até uma determinada experiência ser aceita como tal.

O poder da mente é tão grande que não tem limites, exceto aqueles estabelecidos pelos indivíduos em sua própria mente. O poder que remove todas as limitações da mente é a fé, e enfatizei o fato de que a fonte de toda a fé é a crença na Inteligência Infinita. Depois de chegar ao entendimento desta verdade, você não precisará mais se preocupar com a autoconfiança, pois a possuirá em abundância.

P — A maioria das pessoas não são filósofos experientes e não acreditarão que cada fracasso traga consigo a semente de um benefício equivalente. O que quero saber é o seguinte: o que se deve fazer quando se fracassa, caso a experiência do fracasso destrua a autoconfiança? A quem se deve recorrer em busca de ajuda para restaurar a autoconfiança?

R — Sua pergunta a princípio parece muito difícil de responder, mas a aparência é enganadora, conforme vou explicar. Deixe-me responder sucintamente da seguinte maneira: a melhor forma de se proteger de uma derrota é disciplinar a mente para enfrentar a derrota antes que ela chegue. Isto pode ser alcançado mais facilmente criando hábitos que permitam dominar a mente plenamente e utilizá-la para alcançar fins específicos em todas as ocasiões, desde a menor até a maior tarefa diária.

P — Como se faz para dominar a própria mente conforme você sugere?

R — A resposta a esta pergunta é o conteúdo de toda esta filosofia, já que ninguém pode dominar a mente por completo antes de assimilar e colocar em ação todos os dezessete princípios. O ponto de partida, como já declarei, é a adoção de um objetivo principal definido.

O segundo passo consiste na formação de uma aliança de MasterMind.

O terceiro passo é o desenvolvimento de uma personalidade atraente, com a qual é possível relacionar-se adequadamente com os membros de seu grupo de MasterMind e com outras pessoas essenciais para a realização do objetivo principal.

O quarto passo consiste em uma forma de disciplina mental que designamos como fé aplicada, cujos detalhes estamos analisando agora. Fé é o poder que dá eficácia aos outros três princípios, e é um estado mental que qualquer um pode desenvolver e utilizar.

P — Existe uma lei ou fórmula por trás do princípio da fé que um indivíduo possa adotar e seguir até um fim definido?

R — Antes de iniciar a análise da fórmula pela qual a fé é adquirida, deixe-me lembrá-lo de que existe uma lei conhecida como lei da atração harmoniosa, pela qual semelhante atrai semelhante. Com o auxílio desta lei, o homem bem-sucedido torna sua mente "consciente do sucesso", de forma deliberada ou inconsciente, *vitalizando-a com um vívido desejo* pela realização de seu objetivo principal. É fato conhecido que os homens de grandes feitos desenvolvem o hábito de transformar seu objetivo principal em uma obsessão. Em casos extremos esta obsessão se intensifica a ponto de atingir a proporção de *auto-hipnose*.

P — Como se faz para desenvolver este estado mental que você classifica como obsessão?

R — Ele é alcançado pela adoção de um objetivo ou plano definido, respaldado pelo desejo ardente de sua realização. Aqui o hábito da repetição do pensamento entra em ação. Desenvolve-se o hábito fazendo do objetivo ou plano o pensamento dominante da mente.

Se o desejo por trás do plano ou objetivo for forte o bastante, terá o efeito de trazer à mente uma imagem desse objetivo e de permanecer nessa imagem sempre que a mente estiver ocupada com assuntos menos importantes.

É assim que todas as obsessões são desenvolvidas. Quanto mais se pensa e se fala de uma ideia ou plano, mais isso se aproxima de tornar-se uma obsessão. Aqui as mesas-redondas do grupo de MasterMind tornam-se fatores poderosos para vitalizar a mente com a qualidade obsessiva necessária.

P — Já ouvi dizer que um homem acaba acreditando em qualquer coisa que repita com frequência, mesmo que não seja verdade, e alguns políticos demagogos parecem lucrar em cima desta teoria.

R — É verdade. A repetição é o meio pelo qual pode-se alimentar os desejos até que se tornem chamas ardentes.

FAÇA USO DA FÉ APLICADA

Qualquer pensamento expresso oralmente e continuamente repetido no dia a dia, nas reuniões de MasterMind e de outras formas, será adotado pela mente subconsciente e, eventualmente, levado à conclusão lógica.

Todos os grandes líderes que obtêm da vida o que querem, com aquilo que o mundo normalmente chama de sucesso, fazem isso dando ordens à mente da forma que sugeri.

A mente pode dar e receber ordens como se fosse uma pessoa e agirá primeiro sobre os pensamentos dominantes, mesmo sem ter ordens diretas para tal. Pensamentos de limitação e pobreza serão levados até a conclusão lógica, que é a pobreza. A mente subconsciente age sobre os pensamentos sem tentar modificar sua natureza. Além disso, atua de modo automático, quer você esteja consciente ou não dessa ação.

P — Se entendi bem, pode-se desenvolver a autoconfiança pensando no que se deseja fazer e se pode fazer e excluindo pensamentos sobre as dificuldades que podem surgir pelo caminho.

R — Você pegou a ideia com exatidão. Enquanto eu trabalhava como operário, ouvi um colega dizer: "Eu odeio a pobreza e não vou tolerar isso". Ele ainda é operário e tem sorte de ter um emprego. Veja bem, ele fixou a mente na pobreza e foi isso que seu subconsciente lhe deu.

Teria sido diferente se ele tivesse dito: "Eu gosto da riqueza, vou merecê-la e recebê-la". Teria ajudado também se ele tivesse ido um passo além e descrito o tipo de serviço que pretendia dar em troca da riqueza que desejava.

P — Então a mente traz o equivalente físico daquilo em que ela se detém.

R — Não tenha dúvidas de que ela faz isso. E traz pelos meios mais rápidos, mais econômicos e mais práticos disponíveis, usando todas as oportunidades para alcançar o objeto do desejo.

P — Qual é o efeito de duas ou mais pessoas que juntam suas forças mentais e trabalham harmoniosamente para a realização de um objetivo definido?

R — Elas atingem o objetivo muito mais rapidamente do que se trabalhassem de forma independente.

Quando os líderes de uma organização empresarial começam a pensar, falar e agir em conjunto em um espírito de harmonia, geralmente conseguem o que querem. É verdade que as pessoas podem se convencer de qualquer coisa que desejem.

Os pensamentos são coisas, e coisas poderosas. São mais poderosos quando expressos nas palavras de um indivíduo que sabe exatamente o que quer, e ainda mais poderosos quando expressos nas palavras de um grupo de pessoas que pensam, falam e agem em conjunto.

P — Pelo que você disse, acredito que, quando o povo de uma comunidade ou uma nação começa a pensar e agir em relação a qualquer objetivo definido, em breve encontrará meios de alcançá-lo.

R — Essa não é apenas a minha crença, é um fato. Se os jornais começam a publicar histórias sobre guerras, e as pessoas começam a pensar e falar em guerra nas conversas diárias, logo se encontram em guerra. As pessoas obtêm aquilo em que suas mentes se detêm, e isso se aplica a um grupo, comunidade ou nação inteira, assim como a um único indivíduo.

Um motivo pelo qual nós americanos somos o povo mais rico e livre do mundo — e talvez o único motivo — é que pensamos, falamos e agimos em termos de liberdade e riqueza. Nossa nação nasceu literalmente do nosso desejo de liberdade. Nossos livros de história estão repletos do espírito de liberdade. Falamos tanto em liberdade que temos liberdade em abundância. Se deixássemos de falar ou de pensar na liberdade, deixaríamos de possuí-la.

P — Pode dar um exemplo de como as pessoas conseguem obter o que *pensam* e *falam*?

R — É só voltar na história deste país e estudar os eventos que levaram à assinatura da Declaração de Independência. Você encontrará algo que a maioria dos estudantes de história ignora completamente, ou seja, a verdadeira fonte de poder que permitiu aos exércitos de George Washington vencer exércitos vastamente superiores e mais equipados.

O poder do qual estou falando é o que começou na forma de um objetivo definido na mente de poucos homens. Ele se estendeu pelas relações de MasterMind desses homens, até dar a este país a liberdade de que agora desfrutamos.

P — Bem, esta história é certamente nova para mim. Diga-me, como isso aconteceu?

R — Começou definitivamente com três homens: John Hancock, Samuel Adams e Richard Henry Lee, que se comunicavam livremente, principalmente por correspondência, expressando suas opiniões e esperanças sobre a liberdade das colônias.

A partir dessa prática, Samuel Adams concebeu a ideia de que uma troca mútua de cartas entre as pessoas mais proeminentes das treze

FAÇA USO DA FÉ APLICADA

colônias poderia ajudar na coordenação de esforços tão necessária para resolver seus problemas comuns.

Assim, um Comitê de Correspondência foi organizado. Esse movimento aumentou o poder da aliança de MasterMind dos três homens, adicionando homens de todas as colônias. Esses três homens não se contentaram em apenas *escrever cartas*, mas mantiveram a agitação por correspondência até ela por fim levar à reunião histórica no Independence Hall, na Filadélfia, onde cinquenta e seis homens assinaram um documento destinado a dar à luz a uma nova nação — a Declaração de Independência. *Eles foram motivados por uma fé ativa.*

P — Este é de fato um capítulo emocionante de nossa história. Foi realmente assim tão simples?

R — Foi longe de ser simples, mas os princípios em operação são simples. Enquanto o programa da redação de cartas estava em andamento, Samuel Adams e John Hancock convocaram uma reunião secreta dos amigos mais próximos com a finalidade de delinear os passos necessários para traduzir seu objetivo definido em ação.

Quando a reunião começou, Samuel Adams trancou a porta, colocou a chave no bolso, disse calmamente aos presentes que era imperativa a organização de um Congresso dos Colonos e informou que nenhum homem poderia sair da sala até chegarem a um acordo sobre tal iniciativa. Aqui está mais uma prova de *fé ativa*.

Por influência de Hancock e Adams, os outros presentes foram induzidos a concordar que, por intermédio do Comitê de Correspondência, seriam feitos os arranjos para uma reunião do Primeiro Congresso Continental a ser realizada na Filadélfia, no dia 5 de setembro de 1774, quase dois anos antes da assinatura da Declaração de Independência.

Lembre-se desta data e dos dois homens determinados que a transformaram em realidade, pois, caso não tivesse havido a decisão de se realizar o Congresso Continental, não teria havido a assinatura da Declaração de Independência. FÉ PASSIVA jamais teria levado a esse gesto ousado.

P — Devo dizer que precisamos desse tipo de fé em nossa nação hoje.

R — A agitação foi mantida por correspondência e por reuniões secretas entre os membros da aliança de MasterMind organizada por Hancock, Adams e Lee durante quase dois anos, resultando na famosa reunião na Filadélfia em 1776. A essa altura a aliança de MasterMind contava com cinquenta e seis homens. A reunião durou vários dias, durante os quais aqueles homens participaram das discussões de mesa-redonda mais estupendas da civilização moderna.

No dia 7 de junho de 1776, Richard Henry Lee reconheceu que o período de meras conversas havia chegado ao fim e era hora de entrar em ação. Levantou-se, dirigiu-se à presidência e fez sua proposta à assembleia atônita:

"Senhores, proponho que as Colônias Unidas sejam, como têm o direito de ser, estados livres e independentes, que sejam dispensadas de qualquer lealdade à coroa britânica e que todos os vínculos políticos entre elas e o Estado da Grã-Bretanha sejam totalmente dissolvidos".

Daquela proposta, baseada em *fé ativa*, nasceu a maior nação do mundo! Daquela proposta nasceu o espírito que deu aos soldados de Washington o poder de vencer dificuldades aparentemente insuperáveis. Estude cuidadosamente o que aconteceu e você verá que esses homens dedicaram quase dois anos de esforço altamente concentrado na preparação de suas mentes, com *fé ativa*, para a realização de uma tarefa difícil e perigosa.

P — Descrever esta tarefa como "difícil e perigosa" é dizer o mínimo. Cada um desses homens estava literalmente "esticando o pescoço" para o laço do carrasco, como se diz, como traidor da coroa.

R — Contei esse trecho da história porque todos os grandes líderes condicionam suas mentes de maneira semelhante para tarefas incomuns. É assim que adquirem autoconfiança! Este é um exemplo do método pelo qual a fé é desenvolvida com ações.

Lembre-se de que a ação deve se seguir à adoção de um objetivo definido. *Sem ação, planos e metas são infrutíferos.* Os três homens que colocaram a América no caminho da liberdade fizeram uso dos mesmíssimos princípios que devem ser utilizados pelo líder bem-sucedido nos negócios ou em qualquer outra área de atuação.

No desenvolvimento da autoconfiança, como em todas as outras iniciativas dignas, deve-se começar com um motivo baseado em um objetivo definido.

P — Acredito que agora compreendi o processo pelo qual a autoconfiança pode ser adquirida. Agora, com a finalidade de dar ênfase, você pode explicar como aplicou esses princípios na conquista suprema de sua carreira, quando converteu todas as suas empresas na United States Steel Corporation?

R — Primeiro, apliquei o princípio da definição de objetivo ao chegar à decisão de concentrar todos os meus interesses no aço em uma única empresa e depois vender a empresa.

FAÇA USO DA FÉ APLICADA

Em segundo lugar, depois de decidir vender, reuni alguns membros do meu grupo de MasterMind e passamos várias semanas analisando os valores das minhas propriedades a fim de que eu pudesse definir um preço justo. Também tivemos que elaborar um plano para encontrar potenciais compradores e nos aproximar deles sem ficar em grande desvantagem, pois eles saberiam de antemão que desejávamos vender.

O plano completo representou meus esforços combinados com os dos membros do meu grupo de MasterMind presentes nas discussões e foi concebido de tal forma que, em vez de nos colocarmos na posição de oferecer nossas propriedades para venda, nós *seríamos abordados por compradores com uma oferta* para comprá-las.

Realizamos isso com pouquíssimas manobras, organizando um jantar em Nova York com o principal auxiliar do meu grupo MasterMind, Charlie Schwab, e um grupo de banqueiros de Wall Street que havíamos escolhido como potenciais compradores. Schwab faria um discurso, pintando um retrato vívido das grandes possibilidades da consolidação de todos os meus interesses em aço em uma única empresa, como havíamos planejado. O discurso pareceria espontâneo, já que Schwab deixaria claro que o plano esboçado por ele só poderia ser realizado após o meu consentimento, mas não daria nenhuma indicação de que já o tivesse.

O discurso causou tamanha impressão que a reunião durou até altas horas da noite, e, antes que Schwab fosse embora, os banqueiros presentes, incluindo J.P. Morgan, fizeram-no prometer que ele apresentaria o plano para mim e faria tudo ao seu alcance para obter meu consentimento.

Os banqueiros só ficaram sabendo que o discurso havia sido cuidadosamente planejado com meses de antecedência muito tempo depois do acordo ter sido fechado e eu ter recebido.

P — A partir desta história, concluo que sua confiança na capacidade de vender as propriedades era tão grande que você planejou todos os movimentos bem antes de saber quem seriam os compradores.

R — Cada movimento foi planejado com antecedência, mas já tínhamos uma boa ideia de quem seriam nossos compradores. No entanto, não planejamos esta transação em particular com mais cuidado do que qualquer outra no gerenciamento de nossa indústria de aço.

A fé tem pernas mais sólidas sobre as quais se sustentar quando firmada por planos definidos.

A fé aplicada nunca é baseada em movimentos cegos. Não sei nada sobre fé cega. O único tipo de fé sobre o qual sei alguma coisa é aquele apoiado por uma combinação de fatos ou por uma suposição razoável de fatos. Um dos principais objetivos de uma aliança de MasterMind é proporcionar conhecimento confiável sobre o qual construir planos. Com esse conhecimento em mãos, você verá rapidamente como é fácil desenvolver o estado mental conhecido como fé.

P — Esta afirmação parece contradizer sua afirmação anterior de que "a suprema autoconfiança é baseada na crença na Inteligência Infinita". Se você não reconhece a fé cega e tem fé somente em fatos comprováveis ou no conhecimento, como justifica a fé na Inteligência Infinita, já que o conhecimento definitivo sobre esse assunto é esquivo?

R — Você cometeu o erro de presumir que não haja nenhuma fonte de conhecimento definitivo sobre a Inteligência Infinita. Na verdade, a existência e o funcionamento da Inteligência Infinita são mais facilmente comprovados do que qualquer outro fato.

P — Pode explicar suas razões para acreditar nisso?

R — Primeiro, a ordem de toda lei natural e tudo o que sabemos sobre o universo são evidências indiscutíveis de que há um plano universal por trás de tudo isso, uma forma de inteligência muito superior àquela que nós, seres humanos, entendemos.

Posso ver isso nos movimentos e posições previsíveis das estrelas e dos planetas, que podem ser calculados e previstos centenas de anos antes.

Posso ver isso no mistério que une duas pequenas células, cada uma delas menor do que a ponta fina de um alfinete, e as converte na máquina maravilhosa que chamamos de homem, carregando naquelas duas pequenas partículas de *energia, matéria* e *inteligência* uma parte das qualidades ancestrais dos homens de gerações passadas.

Existem muitas teorias não comprováveis, mas a Inteligência Infinita não é uma delas, e posso dizer também que acredito que o poder com o qual pensamos e raciocinamos nada mais é do que uma porção ínfima da Inteligência Infinita funcionando no cérebro humano. É bastante óbvio que a Inteligência Infinita funciona pela mente dos homens e utiliza os meios naturais mais práticos disponíveis para a realização dos planos do Criador. Depois de adquirir esse ponto de vista, você estará melhor preparado para depender da fé na realização da tarefa que lhe atribuí.

Você mencionou que a tarefa que lhe dei exige mais autoconfiança do que você possui. Então, estou oferecendo um ponto de vista que lhe proporcionará inspiração muito maior do que a autoconfiança, se você aceitá-lo e agir de acordo. Ele dará acesso a uma fé abundante, com a qual

FAÇA USO DA FÉ APLICADA

seu sucesso estará garantido antes mesmo de você começar a tarefa. Espero sinceramente que você abra sua mente para a orientação desta fé.

P — No final de nossa última conversa, você afirmou que a Inteligência Infinita funciona pela mente dos homens e utiliza os meios naturais mais práticos disponíveis para a realização dos planos do Criador. Enquanto você falava, passou por minha cabeça que o cérebro humano, com seu intrincado sistema de recepção e envio de pensamentos, é a maior de todas as evidências de sua teoria de que a Inteligência Infinita é a verdadeira fonte do poder do pensamento. Se isto está correto, e acredito esteja, é igualmente verdade que a maior de todas as fontes de energia para a solução de nossos problemas é aquela disponível em nossa própria mente. Captei seu ponto de vista sobre este assunto?

R — Sim, e agora eu gostaria de levá-lo em uma pequena viagem até a oficina da minha mente, onde você terá permissão de fazer o inventário dos vastos recursos da mente como eu os vejo.

Depois de ter uma perspectiva completa do serviço real que a mente executa, acredito que nunca lhe faltará autoconfiança novamente para recorrer às forças disponíveis em sua mente para todas as necessidades da vida. E creio também que não terá dificuldade em abrir sua mente por vontade própria para a orientação da Inteligência Infinita quando deparar com problemas que não consegue resolver confiando no seu raciocínio.

P — Considero um raro privilégio ter seus comentários sobre o vasto estoque de riquezas da mente. Qual peculiaridade da mente você considera mais significativa?

R — O fato mais significativo é que a mente é a única coisa sobre a qual um indivíduo tem total controle. Certamente o Criador não proporcionou ao homem essa prerrogativa surpreendente sem transmitir assim a ideia de que a mente é o maior patrimônio do homem. Isso envolve também a responsabilidade de utilizar e desenvolver esse patrimônio.

Em segundo lugar está o fato importante e igualmente significativo de que a mente foi sabiamente munida com uma *consciência* para guiá-la no uso do vasto poder que ela carrega.

É também muito significativo que a mente tenha sido cuidadosamente protegida contra todos os invasores externos por um sistema que possibilita sua abertura e fechamento quando quiser.

P – Você fala em "abrir e fechar" a mente como se ela fosse equipada com uma porta ou algum tipo de persiana. Poderia esclarecer o significado disso, por favor?

R – A mente foi sabiamente munida de um portão de acesso para a Inteligência Infinita, conhecido como mente subconsciente. Esse portão foi concebido de maneira que não pode ser aberto para uso voluntário exceto pela mente primeiro preparada pela fé.

No entanto, o portão pode ser aberto voluntariamente pelo "outro lado", por assim dizer, pela Inteligência Infinita, quando a comunicação com o homem é necessária e sem o consentimento dele. O controle do homem sobre a própria mente refere-se apenas à mente consciente.

P – Alguém disse que "a imaginação é a oficina da alma". Gostaria de comentar essa afirmação?

R – Bem, disso tenho certeza. A mente foi equipada com a faculdade da imaginação, com a qual podem ser criados meios de transformar esperança e objetivo em realidade física. Para mim, esta é uma evidência de que a imaginação é de fato a oficina da mente consciente.

Além disso, a mente foi equipada com as estimulantes capacidades do desejo e do entusiasmo, com as quais os planos e objetivos do homem podem ser colocados em ação por meio da imaginação.

Ela foi equipada com o poder da vontade, com a qual plano e objetivo podem ser sustentados indefinidamente, dando ao homem energia suficiente para dominar o medo, o desânimo e a oposição.

Ela recebeu a capacidade da fé, pela qual a vontade e a faculdade do raciocínio podem ser controladas enquanto toda a maquinaria do cérebro é entregue à *força orientadora* da Inteligência Infinita. Entenda o pleno significado deste fato e você estará perto de compreender o método pelo qual pode-se desenvolver a fé.

P – Já ouvi você se referir muitas vezes ao "sexto sentido" da mente. O que quer dizer com esse termo?

R – O sexto sentido prepara a mente para a conexão direta com outras mentes, possibilitando assim o funcionamento do MasterMind, com o qual ela pode incorporar as forças estimulantes de outras mentes, que às vezes servem efetivamente como estímulo à imaginação.

A mente tem o poder de projetar-se em outras mentes pelo que é conhecido como telepatia e pode fazê-lo livremente sob duas circunstâncias: primeiro, quando outras mentes são deixadas abertas, voluntária ou negligentemente, e, segundo, quando uma relação de harmonia e unidade

FAÇA USO DA FÉ APLICADA

de objetivo é estabelecida entre duas ou mais mentes, como no caso da aliança de MasterMind.

P — Até agora, você não mencionou as duas funções óbvias da mente: a faculdade de raciocínio e o poder de dedução. Onde se encaixam na sua concepção da mente?

R — A mente, pela capacidade de raciocínio, pode combinar fatos e teorias em hipóteses, ideias e planos. Pelo poder de dedução, o filósofo analisa o passado para prever o futuro.

A mente tem o poder de selecionar, modificar e controlar a natureza dos pensamentos, dando ao homem o privilégio de construir seu caráter e determinar que tipo de pensamento deve dominar sua mente.

P — E que poder! Recordo que você tem dito repetidamente que os pensamentos dominantes de uma pessoa determinam seu "conjunto de velas".

R — Sim, e a mente tem uma capacidade ilimitada para receber, organizar e armazenar conhecimento. Ela foi equipada com um maravilhoso sistema de arquivo para registrar e relembrar cada pensamento expresso pelo que se chama de memória. Esse sistema surpreendente classifica e arquiva automaticamente pensamentos relacionados de tal maneira que a lembrança de um pensamento em particular leva à lembrança de pensamentos associados. E a mente funciona em segredo e em absoluto silêncio, garantindo assim a privacidade em todas as circunstâncias!

P — O que se pode dizer do poder da mente sobre as funções do corpo físico?

R — Ela tem o poder de ajudar na manutenção da saúde do corpo físico e aparentemente é a única fonte de cura de doenças físicas; todas as outras fontes são meramente contributivas. Também mantém o corpo físico em reparo.

Ela controla e direciona um maravilhoso sistema químico automaticamente; com isso, converte todos os alimentos ingeridos em combinações adequadas para o sustento do corpo.

Ela comanda o coração automaticamente; com isso, o sangue circula para distribuir os alimentos onde são necessários e remover materiais residuais e células desgastadas do corpo.

P — Você diria que a mente tem uma função espiritual, além das funções físicas que acabou de citar?

R – A mente é o ponto de encontro onde o homem pode comungar com o Criador pela oração, pelo simples processo de pôr de lado o poder da vontade e abrir o portão do subconsciente pela fé.

Ela tem o poder da emoção ou sentimento, pelo qual pode estimular o corpo para qualquer ação desejada quando quiser.

A mente é a fonte de toda felicidade e toda miséria, da pobreza e da riqueza de qualquer natureza e dedica suas energias àquilo que for dominado pelo poder do pensamento.

Ela é a fonte de todas as relações humanas, construtora de amizades e criadora de inimigos, dependendo de como é usada.

Ela não tem limitações, dentro do razoável, a não ser aquelas que o indivíduo aceita por falta de fé! A verdade é que "a mente é capaz de realizar tudo em que é capaz de acreditar"!

P – Até que ponto as pessoas em geral aproveitam as maravilhosas faculdades da mente que você mencionou?

R – Lamentavelmente, mesmo com todo esse poder milagroso, a maioria das pessoas nesse mundo se permite ser intimidada por medo de dificuldades que não existem a não ser em sua própria imaginação. *O arqui-inimigo da humanidade é o medo!*

P – Talvez fosse uma boa ideia citar alguns dos medos mais comuns que deixamos entrar em nossa mente e que acabam tornando-se limitações literalmente "autoimpostas".

R – Tememos a pobreza em meio à imensa abundância de riqueza.

Tememos doenças, apesar do sistema engenhoso proporcionado pela natureza com o qual o corpo físico é automaticamente mantido em bom funcionamento.

Tememos críticas quando não há críticos além daqueles que criamos em nossa imaginação.

Tememos a perda do amor de amigos e parentes, embora saibamos muito bem que nossa conduta é suficiente para preservar o amor em todas as circunstâncias comuns dos relacionamentos humanos.

Tememos a velhice em vez de aceitá-la como um estágio de maior sabedoria e entendimento.

Tememos a perda da liberdade, embora saibamos que a liberdade é uma questão de relações harmoniosas com os outros.

Tememos a morte quando sabemos que ela é inevitável e está além do nosso controle.

Tememos o fracasso, não reconhecendo que cada fracasso traz consigo a semente de um benefício equivalente.

Em vez de abrir nossa mente para a orientação da Inteligência Infinita por meio da fé, nós a fechamos firmemente com todo grau e nuance concebíveis de limitação, baseado em nossos medos desnecessários.

P — Mas como se pode desenvolver a fé? Tenho certeza de que qualquer ajuda que você possa dar sobre esse assunto será muito apreciada. Repito a pergunta: como se pode desenvolver a fé?

R — Vou dizer como. A fé pode ser desenvolvida limpando a mente dos inimigos dela. Limpe a mente dos pensamentos negativos, medos e limitações autoimpostas e pronto! A fé preencherá o espaço sem esforço. Se você não consegue acreditar, experimente por si e se convença.

Não existe grande mistério sobre o estado mental conhecido como fé. Dê-lhe um lugar para habitar, e a fé se instalará sem convite ou cerimônia. *Pare de falar sobre fé e comece a praticá-la.* O que poderia ser mais simples?

Pregamos sermões e oferecemos orações em nome de Cristo, ainda que raramente façamos algum gesto para seguir seus conselhos e eliminar nossos problemas por meio do simples estado mental conhecido como fé.

Construímos grandes edifícios de culto em nome de Cristo, mas os profanamos com a mente repleta de medo e limitações autoimpostas que *ele claramente garantiu que não precisávamos cultivar.*

P — Você está falando com grande clareza sobre esse assunto, espero que as pessoas beneficiem-se.

R — Se pareço falar claramente, tenha certeza de que é porque sinto que a humanidade precisa da influência animadora do discurso direto para reconhecer que tudo de que se precisa ou deseja já está ao alcance. Tudo que as pessoas precisam fazer é tomar posse de sua mente e usá-la! *Para fazer isso, o homem não precisa consultar ninguém, exceto a si mesmo.* A liberdade, a abundância de bens materiais indispensáveis e dos luxos da vida são obtidas com a mente. Essa mente é a única coisa sobre a qual o homem tem total controle, *todavia é a única coisa que ele raramente utiliza de forma inteligente.*

P — Você poderia citar alguns homens que tomaram posse de suas mentes e quais foram os resultados?

R — Muito de vez em quando o mundo é abençoado pela presença de alguém que assume o controle da própria mente e a usa para o bem da humanidade. Então surge um gênio, um Edison, um Aristóteles, um Platão ou um grande líder em pensamento e ação em alguma área útil de atuação.

Colombo tomou posse de sua mente e nos deu um novo mundo, que agora serve como última fronteira da liberdade humana.

Orville e Wilbur Wright tomaram posse de suas mentes e presentearam o homem com asas e o domínio do ar.

Johannes Gutenberg tomou posse de sua mente e criou a prensa móvel, que tornou possível a existência de todos os livros que possuímos e nos deu meios de preservar a experiência acumulada pela humanidade para o benefício das gerações futuras.

A lista poderia continuar. Vamos aprender uma grande e necessária lição com esses exemplos notáveis de realização, que é o fato óbvio de que a autoconfiança e a fé são baseadas na definição de objetivo, *respaldadas por planos definidos de ação! Procrastinação e fé não têm nada em comum.*

P — Pelo que você disse, a melhor maneira de começar a desenvolver a fé é definir um objetivo e começar a persegui-lo de uma vez por quaisquer meios disponíveis. Entendi bem?

R — Muito bem, rapaz. O desenvolvimento da fé é em grande parte uma questão de compreender o poder assombroso da mente. O único verdadeiro mistério da fé é o fracasso do homem em fazer uso dela! Falo por experiência própria quando digo que a fé é um estado mental que pode ser adquirido e utilizado tão facilmente como qualquer outro. É tudo uma questão de *compreensão e aplicação*. Realmente, "a fé sem obras é morta".

Meus primeiros dias de juventude foram amaldiçoados pela pobreza e pela limitação de oportunidades, um fato com o qual todos os que me conhecem estão familiarizados. Atualmente não sou mais amaldiçoado pela pobreza, pois *tomei posse da minha mente*, mente essa que me trouxe todas as coisas materiais que eu quis e muito mais do que eu precisava. A fé não é patenteada, é um poder universal disponível tanto para a pessoa mais humilde quanto para a mais eminente.

P — Sua descrição das possibilidades da mente humana é interessante e reveladora. Não encontrei nada nem remotamente parecido na bibliografia que estudei sobre o tema da psicologia e dos princípios do funcionamento da mente. Onde você adquiriu todo esse conhecimento?

R — Adquiri meu conhecimento sobre os poderes da mente na maior de todas as escolas, a Universidade da Vida! Há muitos anos tenho o hábito diário de dedicar um pouco do tempo à meditação silenciosa e pensamentos relacionados ao plano, objetivo e princípios de funcionamento da mente.

Alguns podem chamar esse hábito de "entrar em sintonia com o infinito". De qualquer maneira é um hábito que continuarei seguindo

FAÇA USO DA FÉ APLICADA

enquanto estiver vivo e recomendo vivamente a todos os que desejam conhecer melhor os poderes de sua mente.

Tenho mais uma sugestão para oferecer que pode ser útil no desenvolvimento da fé. Todas as pessoas que dominam e aplicam os outros dezesseis princípios da filosofia da realização pessoal se colocam ao fácil alcance da fé. Esta filosofia é de ação. Ela *inspira o esforço com base na definição de objetivo*, e isso é exatamente o que é necessário no desenvolvimento da fé.

Capítulo 5
VÁ ALÉM

No início de uma manhã fria, o vagão privado de Charles M. Schwab foi desviado para o trilho lateral na sua siderúrgica, na Pensilvânia.

Ao sair do vagão, ele foi abordado por um jovem que explicou ser um estenógrafo do escritório da usina e ter esperado o trem na esperança de que pudesse ser útil de alguma maneira para Schwab.

"Quem lhe pediu para me encontrar aqui?", perguntou Schwab.

"A ideia foi minha, senhor", respondeu o jovem. "Eu sabia que o senhor estava vindo no trem da manhã porque processei um telegrama dizendo que o senhor estava a caminho. Trouxe meu bloco de notas; ficarei feliz em anotar quaisquer cartas ou telegramas que o senhor possa querer enviar."

Schwab agradeceu ao jovem pela consideração, mas disse que não precisava de nenhum serviço no momento, embora pudesse ter algo mais tarde. E tinha! Quando o vagão voltou a Nova York naquela noite, Schwab levou consigo o jovem, designado para o escritório particular do magnata do aço.

O sobrenome do jovem era Williams. Não lembramos do primeiro nome, mas não importa. O que lembramos é que Williams *promoveu-se* de um cargo a outro dentro da companhia siderúrgica até ter ganho e poupado dinheiro suficiente para abrir um negócio próprio e mais tarde fundar uma empresa farmacêutica da qual se tornou o presidente e acionista majoritário.

Não existe nada de muito dramático ou interessante nessa pequena história, não é? Bem, a resposta depende totalmente do que você considera um drama. Para todos os homens que estão tentando encontrar seu lugar no mundo, essa história, se analisada com cuidado, carrega o tipo mais profundo de drama, pois descreve a aplicação prática de um dos mais importantes dos 17 princípios da realização individual, o hábito de ir além!

Eu disse que esse jovem *promoveu-se* de um cargo a outro dentro da companhia siderúrgica. Vamos descobrir como ele conseguiu essa autopromoção a fim de que possamos entender como outros podem beneficiar-se com sua técnica. Vamos aprender, se possível, o que o jovem Williams tinha que os outros estenógrafos do escritório geral da usina siderúrgica não tinham e que o levou a ser designado por Schwab para seu serviço pessoal.

VÁ ALÉM

Temos a palavra de Schwab de que o jovem Williams não possuía nenhuma qualidade que o classificasse acima da média como estenógrafo, mas tinha uma qualidade que desenvolveu por iniciativa própria e praticou como hábito inviolável, qualidade essa que poucas pessoas possuem: o hábito de prestar mais e melhor serviço do que aquele para o qual se é pago.

Foi esse hábito que lhe permitiu *promover-se*! Foi esse hábito que atraiu a atenção de Schwab. Foi esse hábito que ajudou Williams a se tornar chefe de uma corporação onde também tornou-se seu próprio patrão.

E foi esse hábito, como veremos a seguir na análise de Andrew Carnegie sobre o tema deste capítulo, que atraiu para Schwab a atenção de Carnegie e, muitos anos antes do incidente aqui relatado, lhe deu a oportunidade de *se promover* para um cargo em que se tornou seu próprio patrão.

Foi também esse mesmo hábito que permitiu a ascensão do irrefreável Carnegie de operário a dono da maior indústria da América, onde acumulou uma grande fortuna em dinheiro e uma *fortuna ainda maior em conhecimento útil*, agora disponível aos americanos com visão e ambição para apropriar-se dele e usá-lo.

O ponto de vista de Carnegie sobre o hábito de *ir além* fornece aos estudantes dessa filosofia uma técnica de trabalho prático que podem utilizar eficazmente para sua autopromoção. Sua análise do assunto está aqui apresentada em suas próprias palavras:

P — Tenho ouvido alguns homens expressarem a crença de que o sucesso muitas vezes é resultado de sorte. Muita gente parece acreditar que os homens bem-sucedidos alcançam o sucesso porque recebem as "cartas boas" da vida e que outros falham porque recebem as "cartas ruins".

Creso, o rico filósofo persa, fez referência a isso ao dizer: "Há uma roda na qual os assuntos dos homens giram, e seu mecanismo é tal que impede qualquer homem de ser sempre afortunado".

Você, com toda a sua vasta experiência profissional, já teve provas da existência de tal roda? Você atribui parte de seu sucesso à sorte ou "cartas boas"?

R — Suas perguntas me dão um ponto de partida adequado para a descrição apropriada do quinto dos 17 princípios da realização. Vamos chamá-lo de ir além, e com isso refiro-me ao hábito de prestar mais e melhor serviço do que aquele para o qual se é pago.

Primeiro, vou responder suas perguntas dizendo que sim, de fato existe uma roda da vida que controla os destinos humanos, e fico feliz em dizer que essa roda pode ser definitivamente influenciada para funcionar a nosso favor. Se não fosse verdade, não haveria objetivo em organizar as regras da realização pessoal.

P — Poderia dizer, da maneira mais simples possível, como alguém pode controlar essa roda da sorte? Eu gostaria de uma descrição desse importante fator de sucesso que um jovem em início de carreira possa entender.

R — Antes de mais nada, para controlar a roda da fortuna é preciso compreender, dominar e aplicar os 17 princípios da realização. Já citei cinco deles e poderia sugerir que esses cinco, se aplicados corretamente, levarão qualquer um a percorrer boa parte do caminho para o sucesso em qualquer vocação.

P — Devo entender que os primeiros cinco princípios — definição de objetivo, MasterMind, personalidade atraente, fé aplicada e ir além — são suficientes para assegurar o sucesso?

R — Não, não se pode depender apenas desses cinco princípios. Existem outros doze que ainda não mencionei, e você vai observar, quando eu explicá-los, que eles fornecem um conhecimento contributivo necessário para a conquista do sucesso que os outros cinco não proporcionam.

Os cinco princípios são suficientes para que um homem estabeleça um objetivo definido na vida e determine aproximadamente quanta riqueza ele tem a intenção de acumular, o que pretende dar em troca dela e como relacionar-se com outras pessoas de maneira que elas não coloquem obstáculos desnecessários em seu caminho. Mas depois desse ponto ainda existe uma distância considerável a ser percorrida até se alcançar o sucesso duradouro e poder determinar o valor do próprio trabalho, como quem domina os 17 princípios pode fazer.

P — Quer dizer que existem regras precisas de procedimento pelas quais uma pessoa pode literalmente definir seu valor e certificar-se de consegui-lo? Com certeza devo ter entendido mal, pois me parece que, se tais regras existissem, não haveria tanta gente atingida pela pobreza no mundo, especialmente porque nós, nos Estados Unidos, estamos rodeados por todas as formas de riqueza e somos abençoados com a liberdade de iniciativa para escolher nossa própria ocupação e viver nossa vida como quisermos.

R — Sim, você entendeu corretamente, e vou descrever a regra do sucesso específica que, se aplicada corretamente, permitirá que uma pessoa literalmente defina o valor do próprio serviço, com uma probabilidade acima da média de obter o que deseja.

Além disso, esta regra é tão potente que praticamente protege contra a resistência séria de quem compra os serviços. Como já afirmei, esta regra é conhecida como o hábito de ir além, o que significa criar o hábito de fazer mais do que se é pago para fazer. Você vai observar que utilizei uma palavra importante na descrição dessa regra: a palavra *hábito*!

Antes que a aplicação da regra comece a trazer resultados consideráveis, ela deve se tornar um hábito e deve ser aplicada em todos os momentos, de todas as formas possíveis. Isso significa que se deve prestar a maior quantidade de serviço possível, de maneira amigável e harmoniosa. Além disso, deve-se fazer isso independentemente da compensação imediata recebida, *mesmo que não se receba nenhuma compensação imediata.*

P — Mas a maioria das pessoas que conheço, que são assalariadas, afirmam que já estão fazendo mais do que o trabalho para o qual são pagas. Se isso é verdade, por que não conseguem influenciar a roda da fortuna a seu favor? Por que não estão ricas como o senhor?

R — A resposta à sua pergunta é bastante simples, mas existem muitos ângulos que preciso explicar antes que você possa entender. Primeiro, se analisar de perto os assalariados, perceberá que 98% não têm um objetivo principal definido maior do que trabalhar pelo salário. Portanto, não importa o quanto trabalhem ou quão bem realizem suas tarefas, a roda da fortuna vai girar sem proporcionar nada além do necessário para a sobrevivência, *porque eles não esperam nem exigem mais do que isso!* Reflita sobre essa verdade por um momento e ficará melhor preparado para seguir a lógica que apresentarei a seguir.

A principal diferença entre eu e aqueles que aceitam a limitação de salários suficientes apenas para a sobrevivência é a seguinte: *eu exijo riqueza em termos definidos, tenho um plano definido para conquistá-la, estou empenhado em realizar meu plano e estou fornecendo um serviço útil equivalente à riqueza que exijo, enquanto os outros não têm planos ou objetivos.*

A vida está me pagando nos meus termos. Ela está fazendo exatamente a mesma coisa para o homem que não exige mais do que um salário. Note que a roda da fortuna segue o diagrama mental que um homem define em sua mente e devolve a ele, física ou financeiramente, um equivalente exato desse diagrama.

Caso não compreenda o significado completo dessa verdade, você perderá uma parte importante da lição. Existe uma lei de compensação pela qual um homem pode estabelecer sua relação com a vida, incluindo os bens materiais que acumula. Não há como escapar da aceitação da realidade dessa lei, *pois ela não foi feita pelo homem.*

P — Entendo o seu ponto de vista. Colocando de outra maneira, podemos dizer que todos os homens são o que são e estão onde estão por causa do uso que fazem da própria mente?

R — Você expôs a ideia corretamente. A maior dificuldade da maioria dos homens que passam a vida assolados pela pobreza é não reconhecer o poder da própria mente e nem fazer qualquer tentativa para tomar posse dela. Aquilo que um homem pode realizar com as mãos raramente garante mais do que a mera sobrevivência. Aquilo que ele pode realizar pelo uso da mente pode proporcionar tudo o que ele quiser da vida.

Agora vamos continuar com a análise do princípio de ir além. Vou explicar algumas das vantagens mais práticas deste princípio. Digo *práticas* porque são benefícios que qualquer pessoa pode aproveitar sem o consentimento dos outros.

Vamos considerar, primeiro, o fato de que o hábito de fazer mais do que se é pago para fazer atrai a *atenção favorável* daqueles que têm oportunidades a oferecer. Ainda não conheci um homem que tenha conseguido *promover-se* a uma posição mais elevada e mais rentável sem adotar e seguir esse hábito.

O hábito ajuda a desenvolver e manter a "atitude mental" correta em relação aos outros, servindo como um meio eficaz de obter cooperação amigável.

Também ajuda a lucrar com a lei do contraste, uma vez que obviamente a maioria das pessoas segue exatamente o oposto desse princípio, fazendo apenas o mínimo de trabalho para sobreviver, e isso é tudo que conseguem, *apenas sobreviver!*

O hábito de ir além cria um mercado contínuo para os serviços da pessoa. Além disso, assegura a escolha de cargos e condições de trabalho no topo da escala salarial ou outras formas de compensação.

Esse hábito atrai oportunidades que não estão disponíveis para quem presta tão pouco serviço quanto possível; portanto, serve como meio eficaz de autopromoção de assalariado para dono do negócio.

Em algumas circunstâncias, permite ao indivíduo tornar-se indispensável no trabalho, abrindo assim o caminho para ele definir sua compensação.

O hábito de ir além ajuda no desenvolvimento da autossuficiência.

O mais importante de todos os benefícios é proporcionado pela lei de retornos crescentes, pela qual o indivíduo acabará recebendo uma compensação muito maior do que o valor real de mercado do serviço prestado. Portanto, o hábito de fazer mais do que se é pago para fazer é um sólido princípio de negócios, mesmo que usado apenas como medida de conveniência, para promover favoravelmente os interesses pessoais.

O hábito de fazer mais do que se é pago para fazer pode ser praticado sem se pedir a permissão de ninguém; portanto, está sob controle. Muitos outros hábitos benéficos só podem ser praticados com o consentimento e cooperação de outras pessoas.

P — Os homens que trabalham para você têm sua permissão para prestar mais e melhor serviço do que aquele para o qual são pagos? Em caso afirmativo, quantos estão aproveitando esse privilégio em seu próprio benefício?

R — Fico feliz por você ter feito essa pergunta, pois me dá oportunidade de expor um ponto de vista importante sobre o assunto. Primeiro, deixe-me dizer que todos que trabalham para mim (e isto aplica-se igualmente a todos que trabalharam para mim no passado) não apenas têm o privilégio de fazer mais do que estão sendo pagos para fazer, como são encorajados por mim a fazê-lo, *para o benefício deles*, bem como para o meu próprio.

Você pode se surpreender ao saber que, dos muitos milhares de homens que trabalham para mim, apenas um número muito pequeno se deu ao trabalho de me colocar na obrigação de recompensá-los por prestarem mais serviço do que aquele para o qual são pagos. Entre as poucas exceções estão os membros do meu grupo de MasterMind, homens que praticam o hábito tão frequentemente quanto fazem as suas refeições. Há outros entre os supervisores e gerentes que praticam esse hábito, e cada um deles está recebendo uma compensação muito maior do que a recebida pela maioria dos nossos trabalhadores, embora todos possam prestar esse tipo de serviço sem pedir o consentimento de ninguém.

Como já disse anteriormente, alguns dos membros do meu grupo de MasterMind, como Charlie Schwab, tornaram-se tão definitivamente indispensáveis para nossa empresa que chegaram a receber cerca de um milhão de dólares de bônus em um ano, além e acima dos salários fixos. Não são poucos os homens que, depois de se promoverem até os mais altos níveis de renda da nossa organização, tiveram a oportunidade de iniciar um negócio próprio.

P — Você não poderia ter feito um acordo melhor com aqueles a quem chegou a pagar um milhão de dólares por ano em compensação extra?

R — Com certeza eu poderia ter os serviços por muito menos dinheiro, mas é preciso lembrar que o princípio de fazer mais do que se é pago para fazer atua a favor do empregador tanto quanto atua para o benefício do empregado. Portanto, um empregador pagar a um funcionário *tudo o que ele merece* é um ato de sabedoria, assim como o empregado se esforçar para ganhar mais do que recebe. Ao pagar a Charlie Schwab tudo o que ele merecia, me precavi contra a perda dos serviços dele.

P — Você fala em pagar tudo que homens que fazem mais do que são pagos para fazer *merecem*. Se você faz isso, como eles podem prestar mais serviço do que são pagos para prestar? Parece haver uma incoerência na declaração.

R — Aquilo que você confunde com incoerência é apenas o erro de muitos outros neste assunto, e deve-se à falta de compreensão sobre o hábito de ir além. A aparente incoerência é, portanto, uma ilusão, mas vou corrigi-lo.

De fato, pago a meus funcionários tudo o que eles merecem receber, mesmo que às vezes tenha que pagar somas enormes de dinheiro. Mas você negligenciou um ponto importante: antes de começar a pagar tudo o que eles merecem, eles têm que se tornar indispensáveis, fazendo mais do que são pagos para fazer.

Este é o detalhe que a maioria das pessoas ignora. Até um homem começar a prestar mais serviço do que é pago para prestar, ele não tem direito de receber mais do que seu salário pelo seu serviço, uma vez que, obviamente, já está recebendo o salário integral para o que faz.

Acho que posso esclarecer este ponto chamando a atenção para o exemplo simples do agricultor. Antes de receber por seus serviços, ele cuidadosamente prepara o solo, lavra e nivela a terra, fertiliza se necessário e efetua o plantio.

Até este ponto, ele não ganhou absolutamente nada pela labuta, mas, compreendendo a lei do crescimento, ele descansa após seu trabalho, enquanto a natureza germina a semente e lhe rende uma colheita.

Aqui o elemento tempo entra no trabalho do fazendeiro. No devido tempo, a natureza devolve as sementes que ele plantou, juntamente com um bônus abundante para compensá-lo por seu trabalho e conhecimento. Se ele semeia um alqueire de trigo no solo devidamente preparado, recebe de volta o alqueire de sementes, somados a talvez mais de dez alqueires adicionais como compensação.

A lei dos rendimentos crescentes interveio e compensou o agricultor por seu trabalho e inteligência. Se essa lei não existisse, o homem também não existiria, pois obviamente não haveria vantagem alguma em plantar um alqueire de trigo se a natureza devolvesse apenas um alqueire de grãos. É o excesso que a natureza produz via lei de retornos crescentes que torna possível ao homem produzir alimento para si e para os animais.

VÁ ALÉM

Não é necessário muita imaginação para entender que o homem que faz mais e melhor do que é pago para fazer coloca-se na posição de beneficiar-se dessa mesma lei. Se um homem presta apenas o serviço para o qual é pago, não tem nenhum motivo lógico para esperar ou exigir mais do que o valor justo daquele serviço.

Um dos males atuais é a tentativa, por parte de alguns, de inverter essa regra e receber mais do que o valor equivalente a seus serviços. Alguns homens se esforçam para reduzir sua carga horária e aumentar a remuneração, mas essa prática não pode ser seguida por tempo indeterminado. Se continuam a receber mais do que seu serviço realmente vale, acabam esgotando a fonte dos salários, e o chefe faz o próximo movimento.

Quero que você entenda isso claramente, pois a falta de conhecimento sobre o assunto está fadada a levar o sistema americano da indústria à ruína se a prática de esforçar-se para receber mais do que se investe no trabalho não for corrigida. O homem que deve corrigi-la é aquele que depende do trabalho para viver, *pois ele é o único que tem o privilégio da iniciativa* para corrigir essa prática insalubre.

Por favor, não pense que estou falando depreciativamente do homem que depende do trabalho diário para viver, pois na verdade estou tentando ajudá-lo, escrevendo uma filosofia sólida relacionada à comercialização de seus serviços.

P — Então você acredita que seria tão insensato um empregador reter parte do salário de um funcionário que fez por merecê-lo, quanto um funcionário criar um impedimento para si mesmo ao fazer menos do que é pago para fazer. A partir do que você disse, concluo que seu raciocínio está baseado na compreensão da economia e do princípio de retornos crescentes.

R — Você captou a ideia perfeitamente. Permita-me felicitá-lo, pois a maioria das pessoas parece não compreender os grandes benefícios potenciais disponíveis para quem segue o hábito de prestar mais serviço do que aquele para o qual é pago.

Ouço frequentemente os trabalhadores dizendo: "Não sou pago para fazer isso", "Isso não é minha responsabilidade", "Serei um trouxa se fizer algo pelo qual não sou pago". Você já ouviu declarações como essas. Todo mundo já ouviu.

Bem, quando ouvir um homem falar algo parecido, pode ter certeza de que ele jamais receberá do seu trabalho mais do que o necessário para a sobrevivência. Além disso, esse tipo de "atitude mental" o torna malquisto pelos colegas e diminui as oportunidades favoráveis de autopromoção.

Quando estou em busca de alguém para preencher um cargo de responsabilidade, a primeira qualidade que procuro é uma atitude mental positiva e agradável. Você pode se perguntar por que não procuro primeiro pela capacidade de realizar o trabalho que preciso que seja feito. Vou dizer por quê! O homem com uma atitude mental negativa irá perturbar a harmonia da relação de todos com quem trabalha; portanto, será uma influência desintegradora com que nenhum gerente eficiente quer lidar. Procuro primeiro pela atitude mental correta porque, onde ela é encontrada, em geral encontra-se também a vontade de aprender. Então a habilidade necessária para determinado trabalho pode ser desenvolvida.

Quando Charlie Schwab começou a trabalhar para mim, aparentemente não tinha qualquer habilidade além daquelas possuídas por qualquer operário. Mas Charlie tinha uma atitude mental imbatível e uma personalidade cativante que lhe permitiam conquistar amigos entre todas as classes de homens.

Ele também tinha uma vontade natural de fazer mais do que era pago para fazer. Essa qualidade era tão pronunciada que ele *transferiu toda a atenção de si mesmo para o trabalho*. Ele não só foi mais além, como foi mais além com um sorriso no rosto e a atitude certa no coração.

Charlie também ia depressa e *voltava para buscar mais* sempre que concluía uma tarefa atribuída a ele. Encarava o trabalho duro tão avidamente quanto um homem faminto encara um prato de comida colocado diante de si.

O que se pode fazer com um homem assim, a não ser dar rédea solta e deixá-lo ir tão rápido quanto queira? Esse tipo de atitude mental inspira confiança. Também atrai as oportunidades que fogem do homem que traz uma carranca no rosto e mau humor no coração.

Digo francamente que não existe maneira de conter um homem com esse tipo de atitude mental. Ele define o valor do seu trabalho *e é pago de bom grado*. Se um empregador não tem visão suficiente para reconhecer tal homem com uma remuneração adequada, outro logo irá descobri-lo e dar um emprego melhor. A lei da oferta e da procura entra em cena e garante a recompensa adequada para esse homem. O empregador tem muito pouco a fazer nessas circunstâncias. *A iniciativa está inteiramente nas mãos do empregado.*

O exemplo da sabedoria de se prestar mais serviço do que se é pago não é aplicável apenas na relação entre empregador e empregado. As mesmas regras se aplicam com igual certeza aos profissionais, na verdade a todos que ganham a vida oferecendo serviços aos outros. O atendente da mercearia que inclina a balança a favor do cliente quando está pesando um quilo de açúcar é muito mais sábio do que aquele que umedece o açúcar para deixá-lo mais pesado.

O comerciante que arredonda os centavos a favor do cliente ao dar o troco é muito mais sábio do que aquele que arredonda a seu favor. Conheço comerciantes que perderam clientes que valiam centenas de dólares por ano devido a esse hábito mesquinho.

Certa vez conheci um pequeno mercador que subia e descia o vale de Monongahela, perto de Pittsburgh, vendendo mercadorias que carregava nas costas. Ouvi dizer que a mochila pesava mais do que ele.

Quando fazia uma venda, normalmente dava um artigo extra que não fora pago como sinal de gratidão pelo apoio recebido. Oh, o presente não valia muito em termos de dinheiro, mas ele dava com uma atitude mental tão atraente que os clientes sempre comentavam sobre a cortesia para todos os vizinhos, fazendo assim uma publicidade que ele não poderia pagar só com dinheiro.

Em pouco tempo esse comerciante desapareceu do percurso habitual. Os clientes começaram a perguntar o que tinha acontecido com ele. As perguntas eram instigadas por uma afeição genuína pelo "homenzinho do mochilão", como o chamavam.

Depois de alguns meses, o homenzinho apareceu novamente, mas dessa vez sem o mochilão. Veio para dizer a todos os clientes que havia aberto uma loja própria em Pittsburgh.

Hoje a loja é a maior e mais próspera da cidade. É conhecida como loja de departamentos Horn, fundada pelo "homenzinho do mochilão" e, poderia ser dito, "o homenzinho do grande coração e do cérebro sensato".

Olhamos para os homens que "chegaram lá" e dizemos "que afortunado" ou "que sortudo". Na maioria das vezes, deixamos de investigar a fonte da "sorte", pois, se o fizéssemos, descobriríamos que a sorte consiste no hábito de prestar mais e melhor serviço do que aquele para o qual se foi pago, como no caso do "homenzinho do mochilão".

Muitas vezes ouvi dizer que Charlie Schwab havia sido "favorecido" porque o velho Carnegie simpatizou com ele e o colocou à frente de todos os outros.

A verdade é que Charlie foi para a frente sozinho. Tudo tive que fazer foi *ficar fora do seu caminho e deixá-lo ir*. Qualquer "favorecimento" que tenha recebido foi criado por ele mesmo.

Quando você descrever esse princípio na filosofia da realização individual, certifique-se de enfatizar o que eu disse a respeito, pois é a única regra certa e segura pela qual qualquer pessoa pode influenciar a roda da vida para que produza benefícios que irão mais do que compensar eventuais infortúnios que possa trazer.

Quando apresentar a filosofia para o mundo, não esqueça de dizer como usar o princípio de fazer mais do que se é pago para fazer, como um meio garantido de *se tornar indispensável* para aqueles a quem se serve. Certifique-se também de explicar que esta é a regra do sucesso pela qual a lei da compensação *pode ser deliberadamente* colocada para trabalhar a favor.

Sempre achei uma enorme tragédia Emerson não ter explicado mais claramente no ensaio sobre a compensação que o hábito de prestar mais e melhor serviço do que se é pago para fazer tem o efeito de colocar a lei da compensação a seu favor.

P — Você conhece outros homens, além de você, que deliberada e premeditadamente seguem o hábito de fazer mais do que se é pago para fazer e acreditam que seja benéfico?

R — Não conheço nenhum homem bem-sucedido, em qualquer vocação ou negócio, que não siga esse hábito consciente ou inconscientemente. Estude qualquer homem de sucesso, independentemente da sua vocação, e vai perceber rapidamente que *ele não trabalha olhando para o relógio!*

Se estudar cuidadosamente aqueles que largam tudo no momento em que a sirene indica o final do expediente, você verá que eles estão apenas sobrevivendo.

Encontre alguém que seja exceção a essa regra e darei um cheque de mil dólares na hora, contanto que essa pessoa me permita fazer uma fotografia dela.

Se tal homem existe, é um espécime raro e *desejo conservar seu retrato em um museu* para que todos possam ver o homem que desafiou com sucesso as leis da natureza.

Homens bem-sucedidos não estão à procura de trabalho fácil de poucas horas, pois, se são realmente bem-sucedidos, sabem que isso não existe. Homens bem-sucedidos estão sempre à procura de maneiras de alongar os dias de trabalho em vez de reduzi-los.

P — Você sempre seguiu o hábito de fazer mais do que era pago para fazer?

R — Se não tivesse feito isso, você não estaria aqui tentando aprender as regras para alcançar o sucesso, pois eu ainda estaria trabalhando como operário, exatamente onde comecei. Se você me perguntasse qual dos dezessete princípios da realização mais me ajudou, acho que eu seria obrigado a dizer que foi o princípio de ir além. No entanto, você não deve chegar à conclusão de que esse princípio por si só pode assegurar o sucesso. Existes dezesseis outros princípios do sucesso, e alguma forma de combinação de alguns deles deve ser utilizada por todos que querem alcançar sucesso notável e duradouro.

Agora é o momento oportuno para chamar sua atenção para a importância de combinar a definição de objetivo com o hábito de ir além. Para ir além, deve-se ter um destino final definitivo em vista, e não vejo motivo para alguém não prestar mais serviço do que é pago para fazer como meio deliberado de influenciar a roda da vida na realização do objetivo.

E se alguém seguir esse hábito apenas por conveniência? É prerrogativa de qualquer homem promover-se de todas as formas legitimamente possíveis, especialmente se utilizar métodos que satisfaçam e beneficiem outras pessoas.

Como já disse antes, não se pode fazer nenhuma oposição legítima ao hábito de fazer mais do que se é pago para fazer. Qualquer pessoa pode exercê-lo por iniciativa própria, sem necessidade de pedir permissão. *Nenhum comprador de serviços vai se opor se o vendedor der mais do que prometeu.* E com certeza nenhum comprador de serviços vai se opor se o vendedor oferecer os serviços com uma atitude mental amigável e atraente. Esses privilégios estão dentro dos direitos do vendedor.

Felizmente vivemos em um país cujos fundadores sabiamente asseguraram a todos os homens o direito de exercer a iniciativa própria por todas as formas de serviço útil. Esse privilégio, juntamente com a abundância de riqueza e oportunidades com que estamos rodeados nesse país, torna difícil para qualquer homem reclamar de não ter tido uma chance.

Aqui podemos criar oportunidades para nós mesmos. Este país ainda é relativamente novo. Seu futuro desenvolvimento oferece a cada homem a oportunidade de exercer a iniciativa e a imaginação na prestação de serviços necessários.

P — E o homem cuja falta de educação obriga a aceitar oportunidades disponíveis para trabalhadores braçais? Você diria que esse homem tem a mesma oportunidade daqueles que se educaram?

R — Estou muito feliz que você tenha feito essa pergunta porque desejo corrigir o erro comum que as pessoas cometem no tema da educação.

Primeiro, deixe-me explicar que a palavra "educar" significa algo completamente diferente do que muitos acreditam. Um homem educado é aquele que tomou posse de sua mente e a desenvolveu com pensamento organizado até o ponto em que ela pode auxiliá-lo de forma eficiente na resolução dos problemas diários.

Algumas pessoas acreditam que educação consiste na aquisição de conhecimentos, mas num sentido mais verdadeiro significa *aprender a usar o conhecimento*.

Conheço muitos homens que são enciclopédias ambulantes, mas fazem uso tão medíocre do conhecimento que mal conseguem ganhar a vida.

Outro erro que muita gente comete é acreditar que escolaridade e educação são sinônimos. A escolaridade pode permitir que um homem adquira muito conhecimento e reúna fatos úteis, mas só escolaridade não necessariamente torna um homem educado. A educação é autoadquirida e vem do desenvolvimento e uso da mente e de nenhuma outra forma.

Pegue Thomas A. Edison, por exemplo. Toda a sua escolaridade era de um pouco mais de três meses, e não era nem mesmo das mais eficientes. Sua real "escolaridade" veio da grande escola da experiência, com a qual aprendeu a tomar posse de sua mente e usá-la. Mediante esse uso ele se tornou um dos homens mais cultos do nosso tempo.

O conhecimento técnico de que precisava no ramo das invenções Edison adquiriu de outros homens pela aplicação do princípio do MasterMind. Seu trabalho requeria conhecimento de química, física, matemática e uma grande variedade de outras disciplinas científicas, nenhuma das quais ele entendia pessoalmente. Mas, como era *educado*, ele sabia como e onde adquirir conhecimento sobre esses e todos os outros assuntos essenciais a seu trabalho.

Então, tire da cabeça a crença de que o conhecimento, por si só, é educação! O homem que sabe onde e como adquirir o conhecimento de que precisa, quando precisa, é um muito mais educado do que aquele que *tem o conhecimento, mas não sabe o que fazer com ele*.

Existe outro ângulo dessa velha desculpa, já gasta pelo tempo, com a qual os homens explicam o fracasso alegando que não tiveram oportunidade de educar-se. É o fato de que o ensino é gratuito neste país e oferecido em tamanha abundância que qualquer homem pode frequentar a escola à noite se realmente desejar. Temos também escolas por correspondência, nas quais os homens podem adquirir conhecimento sobre praticamente qualquer assunto por um preço muito pequeno.

Tenho pouca paciência com aqueles que afirmam que não tiveram sucesso porque não tinham escolaridade, pois sei que qualquer homem que realmente deseje ter escolaridade pode adquiri-la facilmente. A falácia do álibi de "não ter instrução", na maioria dos casos, é usada *como desculpa para preguiça ou falta de ambição*.

Eu tinha pouca escolaridade e comecei minha carreira exatamente na mesma posição que qualquer outro trabalhador. Não tive "empurrãozinho", favores extras ou um "tio rico" para me ajudar, e ninguém em quem me inspirar para me promover a uma situação econômica mais favorável na vida. *A ideia de fazer isso foi inteiramente minha.* Além disso, achei a tarefa relativamente fácil. Ela consistiu principalmente de tomar posse de minha mente e utilizá-la com *definição de objetivo.*

Eu não gostava da pobreza, por isso me recusei a permanecer nela. Minha atitude mental foi o fator determinante que me ajudou a forçar a pobreza a dar lugar à riqueza. Posso afirmar sinceramente que, entre todos os milhares de homens empregados por mim, não conheço uma única pessoa que não pudesse ter se igualado a mim ou mesmo me superado, se assim quisesse.

P — Sua análise do tema educação é interessante e reveladora. Pode ter certeza de que vou incluí-la na filosofia da realização, pois estou certo de que existem muitas outras pessoas com a concepção errada da relação entre "escolaridade" e "educação." Se entendi corretamente, você acredita que a melhor parte da educação vem do fazer e não apenas da aquisição de conhecimento.

R — Exatamente! Tenho homens que trabalham para mim que poussuem diploma universitário, mas muitos deles acreditam que sua formação é apenas um acessório para o sucesso. Aqueles que combinam a formação da faculdade com a experiência prática em breve tornam-se educados em um sentido prático, desde que não contem demais com a graduação acadêmica como meio de minimizar a importância da experiência prática.

Este é o momento apropriado para dizer que os graduados universitários que emprego e que desenvolvem o hábito de prestar mais serviço do que aquele pelo qual são pagos geralmente são promovidos a cargos de maior responsabilidade e melhor remuneração muito rapidamente, enquanto aqueles que negligenciam ou se recusam a adotar esse princípio não fazem mais progresso do que o homem médio sem formação universitária.

P — Quer dizer que a formação da faculdade vale relativamente menos a pena do que o hábito de ir além?

R — Sim, pode-se colocar dessa maneira, mas tenho observado que os homens com formação universitária que seguem o hábito de fazer mais do que são pagos para fazer, combinando sua formação com os benefícios desse hábito, vão em frente muito mais rapidamente do que os homens que fazem mais do que são pagos para fazer, mas não têm formação universitária. A partir disso cheguei à conclusão de que há uma certa disciplina que se recebe na faculdade que homens sem essa formação em geral não possuem.

P — A maioria dos membros do seu grupo de MasterMind têm formação universitária?

R — Cerca de dois terços não têm formação universitária, e eu poderia acrescentar que aquele que tem sido meu principal colaborador, pesando tudo o que todos já fizeram, não terminou a formação elementar. Também pode ser interessante saber que o hábito voluntário de prestar mais serviço do que aquele pelo qual se é pago foi a qualidade que o tornou de grande valor para mim.

Digo isso porque seu exemplo pareceu definir o ritmo dos outros membros do meu grupo de MasterMind. Além disso, sua atitude se espalhou por nossos trabalhadores, pois muitos deles captaram o espírito e começaram a praticá-lo, promovendo-se assim a cargos de maior responsabilidade e melhores salários.

P — Existe algum método específico com o qual você procura informar todos os seus homens sobre as vantagens que podem ter se fizerem mais do que são pagos para fazer?

R — Não temos nenhum método direto de fazer isso, embora tenha-se espalhado pelo "boca a boca" a informação de que os homens que se promovem às melhores posições seguem o hábito de fazer mais do que são pagos para fazer. Muitas vezes pensei que deveríamos ter ido mais longe, com alguma forma de abordagem direta pela qual nossos homens pudessem ter aprendido os benefícios da prestação desse tipo de serviço. Teríamos feito isso se não temêssemos que nossos esforços pudessem ser mal interpretados como uma tentativa da nossa parte de obter mais trabalho dos nossos homens sem pagar.

A maioria dos trabalhadores é cética e desconfiada de todos os esforços por parte do empregador para influenciá-los a se aprimorar. Talvez um homem mais inteligente do que eu descubra como os empregadores possam ganhar a confiança dos funcionários e convencê-los dos benefícios que existem, para empregador e funcionários, no hábito de prestar mais serviço do que o salário exige.

Claro que a regra deve funcionar em ambos os sentidos e funcionará onde um empregado entende esse princípio e o aplica deliberadamente. Está tudo inteiramente nas mãos do empregado. É algo que ele pode fazer por iniciativa própria, sem consultar o empregador. *Os funcionários mais sábios descobrem e aplicam esse princípio voluntariamente!*

Não há homem no meu grupo de MasterMind que não tenha se promovido voluntariamente a essa posição graças ao hábito de fazer mais do que era esperado dele. Digo com franqueza que o homem que segue esse hábito voluntariamente logo faz-se indispensável e assim *define o próprio salário e escolhe seu emprego.* Não há nada que um empregador possa fazer além de cooperar com um homem que tem o bom senso de fazer mais do que é pago para fazer.

P — Mas não existem alguns empregadores egoístas que se recusam a reconhecer e recompensar um empregado pelo hábito de fazer mais do que é pago para fazer?

R — Sem dúvida existem alguns empregadores que não têm visão suficiente para recompensar um homem desse tipo, mas é preciso lembrar que quem tem esse hábito é tão raro que haverá forte concorrência entre os empregadores por seus serviços.

Se um homem tem bom senso para compreender as vantagens de fazer mais do que é pago para fazer, em geral também tem bom senso para entender que todos os empregadores estão buscando esse tipo de ajuda; e, mesmo que não entenda isso, mais cedo ou mais tarde chamará a atenção de um empregador à procura desse tipo de serviço, mesmo que não tenha deliberadamente se esforçado para se promover.

Todo homem gravita para o seu lugar na vida, tão certo quanto a água procura e encontra seu nível!

Charlie Schwab, por exemplo, não me procurou (não que eu saiba) para dizer: "Olhe, estou fazendo mais do que sou pago para fazer". Eu descobri do meu jeito, porque estava à procura desse tipo de atitude mental.

Nenhum empregador consegue conduzir com sucesso uma indústria do tamanho da nossa sem a ajuda de um grande número de homens que colocam o coração, a alma e toda a capacidade que têm no trabalho. Portanto, sempre mantenho os olhos bem abertos para encontrar esse tipo de homem e, quando encontro, o seleciono para observar de perto e me *certificar de que ele segue o hábito de forma consistente.* A verdade é que todos os empregadores bem-sucedidos fazem a mesma coisa. Esse é um motivo pelo qual são bem-sucedidos.

Quer um homem ocupe a posição de empregador ou de empregado, o espaço dele no mundo é medido precisamente pela qualidade e quantidade de serviço que presta, mais a atitude mental com que se relaciona com os outros.

Emerson disse: "Faça as coisas e você terá o poder". Ele nunca expressou um pensamento mais verdadeiro do que esse. Além disso, aplica-se a todas as vocações e relacionamentos humanos. Homens que conquistam e mantêm o poder fazem isso tornando-se úteis aos outros. Essa conversa sobre homens manterem belos empregos graças a um "empurrãozinho" é bobagem. Um homem pode adquirir um bom trabalho graças a um empurrãozinho, mas acredite: se permanece no trabalho, é por esforço próprio e, quanto mais esforço colocar no trabalho, mais ele irá crescer.

Conheço alguns jovens que foram colocados em posições além de seus méritos e capacidades pela influência de parentes ou amigos, mas raramente vi um deles aproveitar ao máximo essa vantagem não merecida, e as exceções que vi devem-se a eles terem adquirido o hábito de colocar mais no trabalho do que tentavam tirar.

P — E quanto ao homem que não trabalha por salário? O pequeno comerciante, o médico ou advogado? Como pode se promover prestando mais serviço do que aquele pelo qual é pago?

R — A regra se aplica da mesma maneira. Na verdade, aqueles que não conseguem prestar tal serviço permanecem pequenos e muitas vezes fracassam por completo. Existe um fator na vida de um homem bem-sucedido conhecido como "boa vontade", sem o qual ninguém pode alcançar sucesso notável em nenhuma vocação.

O melhor de todos os métodos de cultivo da boa vontade é prestar mais e melhor serviço do que o esperado. O homem que faz isso, com o tipo certo de atitude mental, fará amigos que continuarão a ajudá-lo involuntariamente. Além disso, seus clientes vão indicá-lo aos amigos, colocando assim a lei de retornos crescentes em operação a seu favor.

O comerciante pode nem sempre ter condições de colocar mais mercadoria na embalagem do cliente, mas pode acrescentar cortesia ao pacote e assim cultivar amizades que garantem clientela contínua.

O médico, o advogado ou outro tipo de profissional pode não ter mais habilidade do que os concorrentes, mas pode dominar e aplicar as qualidades da *personalidade atraente* e assim produzir a boa vontade que vinculará seus clientes.

Ouvi dizer que essa qualidade de personalidade é o fator determinante que influencia a maioria das pessoas que procuram os serviços de um advogado ou médico. A maioria dos que contratam um médico ou advogado o fazem mediante recomendação de um conhecido, e a primeira coisa que perguntam não é: "Que tal a habilidade profissional dele?", mas: "Que tipo de homem ele é?".

VÁ ALÉM

Ouvi dizer também, que 90% das pessoas que compram apólices de seguro de vida nunca se dão ao trabalho de ler os contratos. *O que elas realmente compram é a personalidade do agente que vende a apólice.* E ouvi um agente de seguros de vida muito próspero dizer que a maioria de suas vendas decorreram de apresentações amigáveis feitas por titulares de apólices vendidas por ele.

Veja bem, boa vontade e confiança são elementos essenciais para o sucesso em todas as esferas da vida. Sem elas estaremos para sempre confinados à mediocridade. Não há melhor maneira de construir esses relacionamentos do que prestando mais e melhor serviço do que o habitual. Esse método de autopromoção pode ser exercido por iniciativa própria e, em termos gerais, pode ser prestado *durante tempo que de outra forma seria desperdiçado.*

P — Sua análise do hábito de fazer mais do que se é pago para fazer é inteiramente baseada em sua experiência pessoal e na observação da experiência dos outros?

R — Não inteiramente. Encontrei provas da solidez desse princípio na natureza. Na verdade parece que a própria natureza aplica esse princípio.

Deixe-me dar alguns exemplos do que quero dizer:

Nós podemos ver a natureza ir além ao criar um excesso de flores nas árvores frutíferas. Ela se precavê contra as emergências do vento e tempestades que destroem muitas flores.

Observe o planejamento cuidadoso que ela segue para a fertilização das flores, pintando-as com cores atraentes e enchendo-as de doces perfumes e néctar que atraem a atenção das abelhas, cujos serviços são necessários para levar o pólen de flor em flor. Todo esse trabalho preparatório é feito pela natureza antes dos benefícios que resultam na forma do fruto que as flores produzem.

Repare como a natureza claramente organizou o seu plano para que as abelhas prestem um serviço útil antes de poderem receber seu pagamento.

Sem essa troca de valores entre flores e abelhas nenhuma delas poderia existir. Assim, vemos aqui a ilustração perfeita da solidez do princípio de fazer mais do que se é pago para fazer como meio de produzir frutas e perpetuar a vida das abelhas.

P — Eu nunca havia pensado na natureza como professora do princípio de fazer mais do que se é pago para fazer, mas posso ver um exemplo de funcionamento perfeito nesse exemplo que você citou. Será que a natureza usa o mesmo princípio de outras maneiras?

R — Na verdade usa! A natureza vai além em tudo o que faz. Quando cria sapos na lagoa, não produz apenas o número mínimo necessário para perpetuar a espécie, mas um excesso suficiente para superar todas as emergências.

Ela faz o mesmo com os peixes no mar, as aves do céu e todas as formas de vegetação que crescem no solo. Pode-se ver a natureza ir além em todos os lugares para onde olhamos, com um sistema de produção que prevê todas as circunstâncias essenciais para a perpetuação das espécies.

No seu esquema inteligente para a perpetuação da vida, ela faz uso de duas leis naturais com as quais todos devem se familiarizar: a lei da compensação e a lei de retornos crescentes.

Tomemos a agricultura como um exemplo de como a natureza utiliza habilmente essas duas leis. Você foi criado em uma fazenda; portanto, vai compreender facilmente a ilustração que tenho em mente. A fim de produzir o alimento de que precisa, o agricultor deve adaptar-se ao funcionamento da lei de compensação e da lei dos retornos crescentes. Também deve aplicar o princípio de ir além, reconhecendo ou não o pleno significado do que está fazendo.

Primeiro, o agricultor deve limpar o solo de árvores e arbustos. Em seguida, deve arar o solo e fertilizá-lo se necessário, para só então semear. Ele deve combinar inteligência ao trabalho, plantando a semente na época certa do ano.

Dados esses passos, o agricultor foi o mais longe que *ele* pode ir no que se refere à produção de alimentos pelo solo. Então ele deve parar e esperar que a natureza e o tempo façam seu trabalho de germinação e crescimento da semente que produzirá a colheita. Até então, o agricultor não recebeu nada por seu trabalho, *tendo literalmente feito mais do que foi pago para fazer!*

Se o agricultor executou sua parte do trabalho corretamente, a natureza vai recompensá-lo por intermédio da lei de compensação e da lei de retornos crescentes, devolvendo-lhe as sementes plantadas no solo, mais uma margem de muitas vezes a quantidade de sementes plantadas como recompensa por ter feito mais do que ele foi (temporariamente) pago para fazer.

P — Que aliança inteligente entre o agricultor e a natureza! Sem essa troca de favores, o homem não poderia perpetuar-se na nossa forma atual de civilização, poderia?

R — Agora você entendeu a ideia. A natureza providencia a perpetuação de todas as criaturas vivas de menor inteligência por um sistema de produção de alimentos que chamamos de "crescimento selvagem", mas estude esse sistema com cuidado, como no exemplo da abelha, e observe como ela inexoravelmente força todos os seres vivos a trabalhar para viver e repare em particular que o trabalho deve ser realizado antes que os benefícios sejam recebidos.

Note também que a natureza provê alimento para o homem, o mesmo que ela provê para os seres vivos de inteligência inferior, por intermédio do sistema de "crescimento selvagem", enquanto o homem continua a ser um filho da selva. Mas ela muda o sistema no momento em que o homem deixa a vida selvagem e se torna parte da civilização, obrigando-o a merecer o direito aos privilégios da maior inteligência, produzindo seu próprio alimento.

P — Como são simples e perfeitos os planos da natureza quando os seguimos como você fez e observamos a regularidade com que a natureza aplica os princípios que você descreveu. Agora entendo exatamente o que você quer dizer com a referência à lei da compensação. Parece que a natureza não permite que nenhum ser vivo receba algo a troco de nada, nem que um trabalho seja feito sem a recompensa adequada. Além disso, a natureza tende a proteger suas criaturas contra as forças destrutivas. Observe como ela cura as feridas do homem e restaura a pele cortada ou arrancada. Observe também como a árvore ferida se cura e sela a cicatriz contra mais destruição.

R — Você está começando a descobrir de onde obtenho a autoridade para dar tamanha ênfase ao hábito de ir além. Eu a obtenho de uma fonte que não pode ser questionada — nada menos do que aquela que nos revela o plano pelo qual toda a vida na Terra é perpetuada.

Você vê, portanto, por que eu disse que as leis que tornam esse princípio operativo e essencial para todos os que alcançam sucesso notável *não são leis feitas pelo homem*. Admito a verdade da sua afirmação de que os planos da natureza que estamos discutindo aqui são simples no que tange aos *efeitos* desses planos, mas eu dificilmente usaria a palavra "simples" para explicar a *causa* de tais efeitos.

Essa *causa* é tão profunda e imponderável quanto todas as outras leis naturais pelas quais esse pequeno planeta e o universo do qual ele é uma parte infinitesimal estão harmoniosamente relacionados e são mantidos em ordem ao longo do tempo e do espaço. Devemos nos contentar em observar e acatar os efeitos, mesmo sem entender a *causa*.

No entanto, de uma coisa podemos ter certeza: a natureza estabeleceu leis definidas às quais o homem pode se adaptar com proveito para viver, sem a necessidade de investigar o objetivo mais amplo de tais leis. Duas delas são a lei da compensação e a lei de retornos crescentes, que fornecem um sólido motivo para fazermos mais do que somos pagos para fazer. Podemos observar tal motivo nos efeitos dessas leis quando a própria natureza as aplica para a perpetuação dos seres vivos.

P — A partir de sua descrição da lei da compensação, chego à conclusão de que o termo "fazer mais do que se é pago para fazer" é de certo modo inadequado, na medida em que é impossível, no sentido mais amplo do termo, fazer mais do que se é pago para fazer. Essa é a sua perspectiva?

R — Eu estava esperando para ver se você iria entender esse ponto sem que eu precisasse chamar a atenção! Você está certo. Todas as formas de trabalho construtivo são recompensadas de uma forma ou de outra, e no sentido mais amplo realmente não existe a possibilidade de "fazer mais do que se é pago para fazer".

Além disso, desejo chamar a atenção para a grande variedade de maneiras com que o homem é compensado por ir além. Seres vivos inferiores ao homem (e até mesmo o homem quando vive na selva, sob a responsabilidade da natureza) não recebem nada por seu trabalho, exceto alimentos e vestes necessárias para a existência. Mas o homem foi elevado a uma posição de poder da qual comanda e recebe as recompensas da terra sob quaisquer formas e quantidades que deseje, pois aprendeu *a arte de transformar o pensamento* em coisas materiais!

Vamos colocar desta maneira: o homem é a maior obra do Criador e recebeu o privilégio da autodeterminação. O simples fato de que o homem tem controle sobre seu pensamento é profundamente significativo, pois implica que a força do pensamento é o grande recurso do homem. O fato de que o pensamento é o portão de acesso voluntário à fonte da Inteligência Infinita é uma prova definitiva da sua importância.

Agora vamos ver quais os benefícios específicos disponíveis ao homem (pelos poderes exaltados do pensamento e da fala) que lhe compensam ir além. Os mais úteis são os seguintes:

ALGUMAS VANTAGENS DE FAZER MAIS DO QUE SE É PAGO PARA FAZER

1. O hábito de ir além traz o benefício da lei de retornos crescentes de inúmeras maneiras.
2. Esse hábito coloca o indivíduo em condições de beneficiar-se da lei da compensação, pela qual nenhum ato ou ação é ou pode ser expresso sem uma resposta (de natureza correspondente).

VÁ ALÉM

3. Oferece o benefício do crescimento por meio da resistência e da utilização, conduzindo assim ao desenvolvimento mental e ao aumento da habilidade física. (É bem sabido que o corpo e a mente alcançam eficiência e habilidade em virtude da disciplina e do uso sistemáticos, que exigem a prestação de serviço que temporariamente não é pago).

4. O hábito desenvolve o importante fator da iniciativa, sem a qual nenhum indivíduo jamais supera a mediocridade em qualquer vocação.

5. Desenvolve a autossuficiência, que é também um elemento essencial em todas as formas de realização pessoal.

6. Permite a um indivíduo lucrar pela lei do contraste, uma vez que obviamente a maioria das pessoas não segue o hábito de fazer mais do que é paga para fazer. Pelo contrário, a maioria se esforça para "sobreviver" com uma quantidade mínima de trabalho.

7. Ajuda a dominar o hábito de ficar à deriva, controlando assim o hábito que está à frente das principais causas do fracasso.

8. Definitivamente ajuda no desenvolvimento do hábito da definição de objetivo, o primeiro princípio da realização individual.

9. Tende fortemente a ajudar no desenvolvimento da personalidade atraente, levando aos meios pelos quais um indivíduo pode relacionar-se com os outros de forma a obter cooperação amigável.

10. Frequentemente coloca o indivíduo em uma posição preferencial de relacionamento com os outros, e assim ele pode tornar-se indispensável e fixar o preço de seus serviços.

11. Garante emprego contínuo, servindo assim como um seguro contra a escassez.

12. É o melhor de todos os métodos conhecidos pelos quais o assalariado pode se promover a cargos mais altos e melhores salários e serve como meio prático pelo qual se pode alcançar a posição de proprietário de um negócio ou indústria.

13. Desenvolve a imaginação alerta, faculdade com que se pode criar planos práticos para a realização de metas e objetivos em qualquer vocação.

14. Desenvolve a "atitude mental" positiva, uma das qualidades mais importantes, essencial em todas as relações humanas.

15. Ajuda a fortalecer a confiança dos outros na integridade e capacidade geral do indivíduo, característica indispensável para se alcançar sucesso notável em qualquer vocação.

16. Por fim, é um hábito que pode ser adotado e seguido por iniciativa própria, sem a necessidade da permissão de ninguém.

Compare essas dezesseis vantagens concretas disponíveis ao homem por fazer mais do que é pago para fazer com o único benefício disponível às outras criaturas da Terra (obter o alimentos necessário para a existência) pelo mesmo hábito e você será forçado a concluir que o número esmagadoramente maior de benefícios usufruídos pelo homem serve de compensação adequada para o desenvolvimento e a utilização do hábito. Esta comparação fundamenta sua afirmação de que é impossível fazer mais do que se é pago para fazer, pelo motivo óbvio de que *no simples ato de fazer* algo construtivo *adquire-se poder* que pode ser convertido em qualquer coisa que deseje.

Essa análise dá maior significado à afirmação de Emerson: "Faça as coisas e você terá o poder".

Essa é a ideia que você deve enfatizar na filosofia da realização individual. Quem segue essa análise com cuidado não tem como deixar de descobrir que é impossível fazer mais do que se é pago para fazer. O pagamento consiste na autodisciplina e autodesenvolvimento alcançado pela prestação do serviço, bem como nos efeitos materiais do serviço, sob a forma de compensação econômica.

P — Sua análise do hábito de fazer mais do que se é pago para fazer sugere que ele é uma das "obrigações" da filosofia da realização individual. Pode descrever algumas circunstâncias em que você se beneficiou desse hábito em sua experiência empresarial?

R — Esse é um pedido e tanto. Primeiro, deixe-me dar uma resposta genérica, dizendo que todas as riquezas materiais que possuo e todas as vantagens profissionais de que desfruto podem ser atribuídas ao fato de ter seguido esse hábito. Mas vou dar o exemplo específico de uma experiência que me concedeu uma das maiores oportunidades que já tive de me promover. Menciono essa experiência específica porque foi uma das mais dramáticas de minha vida e poderia acrescentar que foi também um dos maiores riscos que já assumi a fim de ir além. O risco era daquele tipo que nunca deve-se assumir, a menos que se tenha certeza de estar fazendo o movimento certo, e mesmo assim é o tipo de risco que pode ser fatal para a oportunidade de autopromoção na maioria das circunstâncias.

Quando eu era muito jovem, estudei telegrafia à noite e aprendi a operar um telégrafo de forma eficiente. (Não fui pago para isso, e ninguém me disse para fazer.) No entanto, fui recompensado por meu trabalho, atraindo a atenção de Thomas Scott, superintendente da divisão da companhia ferroviária Pennsylvania Railroad em Pittsburgh, que me deu o cargo de seu operador privado e escrivão.

Uma manhã cheguei no escritório antes de todos os outros e descobri que um trem acidentado havia trancado a linha e toda a divisão estava bloqueada.

O despachante ferroviário estava contatando freneticamente o escritório de Scott quando entrei, de modo que peguei o telégrafo e descobri rapidamente o que havia acontecido. Tentei falar com Scott por telefone, mas sua esposa disse que ele já tinha saído de casa. Então, lá estava eu, sentado em cima de um verdadeiro vulcão prestes a explodir e arruinar minhas chances na Pennsylvania Railroad para sempre se eu fizesse o movimento errado e que poderia causar o mesmo *se eu não fizesse movimento algum*.

Eu sabia exatamente o que meu chefe faria se ele estivesse lá e também sabia muito bem o que ele poderia fazer comigo caso eu assumisse o risco de agir em seu lugar em uma emergência tão significativa. Mas o tempo era importante, por isso, assumi o risco e emiti ordens em seu nome que destrancaram e redirecionaram o tráfego.

Quando meu chefe chegou ao escritório, encontrou em sua mesa um relatório escrito do que eu havia feito, juntamente com meu pedido de demissão. Eu tinha violado uma das regras mais rigorosas da ferrovia; para facilitar as coisas para meu chefe junto a seus superiores, ofereci minha cabeça.

Recebi o veredito cerca de duas horas depois. Minha demissão foi devolvida com as palavras "pedido recusado" em letras graúdas escritas à mão por meu chefe. Ele só fez referência ao episódio vários dias depois; na ocasião, ele trouxe o assunto à tona, discutiu-o à sua maneira e encerrou sem me repreender ou encorajar por eu ter violado as regras.

Ele simplesmente disse: "Existem dois tipos de homens que nunca vão longe na vida. Um é o que não consegue fazer o que lhe mandam fazer, o outro é aquele que não consegue fazer nada além disso". Aqui o assunto foi encerrado em tom definitivo, que me permitiu determinar que tipo de homem ele acreditava que eu fosse.

Deve ser o objetivo de todo jovem ir além da esfera das suas instruções imediatas e prestar um serviço que não é exigido dele, mas sendo extremamente cauteloso ao assumir riscos como eu fiz naquela ocasião. Acima de tudo, deve-se ter certeza de estar fazendo o movimento certo, mas mesmo assim ainda pode-se enfrentar dificuldades às vezes.

Um jovem que trabalhava como secretário confidencial de um corretor de ações de Nova York perdeu o emprego por misturar mau discernimento com o exercício bem-intencionado do hábito de ir além das suas instruções. Seu chefe saiu em férias e o deixou encarregado de alguns fundos que deveria investir no mercado de ações em determinado momento e de determinada maneira. Em vez de seguir as instruções, ele investiu os fundos de forma totalmente diferente. A transação rendeu muito mais do que se ele tivesse seguido as instruções do empregador, mas o corretor considerou a violação das instruções específicas como uma clara falta de bom senso e raciocinou que ele poderia violar suas instruções novamente, em circunstâncias que poderiam ser desastrosas. O resultado foi a demissão.

Então repito enfaticamente: certifique-se de que você está certo antes de quebrar regras a fim de fazer mais do que é pago para fazer e certifique-se também de seu relacionamento com o homem que pode cortar sua cabeça por causa disso. Não existe qualidade que possa tomar o lugar de um *julgamento equilibrado* e sólido. Seja ativo, persistente e decidido, mas também seja *cauteloso em seu julgamento*.

Se eu tivesse que lidar com a mesma urgência de novo, faria exatamente a mesma coisa. O homem que não consegue enfrentar emergências com bom senso nunca se tornará indispensável em nenhum negócio, pois os negócios não podem ser bem-sucedidos com regras inquebráveis. O segredo é saber *quando quebrá-las*.

Capítulo 6

APLIQUE O ESFORÇO INDIVIDUAL ORGANIZADO

*Torne-se indispensável em seu trabalho e veja
a rapidez com que você sairá dele para um melhor.*

Este capítulo dá início à análise de uma das características distintivas de todos os líderes bem-sucedidos. Também é uma característica distintiva do americanismo, tão importante que foi assegurada a todos os cidadãos americanos pela Constituição dos Estados Unidos.

É o privilégio da iniciativa individual, uma qualidade não menos essencial na conquista do sucesso pessoal do que a definição de objetivo.

Sem dúvida, *o privilégio de exercer a iniciativa própria* é o último de que qualquer norte-americano ambicioso gostaria de desistir, pois é óbvio que sem esse privilégio é impossível alcançar realização notável em qualquer vocação.

Nós, o povo dos Estados Unidos, demos ao mundo inteiro um exemplo valioso do exercício da iniciativa pessoal nos campos da indústria, comércio e profissões liberais. Devemos a essa qualidade, talvez mais do que a qualquer outra, o direito de afirmar que este é o país "mais rico e livre" do mundo.

O tema do esforço individual organizado, como apresentado neste capítulo, descreve os métodos pelos quais se pode fazer uso proposital e rentável do direito e responsabilidade no exercício da iniciativa pessoal. Nenhum privilégio pode ser de grande benefício para ninguém a menos que seja organizado em um plano definido e colocado em ação.

Andrew Carnegie descreve os métodos pelos quais a iniciativa pessoal pode ser *organizada* e utilizada para a obtenção de fins determinados.

P — Você afirmou que o esforço individual organizado é o sexto dos 17 princípios da realização individual. Pode analisar esse princípio e sua relação com a realização pessoal?

R — Muito bem, vamos começar dizendo que a iniciativa pessoal pode ser comparada ao vapor da caldeira no seguinte aspecto: é o poder pelo qual os planos e os objetivos são colocados em prática! É a antítese de um dos piores de todos os traços humanos, a *procrastinação*.

Os homens bem-sucedidos são sempre reconhecidos como homens de ação! Não pode haver ação sem o exercício da iniciativa. Existem duas formas de ação, ou seja, (1) aquela realizada a partir da necessidade e (2) aquela exercida por escolha, voluntariamente. A liderança se desenvolve desta última. Resulta da ação em resposta às próprias motivações e desejos.

P — Você diria que o direito de iniciativa individual está entre os maiores privilégios de que desfrutamos como cidadãos dos Estados Unidos?

R — Não está apenas entre os maiores, é o maior! Esse privilégio foi considerado de tão grande importância que foi expressamente garantido a todos os cidadãos dos Estados Unidos na Constituição. O privilégio de exercer a iniciativa individual é de tão grande importância que todas as empresas bem gerenciadas reconhecem e recompensam adequadamente os indivíduos que mostram aptidão no uso da iniciativa própria na melhoria da empresa.

É pelo exercício da iniciativa pessoal que o trabalhador mais humilde pode tornar-se indispensável em qualquer negócio. É pelo exercício desse privilégio que o mais humilde dos operários pode se tornar proprietário da empresa em que trabalha ou chegar a ser proprietário do seu próprio negócio.

P — Pelo que diz, entendo que você acredita que o privilégio de agir por iniciativa própria é o trampolim mais importante em todas as conquistas individuais.

R — Nunca soube de alguém que tenha alcançado sucesso notável sem agir por iniciativa própria. Sob nossa forma de governo e sistema industrial, todos os homens são recompensados de acordo com o serviço que prestam por iniciativa própria. Ninguém é obrigado a fazer nada contra a sua vontade. Mas o modo de vida americano é tal que incentiva todos a se promoverem por seus esforços a qualquer posição que desejem. Aqueles que organizam seus esforços naturalmente chegam à frente mais rápido do que aqueles à deriva, sem meta ou objetivo definido.

P — Deve haver certas qualidades definidas de liderança que os líderes mais bem-sucedidos desenvolvem e aplicam. Você pode citar as características que considera essenciais para o desenvolvimento da liderança?

R — Pela minha experiência, observei que os líderes bem-sucedidos em todas as esferas da vida possuem um ou mais destes 31 traços de liderança e, em alguns casos, todos:

1. Adoção de um objetivo principal definido e de um plano definido para alcançá-lo.

APLIQUE O ESFORÇO INDIVIDUAL ORGANIZADO

2. Escolha de um motivo adequado para inspirar a ação contínua em busca do objetivo principal. Não é possível alcançar nada significativo sem um motivo definido.

3. Aliança de MasterMind para adquirir o poder necessário para realizações notáveis. Aquilo que um homem pode alcançar por esforço próprio é insignificante, limitado essencialmente às necessidades básicas da vida. As grandes realizações sempre são resultado da coordenação de mentes trabalhando para um fim determinado.

4. Autossuficiência proporcional à natureza e dimensão do objetivo principal. Ninguém pode ir muito longe sem confiar amplamente no próprio esforço, iniciativa e julgamento.

5. Autodisciplina suficiente para dominar a cabeça e o coração. O homem que não consegue se controlar nunca poderá controlar outras pessoas. *Não há exceções a essa regra.* Ela é tão importante que provavelmente deveria ter encabeçado a lista das características fundamentais da liderança.

6. Persistência, com base na vontade de vencer. A maioria dos homens são bons iniciadores, mas péssimos consumadores. O homem que desiste aos primeiros sinais de oposição nunca vai muito longe em nenhum empreendimento.

7. Imaginação bem desenvolvida. Líderes capacitados estão sempre procurando novas e melhores maneiras de fazer as coisas. Devem estar atentos a novas ideias e oportunidades para alcançar seu objetivo. O homem que percorre o caminho traçado pelos outros sem procurar métodos de melhoria nunca se tornará um grande líder.

8. Hábito de tomar decisões firmes e imediatas em todos os momentos. O homem que não consegue tomar suas próprias decisões tem poucas chances de induzir os outros a segui-lo.

9. Hábito de basear as opiniões em fatos reais em vez de confiar em suposições, evidências ou boatos. Líderes capacitados não consideram nada como garantido sem uma razão sólida. Eles se preocupam em conhecer os fatos antes de formar juízos, mas se movem pronta e decididamente.

10. Capacidade de gerar entusiasmo por vontade própria e direcioná-lo a um determinado fim. O entusiasmo descontrolado pode ser tão prejudicial quanto a ausência de entusiasmo. Além disso, o entusiasmo é contagiante, assim como a falta dele. Seguidores e subordinados assumem o entusiasmo de seu líder.

11. Senso aguçado de equidade e justiça em todas as circunstâncias. O hábito do "favoritismo" é destrutivo para a liderança. Os homens respondem melhor àqueles que os tratam com justiça, especialmente quando são tratados de forma justa por homens em posições de grande autoridade.

12. Tolerância (uma mente aberta) em todos os assuntos, em todos os momentos. O homem com a mente fechada não inspira confiança em seus associados, e sem confiança é impossível desenvolver uma grande liderança.

13. Hábito de ir além (fazendo mais do que se é pago para fazer, com "atitude mental" positiva e agradável). Esse hábito por parte de um líder inspira altruísmo em seus seguidores e subordinados. Nunca conheci um líder capacitado que não se esforçasse em todos os momentos para prestar mais serviço do que qualquer outro homem sob sua autoridade.

14. Tato e senso de diplomacia aguçados, tanto em espírito quanto em ação. Em uma democracia livre como a nossa, as pessoas não aceitam amigavelmente atitudes ríspidas em suas relações com os outros.

15. Hábito de *ouvir muito* e *falar pouco*. A maioria das pessoas fala demais e diz muito pouco. O líder que conhece seu negócio sabe o valor de ouvir o ponto de vista de outros homens. Talvez tenhamos dois ouvidos, dois olhos e apenas uma boca para que possamos ouvir e ver o dobro do que falamos.

16. Natureza observadora. O hábito de notar pequenos detalhes. Todo negócio é um conjunto de detalhes. O homem que não se familiarizar com todos os detalhes do trabalho pelo qual ele e seus subordinados são responsáveis não será um líder de sucesso. Além disso, o conhecimento dos pequenos detalhes é essencial para a promoção.

17. Determinação. Reconhecimento de que derrota temporária não deve ser aceita como fracasso permanente. Todos os homens se deparam ocasionalmente com a derrota de uma forma ou de outra. O líder de sucesso aprende com a derrota e nunca a usa como desculpa para não tentar de novo. *A capacidade de aceitar e assumir responsabilidades* está entre as conquistas mais lucrativas. É a maior necessidade em toda indústria e negócio. Paga altos dividendos quando o indivíduo assume responsabilidades sem ter sido exigido que fizesse isso.

18. Capacidade de suportar críticas sem ressentimento. O homem que fica "fulo" de ressentimento quando seu trabalho é criticado nunca

APLIQUE O ESFORÇO INDIVIDUAL ORGANIZADO 115

se tornará um líder de sucesso. Os verdadeiros líderes podem "aguentar" e tratam de fazer isso. A grandeza faz vista grossa para a pequenez da crítica e segue em frente.

19. Temperança no comer, beber e em todos os hábitos sociais. O homem que não tem controle sobre seu apetite terá muito pouco controle sobre outras pessoas.

20. Lealdade a todos a quem a lealdade é devida. A lealdade começa com lealdade a si mesmo. Estende-se aos associados nos negócios. Deslealdade gera desprezo. Ninguém que "morde a mão que o alimenta" pode ser bem-sucedido.

21. Franqueza a quem de direito. Subterfúgios que induzem a erro são uma muleta ruim em que se apoiar, e os líderes capacitados não a utilizam.

22. Familiaridade com os nove motivos básicos que colocam os homens em ação. (Já discutidos no Capítulo 2, listados aqui para revisão: a emoção do amor, a emoção do sexo, desejo de ganhos financeiros, desejo de autopreservação, desejo à liberdade do corpo e da mente, desejo de autoexpressão, desejo de perpetuação da vida após a morte, a emoção da raiva e a emoção do medo). Aquele que não entende os motivos naturais a que os homens respondem não será um líder de sucesso.

23. Atratividade de personalidade suficiente para induzir a cooperação voluntária dos outros. (Veja a lista dos fatores da personalidade atraente no Capítulo 3.) A liderança sólida baseia-se na arte de vender a si mesmo, na capacidade de ser simpático e agradável aos outros.

24. Capacidade de concentrar plena atenção em um objetivo de cada vez. O faz-tudo raramente é bom em alguma coisa. O esforço concentrado concede um poder que não pode ser alcançado de nenhuma outra forma.

25. Hábito de aprender com os próprios erros e com os erros dos outros.

26. Disposição de assumir plena responsabilidade pelos erros dos subordinados sem tentar "passar a bola". Nada destrói a capacidade de liderança mais rapidamente do que o hábito de transferir responsabilidades para os outros.

27. Hábito de reconhecer *adequadamente* os méritos dos outros, especialmente quando fizeram um trabalho excepcionalmente bom. Os homens em geral vão trabalhar mais pelo reconhecimento cordial de seus méritos do que só pelo dinheiro. O líder de sucesso se

esforça para dar crédito aos subordinados. Um tapinha nas costas denota confiança.

28. Hábito de aplicar a Regra de Ouro em todas as relações humanas. O Sermão da Montanha permanece um clássico de todos os tempos como regra sólida dos relacionamentos humanos. Inspira cooperação que não pode ser obtida de nenhuma outra forma.

29. "Atitude mental" positiva em todos os momentos. Ninguém gosta de uma pessoa cética e "rabugenta" que parece estar de mal com o mundo. Um homem assim nunca se tornará um líder capacitado.

30. Hábito de assumir plena responsabilidade por todas as tarefas realizadas, independentemente de quem realmente tenha feito o trabalho. Talvez essa qualidade devesse ter encabeçado a lista — e teria encabeçado se as qualidades de liderança tivessem sido listadas em ordem de importância.

31. Senso de valores aguçado. A capacidade de avaliar à luz do bom senso, sem ser guiado por fatores emocionais. O hábito de fazer as coisas mais importantes primeiro.

Todas essas qualidades da liderança podem ser desenvolvidas e aplicadas por qualquer pessoa de inteligência mediana.

P — A partir da sua análise, parece que a liderança bem-sucedida é, em grande parte, um estado ou atitude mental.

R — Liderança não é apenas uma questão de atitude mental adequada, apesar de esse ser um fator importante. O líder de sucesso deve saber qual é o objetivo de sua vida e trabalho. Os homens não gostam de seguir um líder que obviamente sabe menos sobre seu trabalho do que eles.

P — Todos os homens são capazes de se tornar líderes de sucesso?

R — De maneira nenhuma! Você ficaria surpreso em saber quão poucos homens aspiram à liderança. A maioria não quer assumir as responsabilidades da liderança. Outros carecem de ambição para fazer o esforço extra necessário exigido pela liderança de sucesso.

P — Qual é o melhor método para inspirar os homens a se tornarem líderes nas ocupações que escolheram?

R — Como já disse, os homens fazem coisas por um motivo. A melhor maneira de inspirar liderança é plantar na mente de um homem um motivo definido que o obrigue a adquirir as qualidades da liderança. O motivo de ganhos financeiros é um dos mais populares. Quando os homens decidem

APLIQUE O ESFORÇO INDIVIDUAL ORGANIZADO

acumular riqueza ou obter sucesso, em geral começam a exercer as prerrogativas de iniciativa pessoal de maneira a desenvolver a liderança.

P — Então você acredita que não seria aconselhável desencorajar o desejo de riqueza pessoal?

R — Deixe-me responder dessa forma: este país é reconhecido no mundo inteiro por ter mais líderes na indústria e nos negócios do que qualquer outra nação. Esses líderes desenvolveram suas qualidades de liderança em resposta ao desejo de riqueza. Obviamente, qualquer coisa que acabasse com esse desejo atingiria diretamente as raízes dos nossos recursos nacionais, *a maior parte dos quais consiste da capacidade criativa dos homens que gerenciam a indústria.*

P — Você diria que o desejo de riqueza pessoal é o único motivo que inspirou tantos americanos a desenvolver as qualidades de liderança?

R — De maneira alguma. Temos muitos líderes cujas principais motivações são a construção e a criação. O orgulho da realização pessoal é um forte fator no modo de vida americano. Depois que um homem adquire segurança econômica, começa a motivar-se principalmente pelo orgulho da realização.

Um homem pode fazer apenas uma refeição de cada vez, usar uma muda de roupa de cada vez e dormir em uma cama. Depois que adquire segurança em relação a essas necessidades, começa a pensar em termos de desejo de reconhecimento público. Deseja tornar-se reconhecido como uma pessoa bem-sucedida.

Pode haver alguns homens com o instinto acumulativo da avareza, mas a maioria dos americanos de sucesso pensa em termos do uso que podem dar ao dinheiro em vez de esforçar-se em acumular dinheiro apenas para tê-lo. Foi o desejo de autoexpressão pelo uso do dinheiro que fez dos Estados Unidos a grande nação industrial que é hoje.

P — Deduzo então que a posse de uma grande riqueza pode ser uma bênção ou uma maldição, de acordo com o uso que faz dela.

R — É exatamente o que penso. Pegue John D. Rockefeller como exemplo. Ele acumulou uma imensa fortuna, mas cada dólar está trabalhando, expandindo, gerando algum tipo de utilidade industrial, comercial ou filantrópica. Pelo uso do dinheiro, ele dá emprego a muitos milhares de homens. Mas o dinheiro serve a um objetivo ainda maior.

Com a Fundação Rockefeller, a fortuna de Rockefeller serve à humanidade em dezenas de maneiras que nada têm a ver com gerar mais lucros. Sua fortuna luta contra doenças e ajuda a conter os inimigos da humanidade de outras formas. Auxilia em novas descobertas com pesquisas científicas, cujos benefícios se estenderão às gerações por vir.

P — Então você diria que o povo americano também se beneficia pela maneira com que Rockefeller exerceu sua iniciativa pessoal na acumulação de riqueza?

R — Não apenas o povo americano, mas as pessoas de todo o mundo se beneficiam de sua iniciativa e seu espírito aquisitivo. Este país precisa de mais homens como Rockefeller, não menos.

Pegue James J. Hill como outro exemplo. Por sua iniciativa pessoal, construiu o grande sistema ferroviário transcontinental que atravessou milhões de hectares de terras não utilizadas e aproximou os oceanos Atlântico e Pacífico.

Seria difícil estimar o quanto este único homem contribuiu para a riqueza dos Estados Unidos pelo exercício da iniciativa pessoal. Provavelmente bilhões dólares. A fortuna pessoal que ele acumulou não é nada em comparação aos benefícios que suas atividades trouxeram à nação como um todo.

P — Você poderia incluir-se nessa categoria também. Você se importaria de estimar quanta riqueza sua iniciativa pessoal acrescentou ao país?

R — Prefiro falar das realizações de outros que fizeram mais do que eu. Mas, se você insistir em uma resposta, deixe-me chamar sua atenção para o impulso dado à construção de arranha-céus desde que meus associados descobriram métodos melhores e mais econômicos de produzir aço.

Você sabe, é claro, que construir um arranha-céu moderno seria impossível sem o uso da estrutura de aço. O arranha-céu também seria uma impossibilidade econômica se o aço continuasse tão caro quanto era quando entrei nesse ramo. Demos ao país um produto melhor do que tudo que havia antes de entrarmos no ramo da produção de aço e diminuímos os preços a ponto de o aço poder ser utilizado como substituto de produtos menos satisfatórios, como madeira e metais de menor durabilidade.

Quando entrei no ramo da siderurgia, o aço era vendido por cerca de US$ 130,00 a tonelada. Baixamos o preço para cerca de US$ 20,00 a tonelada. Além disso, melhoramos tanto a qualidade que ele agora pode ser utilizado em dezenas de formas diferentes para as quais até então não era adequado.

P — Sua principal motivação era ganhar dinheiro?

R — *Não, minha motivação principal sempre foi tornar os homens mais úteis para si mesmos e para os outros!*

APLIQUE O ESFORÇO INDIVIDUAL ORGANIZADO   119

Como você deve ter ouvido, tive o privilégio de tornar mais de quarenta homens milionários; a maioria deles começou a trabalhar comigo como operários comuns. Mas o dinheiro que acumularam não é a coisa importante que eu gostaria de destacar. Ajudando-os a acumular dinheiro, ajudei-os a se tornarem um grande trunfo para esta nação. Inspirando-os a exercer a iniciativa própria, fiz com que começassem a prestar um serviço útil que tem contribuído enormemente para o desenvolvimento do grande sistema industrial dos Estados Unidos.

Veja, portanto, que esses homens se tornaram mais do que meros proprietários de riquezas, tornaram-se usuários inteligentes de sua riqueza e, como tal, proporcionaram emprego para muitos milhares de homens.

Como já mencionei, a riqueza consiste de coisas materiais e experiência humana adequadamente misturadas. A parte mais importante da mistura é a cabeça, a experiência, a iniciativa pessoal e o desejo de construir e criar. Sem essas qualidades o dinheiro seria inútil. Compreenda essa verdade e você terá um melhor entendimento da natureza da riqueza americana. Somos uma nação rica porque temos um grande número de pioneiros cujo orgulho da realização pessoal seduziu-os a exercer o direito da iniciativa individual em todas as formas de atividade industrial e de negócios.

Esses homens podem pensar que foram motivados pelo desejo de riqueza pessoal, mas a verdade é que foram influenciados muito mais pelo desejo de realização pessoal. Independentemente dos motivos pelos quais foram acionados, eles ajudaram a converter um vasto deserto conhecido anteriormente como "terra dos índios" na nação mais rica e mais progressista do mundo. Isso não poderia ter sido realizado sem o exercício livre e voluntário da iniciativa pessoal dos homens que fizeram esse trabalho.

P — Qual foi o papel do governo americano no desenvolvimento da indústria?

R — Um papel muito necessário, na verdade. Se você ler a Declaração de Independência e a Constituição dos Estados Unidos, verá claramente que os homens que redigiram esses documentos fundamentais tinham a intenção de dotar o povo americano de todos os direitos e oportunidades concebíveis para o livre exercício da iniciativa pessoal. Em nenhuma outra forma de governo os homens recebem um incentivo tão decisivo para exercer a iniciativa pessoal.

P — Então você não vê nenhuma razão para mudarmos nossa forma de governo?

R — Não, a menos que encontremos maneiras ainda melhores de influenciar os homens a tomar posse de suas mentes e usar suas habilidades por iniciativa própria. A nossa forma de governo não é perfeita, mas é a melhor que o mundo conhece por enquanto. Ela oferece muito mais liberdades e privilégios para o uso da iniciativa pessoal do que a maioria dos homens usa de forma inteligente.

Por que mudá-la antes de que o povo americano consiga aproveitar as oportunidades que ela oferece? Mexer nas coisas que estão funcionando satisfatoriamente é uma atitude que mete os homens em dificuldades. Esse tipo de iniciativa pessoal deve ser desencorajado, costuma ser chamado de "curiosidade intrometida". Se um homem tem boa saúde, deve tratar da vida e não interferir com a natureza experimentando curas para doenças das quais ele não sofre.

No entanto, existem pessoas que não seguem essa regra. São conhecidas como hipocondríacas e estão sempre sofrendo de alguma doença imaginária. Temos uma situação econômica saudável neste país, temos muito mais recursos ainda não explorados do que aqueles que estamos usando. Não vamos testar nosso sistema econômico, em vez disso, vamos fazer um uso mais inteligente do sistema atual, a fim de que possamos utilizar melhor os nossos grandes recursos.

Nações que estão sempre testando seus sistemas de governo e econômico passam envolvidas em revoluções e contrarrevoluções a maior parte do tempo. Grande parte do nosso sucesso é devido ao espírito de relacionamento harmonioso entre os estados da União. Essa harmonia é resultado direto da nossa forma de governo, que sabiamente fornece um incentivo para a harmonia entre as pessoas. A união faz a força. Isso é verdade tanto para grupos empresariais e industriais quanto para a relação entre os estados.

P — Qual você acredita ser o maior mal que poderia limitar o sucesso do povo americano como um todo?

R — Qualquer coisa que enfraquecesse o espírito de harmonia entre as pessoas. *Nossa unidade de objetivo é nosso maior patrimônio nacional.* É muito mais importante do que todos os nossos recursos naturais, pois sem ela poderíamos nos tornar vítimas de qualquer nação gananciosa que desejasse tomar os nossos recursos naturais.

Travamos uma guerra trágica entre o nosso próprio povo para manter a unidade nacional. Embora memórias dessa guerra permaneçam na mente de alguns, hoje todos nós reconhecemos que a separação dos estados teria significado o início de nossa desintegração. E eu bem poderia acrescentar que o maior mal que pode atingir uma indústria ou empresa é aquele que perturba a relação de trabalho harmoniosa entre os envolvidos.

APLIQUE O ESFORÇO INDIVIDUAL ORGANIZADO 121

Os negócios são bem-sucedidos em virtude da cooperação amigável dos envolvidos. A iniciativa pessoal é uma força do bem somente quando os homens combinam sua experiência e habilidade e trabalham para um fim comum em espírito de harmonia e compreensão.

P — Então você não vê com bons olhos aqueles que se ocupam de gerar conflito, ódio e inveja entre os homens envolvidos na operação do sistema industrial norte-americano?

R — Não, essa forma de iniciativa pessoal pode ajudar alguns, mas destrói os direitos de muitos. Na nossa indústria, nunca tive nenhum mal-entendido com aqueles que trabalham para mim, exceto os que foram inspirados por agitadores profissionais que lucram perturbando as relações humanas. Essa é a pior de todas as formas de iniciativa pessoal.

Como eu poderia ter qualquer mal-entendido com homens que, desde o trabalhador mais humilde, sabiam que a porta da oportunidade estava aberta dia e noite para aqueles que quisessem ganhar mais tornando-se mais valiosos? É improvável o homem que ajuda assalariados a promoverem-se de operários a milionários, como fiz sempre que tive a oportunidade, ter algum mal-entendido com seus homens se for deixado em paz para lidar com eles baseado na livre iniciativa.

P — Mas não existem alguns empregadores que não têm uma atitude tão construtiva na relação com os funcionários? Não existem alguns empregadores que clamam avidamente por mais do que a sua parte no negócio?

R — Sim, há alguns. Sempre houve. Sempre haverá homens gananciosos. Mas eles não duram muito, a competição logo os elimina. Essa é uma das vantagens do sistema de livre iniciativa que operamos nos Estados Unidos. Aqui um empregador deve agir direito ou ceder o espaço, e ele não pode se dar bem às custas dos empregados. Os concorrentes tratam disso!

P — Quando e em que circunstâncias alguém deve começar a exercer a iniciativa pessoal? Existem circunstâncias favoráveis sob as quais pode-se exercer a iniciativa proveitosa e perfeitamente, enquanto outras circunstâncias tornam aconselhável permanecer inativo?

R — A hora para começar a exercitar a iniciativa pessoal é imediatamente após a decisão definitiva quanto ao objetivo que se deseja alcançar. Esse é o exato momento de começar.

Se o plano escolhido revelar-se fraco, pode ser substituído por um melhor, mas qualquer tipo de plano é melhor do que a procrastinação. O mal universal do mundo é a procrastinação — o terrível hábito que as pessoas têm de esperar para começar alguma coisa "na hora certa". Isso causa mais fracassos do que todos os planos fracos do mundo.

P — Mas não se deve consultar os outros e obter opiniões antes de dar início a planos importantes?

R — "Opiniões" são como areia no deserto, e a maioria delas tão incertas quanto. Todo mundo tem uma opinião sobre praticamente tudo, mas a maioria não é digna de confiança. O homem que hesita porque quer a opinião dos outros antes de começar a exercer a iniciativa pessoal normalmente acaba não fazendo nada.

Claro que existem exceções à regra. Há momentos em que o conselho de outros é absolutamente essencial para o sucesso, mas, se você refere-se às opiniões improdutivas de espectadores, deixe para lá. Evite como se fosse uma epidemia, pois é exatamente isso que as opiniões ociosas são — uma doença! Todo mundo tem um monte delas, e a maioria das pessoas as distribui livremente, sem serem solicitadas.

Se você quer uma opinião na qual possa confiar, consulte uma autoridade no assunto. Pague pelo conselho, mas evite "opiniões gratuitas", pois em geral valem exatamente o que se paga por elas.

Lembro-me muito bem do que alguns conhecidos disseram quando souberam que eu estava planejando baixar o preço do aço para vinte dólares a tonelada. "Ele vai falir", gritaram! Deram conselhos sem eu pedir. Ignorei e fui adiante com meus planos. O aço caiu para vinte dólares a tonelada.

Quando Henry Ford anunciou que iria fabricar um automóvel confiável por menos de mil dólares, gritaram: "Ele vai falir", mas Ford seguiu com seus planos, e um dia ele será o fator dominante em uma das maiores indústrias dos Estados Unidos. *E ele não vai falir!*

Quando Colombo anunciou que navegaria com seus barquinhos por um oceano desconhecido e descobriria uma nova rota para a Índia, os céticos bradaram: "Ele é louco! Ele nunca voltará". Mas ele voltou.

Quando Copérnico anunciou que tinha inventado um instrumento com o qual revelava mundos ocultos nunca antes vistos pelo olho humano, os mesmos camaradas da "opinião grátis" vaiaram: "Herege, joguem-no na fogueira!". Queriam mesmo queimá-lo por se atrever a usar a iniciativa própria.

Quando Alexander Graham Bell anunciou que tinha inventado um telefone com o qual as pessoas podiam conversar entre si a longa distância com o uso de fios, os incrédulos berraram: "Pobre Alex, ficou louco!". Mas Bell foi em frente com sua ideia e aperfeiçoou-a, embora não parecesse ser "a hora certa".

APLIQUE O ESFORÇO INDIVIDUAL ORGANIZADO

E você também vai cruzar com esse pessoal da "opinião grátis" que passa o tempo tentando desencorajar os outros de usar a iniciativa própria. Você vai ouvi-los bradar: "Ele não pode fazer isso! Não pode dar ao mundo uma filosofia da realização individual porque ninguém nunca fez isso antes". Mas, se seguir o meu conselho, você irá em frente e fará seu julgamento baseado em sua iniciativa.

Quando tiver sucesso, e você terá sucesso, o mundo irá coroá-lo e colocará seus tesouros a seus pés, mas não antes de você correr o risco e provar a solidez de suas ideias. Não fique desanimado se outros lhe disserem que "não é a hora certa". Sempre é a hora certa para o homem que sabe o que quer e trabalha para alcançar seu objetivo.

O mundo precisa de uma filosofia da realização individual. Sempre precisou. Vá em frente e supra essa necessidade, não importa quanto tempo leve ou quais sacrifícios tenha que fazer para concluir o trabalho.

Faça o melhor trabalho que puder e você aprenderá pela experiência que esses arautos de calamidades não passam de um bando de seres humanos desiludidos, sofrendo de complexo de inferioridade porque descuidaram de usar a iniciativa própria.

P — Essa foi uma fala e tanto, e suponho que dirigida principalmente para mim.

R — Sim, foi dirigida a você, e, por seus esforços, espero que venha a servir às gerações ainda não nascidas por muito tempo depois do meu falecimento. O mundo precisa de homens que tenham coragem de agir por iniciativa própria. Além disso, homens desse tipo determinam seu preço, e o mundo paga de bom grado. O mundo recompensa voluntariamente os homens de iniciativa.

O privilégio da iniciativa pessoal é uma parte importante do modo de vida americano, mas o privilégio não vale nada se não for exercido. O que mais precisamos aqui nos Estados Unidos é de uma campanha contínua com o único objetivo de manter o povo inspirado pelo desejo de aproveitar as oportunidades disponíveis para a acumulação de riqueza. O governo deveria realizar uma campanha concebida inteiramente para chamar a atenção das pessoas sobre a natureza e o alcance das oportunidades disponíveis.

P — Então você acredita que ainda existem oportunidades suficientes para o sucesso individual de todas as pessoas nos Estados Unidos?

R — Sim, existe uma oportunidade equivalente à *ambição* e à *capacidade* de cada pessoa nos Estados Unidos. Mas a oportunidade não vai atrás do homem. A ordem deve ser invertida mediante o esforço individual organizado. As melhores oportunidades estarão disponíveis àqueles mais capazes de organizar e direcionar seus esforços.

P — Alguns podem não compreender o que o termo "esforço individual organizado" significa. Poderia definir seu entendimento desse princípio?

R — Esforço individual organizado consiste no procedimento bem definido pelo qual um indivíduo pode promover-se a qualquer posição ou adquirir qualquer objeto material que deseje. As medidas a serem tomadas são as seguintes:

a. Escolha de um objetivo definido.
b. Criação de um plano para alcançar o objetivo.
c. Ação contínua para a realização do plano.
d. Aliança com aqueles que irão cooperar na realização do plano.
e. Agir o tempo todo por iniciativa própria.

Esforço individual organizado poderia ser brevemente descrito como *ação planejada*. Qualquer ação baseada em um plano definido tem maior chance de sucesso do que o esforço de natureza aleatória e desorganizada, como aquele em que a maioria das pessoas se envolve. É impossível haver liderança capacitada sem *esforço individual organizado*. As duas principais diferenças entre um líder e um seguidor são as seguintes: (1) o líder planeja cuidadosamente seus esforços e (2) age por iniciativa própria, sem que alguém diga o que fazer.

Se você deseja encontrar um líder em potencial, olhe em volta até encontrar um homem que toma suas próprias decisões, planeja seu trabalho e realiza seus planos por iniciativa própria. Em tal homem você encontrará os requisitos principais para a liderança. Esse tipo de homem foi pioneiro na indústria americana, e devemos a ele o crédito pelo grande sistema industrial americano, invejado pelo resto do mundo.

P — E sobre a qualidade de gênio? Os líderes da indústria e dos negócios são abençoados com algum tipo de genialidade que a maioria das pessoas não possui?

R — Agora você está mencionando uma falácia que enganou mais gente do que qualquer outra ideia equivocada. A palavra "gênio" frequentemente é muito mal empregada. Em geral é usada para explicar realização bem-sucedida porque a maioria das pessoas não tem tempo para investigar e descobrir como os outros triunfaram.

Pessoalmente, não sei o que é um gênio. *Nunca vi um!* Mas tenho visto muitos homens bem-sucedidos que são chamados de gênios. A análise da causa de seu sucesso mostraria que são apenas homens comuns que

APLIQUE O ESFORÇO INDIVIDUAL ORGANIZADO 125

descobriram e aplicaram certas regras que lhes permitiram chegar aonde queriam chegar.

Toda pessoa normal tem dentro de si a potencialidade que chamamos de "genialidade" em uma área de atuação ou outra, dependendo das preferências do indivíduo, dos traços inatos de caráter e da ambição. Eu diria que a qualidade mais próxima da genialidade que consigo descrever é o desejo obsessivo de fazer alguma coisa e fazê-la bem, mais a disposição de agir por iniciativa própria. Daí em diante, genialidade é apenas uma questão de esforço individual organizado executado de modo persistente.

O homem que sabe exatamente o que quer e está determinado a obtê-lo está o mais próximo possível do que posso pensar como definição do que alguns chamam de "gênio". Esse homem tem uma chance de sucesso acima da média e quando alcança o sucesso o mundo é capaz de olhar para ele na hora do triunfo e atribuir suas realizações ao que acredita ser genialidade.

P — Mas a questão da educação não influencia as realizações pessoais? Não é verdade que o homem educado tem melhores chances de sucesso do que o homem que carece de educação?

R — Muitos homens são escolarizados, mas poucos são educados. Um homem educado é aquele que aprendeu a usar sua mente para obter tudo o que deseja sem violar os direitos dos outros. A educação, portanto, vem da experiência e do uso da mente e não apenas da aquisição de conhecimento. O conhecimento não tem valor até que seja expresso na forma de algum serviço útil. É aqui que a iniciativa pessoal começa a provar sua importância como elemento essencial do sucesso.

Para responder a sua pergunta em termos mais específicos, um homem educado tem melhores chances de sucesso do que aquele que não é educado apenas se aplicar sua educação na realização de um objetivo definido. Com demasiada frequência os homens confiam na posse de conhecimentos para substituir o esforço individual organizado. Querem ser pagos por aquilo que sabem e não por aquilo que fazem com seu conhecimento. Este ponto é importante.

Ouvi dizer que alguns empresários bem-sucedidos hesitam em contratar homens que acabaram de se formar na faculdade, pois muitos graduados "têm muito o que desaprender" antes de se tornarem úteis nos assuntos práticos dos negócios.

Falando por mim, prefiro graduados na faculdade para cargos de responsabilidade, mas prefiro que venham a mim com uma mente aberta, buscando mais conhecimento. Prefiro aqueles que têm um bom conhecimento dos pontos fundamentais do que dos truques do ofício. Prefiro os que sabem a diferença entre teoria e prática.

Há uma grande vantagem da maioria dos graduados universitários sobre aqueles que não têm essa formação: a faculdade ajuda a organizar o conhecimento. Conhecimento desorganizado tem pouquíssimo valor.

P — Você acredita que a presteza na aplicação da iniciativa individual é uma característica inata? Que uma pessoa tem ou não tem, de acordo com a natureza de seus dons hereditários?

R — A observação das pessoas me forçou a concluir que a iniciativa pessoal é fortemente baseada nos desejos e ambições pessoais. O homem que parece não ter iniciativa individual desperta e age rapidamente por iniciativa própria quando fica obcecado por algum desejo ou objetivo definido.

P — Você diria então que o desejo pessoal é o início de todas as realizações individuais?

R — Sim, sem dúvida! Definição de objetivo é resultado do desejo. Quando os desejos de um homem assumem a proporção de uma obsessão, ele geralmente começa a transformá-los no seu equivalente físico pela definição de objetivo. Desejo, portanto, é o ponto de partida de todas as realizações individuais.

Até onde sei, não existe motivo convincente a não ser o desejo que inspira um homem a agir por iniciativa própria.

Aqui reside o segredo da influência que algumas esposas têm sobre os maridos. Quando uma esposa deseja riqueza ou sucesso, ela pode transplantar esse desejo para a mente do marido e levá-lo a agir de forma a ter sucesso.

Tenho conhecimento de vários casos assim. Mas em última análise o desejo de riqueza ou sucesso deve se tornar um motivo definido do marido. A presença de um desejo profundamente enraizado na mente de um homem tende a colocá-lo em ação como nada mais pode fazer.

P — Então você acredita que seja verdade, como disse um filósofo, que a falha dos homens consiste em mirar baixo e não nas estrelas?

R — Nada pode substituir um grande objetivo! Quando um homem foca a mente na realização de um objetivo definido, os poderes do universo parecem estar ao lado dele. Ele começa a fazer uso de todos os meios disponíveis para garantir o objeto de seus desejos. A primeira coisa que vem em auxílio é o direito ao exercício da iniciativa individual. Os desejos pessoais só podem ser atendidos pelo exercício da iniciativa pessoal. Se a iniciativa

APLIQUE O ESFORÇO INDIVIDUAL ORGANIZADO

assume a forma de esforço individual organizado, as chances de sucesso são consideravelmente multiplicadas.

Quando você analisa a realização individual dessa maneira, aprende rapidamente que nenhuma grande realização é possível sem aplicação de esforço individual organizado. O uso desse princípio para a realização de desejos não é opcional. *É imperativo!*

P — A partir de sua análise do esforço individual organizado, presumo que esse princípio possa ser aplicado pelo homem com pouca escolaridade, bem como pelo homem com muita escolaridade, pois não é essencialmente parte da educação, segundo a interpretação popular da palavra "educação".

R — Para que você não fique confuso sobre esse ponto, deixe-me esclarecer que nenhum homem é educado no verdadeiro sentido da palavra até adquirir um conhecimento prático do princípio do esforço individual organizado. Agir de forma ordenada e bem organizada rumo a um fim definido é precisamente o procedimento de uma pessoa educada. Retorne à definição da palavra "educação" e estude com cuidado. Você perceberá que a aplicação da educação não deixa alternativa senão a ação baseada no esforço individual organizado. Você poderia afirmar apropriadamente que *esforço individual organizado é educação.*

P — Você disse que o momento certo para começar alguma coisa é quando se decide fazê-lo. Deve haver algum plano que possa influenciar as escolas públicas a ensinar a filosofia da realização pessoal tão logo seja publicada em forma de livro. Portanto, gostaria de saber como você faria para introduzir a filosofia nas escolas públicas.

R — Você pediu que eu planeje um trabalho que exigirá muitos anos até a conclusão, e muitos passos terão que ser dados por você antes que o trabalho seja terminado. Em termos gerais, você deve proceder assim:

Primeiro, terá que publicar a filosofia em livros de estilo popular e apresentá-la a indivíduos que tenham o desejo de chegar à frente mediante a aplicação de regras definidas. Se você tiver a sorte de encontrar um editor que impulsione a venda de seus livros, poderá fazer um ótimo trabalho de distribuição dentro de três a cinco anos.

Em segundo lugar, deve começar a treinar docentes capazes de ensinar a filosofia, de modo que, quando chegar a hora, você possa fornecer professores às escolas públicas. Enquanto isso, antes que as escolas públicas precisem deles, esses professores podem ganhar a vida organizando turmas particulares.

Em terceiro lugar, deve organizar sua própria escola particular para ensinar a filosofia à distância, colocando-se assim em posição de alcançar homens e mulheres de todas as partes do país.

Em quarto lugar, deve providenciar com seu editor a tradução da filosofia para línguas estrangeiras, para que fique disponível à população dos Estados Unidos que não fala inglês. Eles precisam de tal lição sobre o americanismo. Esse plano também lhe fornecerá o meios de difundir a filosofia em outros países.

Quando tiver cumprido essas etapas, o público geral estará tão "consciente" da filosofia do sucesso que as escolas públicas ficarão atraídas por ela. O tempo exigido para tudo isso pode chegar a até dez anos, dependendo, é claro, do tipo de líder que você se provar.

P — Em outras palavras, cabe a mim colocar em prática aquilo que estou querendo ensinar aos outros. É essa a ideia?

R — A ideia é exatamente essa! Você não apreciaria um médico que se recusasse a tomar do seu próprio remédio se estivesse doente. Você deve se tornar a melhor propaganda da filosofia da realização pessoal, demonstrando que ela funcionou para você.

P — Quer dizer que devo converter a filosofia em uma grande riqueza para provar sua solidez?

R — Depende totalmente do que você quer dizer com "riqueza". Existem muitas formas de riqueza, você sabe. No que tange a acumulação de dinheiro, você pode adquirir tudo aquilo de que precisa, e muito mais, aplicando a filosofia. Mas gostaria de chamar sua atenção para uma forma de riqueza disponível que transcende de longe qualquer coisa que o dinheiro representa.

As riquezas que tenho em mente são tão estupendas, tanto em qualidade quanto em quantidade, que você pode se surpreender quando eu descrevê-las. Pode ficar ainda mais surpreso quando eu disser que as riquezas que tenho em mente não virão só para você, mas se tornarão propriedade dos povos do mundo. Se reconhecer as vastas possibilidades da perspectiva que estou prestes a descrever e seguir as sugestões que ofereço, você poderá ver o dia em que sua riqueza será muito maior do que a que eu possuo.

O DESAFIO DO MESTRE DO AÇO
PARA SEU PROTEGIDO

Então, aqui está o quadro. Antes de descrevê-lo, aviso que você será pressionado, pois suas qualificações como líder serão reveladas precisamente como são. Mas também estarei sob pressão, pois escolhi você entre todos os homens que conheço como o mais capacitado para levar a filosofia da realização pessoal às pessoas.

Primeiro: quando tiver absorvido todo o conhecimento que vou transmitir a respeito da filosofia do sucesso e que coletei pela experiência, você estará de posse da maior parte de minha riqueza. Some a isso o valor da riqueza que irá adquirir de outros homens bem-sucedidos que colaborarão com você na organização da filosofia e estará de posse da maior parte da verdadeira riqueza representada pelo sistema americano. A soma total dessa riqueza será por demais fabulosa para se fazer uma estimativa, pois será de tal natureza que pode ampliar a riqueza de todas as pessoas dos Estados Unidos, para não falar de povos de outras nações.

Segundo: você terá demonstrado a solidez do princípio de ir além, forçando o mundo a reconhecê-lo como o organizador da primeira filosofia prática da realização individual, uma honra incomum, pois ninguém antes tentou oferecer às pessoas essa filosofia, embora a necessidade sempre tenha existido.

Terceiro: chegará o momento em que a unidade de objetivo do povo norte-americano será perturbada pela infiltração de ideias nascidas no exterior que não se harmonizam com o modo de vida americano, e as pessoas estarão preparadas, por causas além do seu controle, para uma filosofia confiável que possa restaurar a harmonia. Neste ponto a roda da fortuna revelará seu número, e sua grande oportunidade terá chegado. Você não terá que induzir as pessoas a aceitarem a filosofia. Elas farão isso voluntariamente!

Já posso ver esta oportunidade em andamento. A semente pode ser encontrada no espírito de ganância crescente, pelo qual os homens se esforçam para obter *algo a troco de nada*. A semente está ganhando terreno nos elementos perturbadores que começaram a ameaçar a harmonia entre a indústria e seus trabalhadores. Filosofias subversivas encontrarão um solo conveniente para a germinação dessa semente nas organizações trabalhistas. É aí que a discórdia se tornará óbvia primeiro.

Os agitadores profissionais darão jeito de infiltrar-se nas organizações trabalhistas para usá-las como forma de minar a indústria americana.

A perturbação pode resultar em algum tipo de revolução que atacará as raízes fundamentais do americanismo, mas ele seguirá seu curso, e o povo americano irá se recuperar do choque.

As pessoas começarão a procurar uma saída, como o povo americano sempre faz quando sobrevém uma emergência. *Então a sua grande oportunidade terá chegado!* O período da reconstrução do modo de vida americano terá começado, e a filosofia que você tiver organizado por ter ido além se tornará, pela necessidade, o meio pelo qual a harmonia será restaurada.

Se você fracassar em ver esse quadro como eu pintei, seu fracasso será meu também, pois escolhi você como meu emissário para levar a cabo a maior tarefa que já dei a qualquer homem. Se você fizer seu trabalho como eu acredito que possa fazê-lo, o mundo inteiro ficará mais rico — mais rico não apenas em coisas materiais, *mas rico em compreensão espiritual*, sem a qual nenhuma forma de riqueza pode durar muito.

Espero que você tenha reconhecido o fato de que a filosofia da realização pessoal engloba não apenas as regras do sucesso material, mas também os princípios expostos pelo Mestre no Sermão da Montanha: "Tudo o que *quereis que os homens vos façam, fazei-o vós a eles*".

A menos que compreenda o significado mais amplo da filosofia, você perderá as maiores possibilidades de sua missão. As pessoas do mundo estão se tornando espiritualmente falidas. Estão se afastando dos princípios do cristianismo para abraçar os princípios do paganismo. Elas podem ser redirecionadas para os verdadeiros princípios da civilização convertendo sua maior fraqueza em um irresistível poder de atração. Essa fraqueza é o desejo por coisas materiais.

Muito bem, a filosofia da realização pessoal proporciona a única estrada segura conhecida para a acumulação de riquezas materiais. Mas fornece meios de recuperação espiritual. Portanto, ao dar às pessoas aquilo que elas mais desejam, você estará concedendo também *aquilo de que mais precisam!* Certamente você não se perderá nisso.

Assim, no quadro que acabei de desenhar, você tem uma clara descrição de uma oportunidade que nenhum outro filósofo americano jamais teve. Essa oportunidade pode torná-lo um grande servo do povo americano. Agora, tenho um último conselho: desenvolva a humildade no coração. Não fique excessivamente impressionado com sua própria importância. Aceite sua missão como um privilégio pelo qual ser grato e não como uma vantagem da qual se vangloriar. Lembre-se sempre de que "o maior dentre vós será vosso servo".

Capítulo 7
CULTIVE A VISÃO CRIATIVA

*Nenhum homem é livre até aprender a pensar por si
e adquirir a coragem de agir por iniciativa própria.*

Um filósofo disse: "A imaginação é a oficina do homem onde é moldado o modelo de todas as suas realizações". Outro pensador a descreveu como: "A oficina da alma, onde as esperanças e desejos do homem ficam prontos para a expressão material".

Este capítulo descreve os métodos pelos quais alguns dos grandes líderes dos Estados Unidos fizeram o mundo invejar o modo de vida americano mediante a aplicação da visão criativa.

Observe a estreita relação entre este capítulo e o anterior sobre esforço individual organizado. Todas as formas de esforço organizado devem ser planejadas com visão criativa. Os dois princípios são inseparáveis.

P — Você disse que a visão criativa é o sétimo princípio da realização individual. Poderia analisar esse princípio e descrever como alguém pode fazer uso prático dele?

R — Antes de mais nada, precisamos esclarecer o significado do termo "visão criativa", conforme vamos utilizá-lo aqui, explicando que é apenas um outro nome para a imaginação.

Existem dois tipos de imaginação. Uma é conhecida como imaginação sintética e outra como imaginação criativa. A imaginação sintética consiste no ato de combinar ideias, conceitos, planos, fatos e princípios conhecidos em novos arranjos. A velha premissa de que "não há nada novo sob o sol" surgiu do fato de que a maioria das coisas que parecem novas não são nada além de um rearranjo daquilo que é velho.

Praticamente todas as patentes registradas atualmente são apenas ideias antigas que foram dispostas de maneira diferente ou receberam novo uso. As patentes que não estão nessa categoria são conhecidas como "patentes de base" e são fruto da imaginação criativa, ou seja, baseadas em ideias novas, não utilizadas ou reconhecidas anteriormente.

Pelo que a ciência foi capaz de determinar até agora, a fonte da imaginação criativa é a mente subconsciente, onde existe a capacidade de receber e interpretar "basicamente" novas ideias, mediante algum poder desconhecido pela ciência. Alguns acreditam que a faculdade da imaginação criativa é realmente "a oficina da alma" pela qual o homem pode entrar em contato e ser guiado pela Inteligência Infinita. No entanto, não há provas conclusivas disso, apenas circunstanciais.

Vamos nos contentar, portanto, em aceitar a realidade da imaginação criativa e fazer o melhor uso possível da mesma, sem nos esforçarmos para definir qual a sua fonte. De um fato podemos ter certeza: a realidade inegável da existência de uma faculdade mental com a qual alguns homens percebem e interpretam novas ideias nunca antes vistas. Mais adiante vamos citar exemplos bem conhecidos de tal capacidade. Além disso, vamos nos esforçar para descrever como essa habilidade pode ser desenvolvida e servir a fins práticos.

P — Qual dos dois tipos de imaginação é utilizado com mais frequência no campo da indústria e nas esferas comuns da vida?

R — A imaginação sintética é mais comumente utilizada. A imaginação criativa, como o nome indica, é usada apenas por aqueles que alcançaram alguma forma de liderança ou têm uma habilidade incomum.

P — Você vai mencionar exemplos da aplicação dos dois tipos de imaginação, dando o maior número de detalhes possível, a fim de que os métodos práticos de aplicação desses princípios possam ser entendidos?

R — Vamos usar a obra de Thomas A. Edison como exemplo. Ao estudar suas realizações, veremos como ele fez uso dos dois tipos de imaginação, embora tenha usado o tipo sintético com mais frequência.

A primeira invenção de Edison a atrair a atenção de todo o mundo foi criada pela combinação de dois princípios antigos e bem conhecidos. Refiro-me à lâmpada elétrica incandescente, cujo perfeito funcionamento foi obtido apenas após Edison ter testado mais de dez mil combinações diferentes de velhas ideias sem resultados satisfatórios.

P — Quer dizer que Edison teve persistência para continuar tentando mesmo depois de dez mil fracassos?

R — Isso mesmo! E posso também chamar sua atenção para o fato de que os homens com um grande senso de imaginação raramente param de tentar antes de encontrar a resposta para seus problemas.

Como eu estava dizendo, Edison aperfeiçoou a lâmpada elétrica incandescente combinando dois princípios bem conhecidos. O primeiro foi o fato comprovado de que, pela aplicação de energia elétrica em ambas as extremidades de um pedaço de fio, é estabelecida uma resistência com a qual o fio se aquece e gera um brilho branco que produz luz.

Esse princípio já era conhecido muito antes da época das experiências de Edison com a lâmpada elétrica, mas o problema era que ninguém havia encontrado uma maneira de controlar o calor.

Talvez seja mais fácil de compreender se eu explicar que não havia sido encontrado nenhum tipo de metal ou outro material que suportasse a quantidade necessária de calor para gerar uma luz satisfatória por mais de alguns segundos. O calor intenso da eletricidade logo queimava o metal.

Depois de experimentar todas as substâncias conhecidas que conseguiu encontrar, sem descobrir nada que pudesse servir ao objetivo desejado, Edison deparou com outro princípio bem conhecido que provou-se a resposta para o problema. Eu disse "deparou", mas talvez não tenha sido a maneira precisa como o princípio chamou sua atenção. Falarei mais sobre isso mais adiante. De qualquer forma, veio à mente de Edison o modo bem conhecido de como o carvão vegetal é produzido, e ele percebeu que era a resposta para o problema que lhe havia causado mais de dez mil fracassos.

Explicando resumidamente, o carvão vegetal é produzido colocando-se uma pilha de madeira no chão, ateando fogo e em seguida cobrindo toda a pilha com terra. A terra permite passagem de ar suficiente para manter a combustão, mas não para chamas. O processo de combustão lenta continua até a madeira ser carbonizada por completo, deixando a tora intacta na forma do material conhecido como carvão.

A madeira não se consome por completo, como seria se queimada ao ar livre, porque a terra permite a entrada de oxigênio suficiente apenas para manter o fogo e a combustão, mas não para permitir a queima completa. Você certamente aprendeu no estudo da física que, onde não há oxigênio, não pode haver fogo. Portanto, controlando o fluxo de oxigênio, a quantidade de calor do fogo pode ser controlada proporcionalmente.

Edison tinha conhecimento desse princípio muito antes de iniciar os experimentos com a lâmpada elétrica, mas só reconheceu-o como o que estava procurando depois de ter passado por milhares de testes.

Assim que esse princípio foi reconhecido como aquilo que Edison procurava, ele entrou no laboratório, colocou um fio espiral em uma garrafa, retirou todo o ar de dentro dela, selou a garrafa com cera, aplicou energia elétrica nas duas extremidades do fio e *voilà!* A primeira lâmpada elétrica incandescente bem-sucedida nasceu. A lâmpada construída grosseiramente ardeu por mais de oito horas.

O que aconteceu é óbvio. Ao ser colocado no vácuo, o fio pôde ser aquecido o suficiente para produzir luz sem queimar inteiramente, como acontecia quando deixado ao ar livre. O mesmo princípio é usado na fabricação de todas as lâmpadas elétricas atuais, embora o método tenha sido muito refinado e a lâmpada moderna seja muito mais eficiente do que era quando Edison descobriu como controlar o calor.

Agora vamos voltar à questão de como Edison chegou à ideia de combinar dois princípios antigos de uma nova maneira. Eu disse que ele "deparou" com a ideia de usar o princípio do carvão vegetal como meio de controlar o calor da energia elétrica. Mas não foi exatamente assim que a ideia lhe ocorreu.

Aqui entra em cena a imaginação criativa. Pela repetição do pensamento relacionado ao problema no decorrer de um longo período de tempo e milhares de experimentos, Edison, consciente ou inconscientemente, forneceu ao subconsciente uma imagem clara de seu problema e, por algum poder estranho que ninguém compreende, sua mente subconsciente entregou a ele a solução na forma de um "palpite" que o levou a pensar na maneira como o carvão é produzido.

Ao descrever a experiência muitos anos depois, Edison disse que, quando o "palpite" lhe ocorreu, ele reconheceu imediatamente que era o elo que faltava para o que estava buscando. Além disso, teve certeza de que funcionaria antes mesmo de testar. Ele fez ainda a afirmação significativa de que, quando a ideia de usar o princípio do carvão "passou pela cabeça", trouxe consigo um sentimento de segurança quanto à aplicabilidade que não havia acompanhado nenhuma das outras milhares de ideias que ele havia testado com a imaginação sintética.

A partir dessa afirmação, podemos concluir que o subconsciente não só tem o poder de criar a solução para os problemas, como também tem os meios de forçar o reconhecimento da solução quando apresentado à mente consciente.

P — Pela última observação, concluo que a persistência foi a essência do sucesso de Edison na descoberta da solução para o seu problema.

R — Sim, e alguns outros fatores também. Antes de tudo, ele iniciou sua pesquisa com definição de objetivo, aplicando assim o primeiro dos 17 princípios da realização individual. Ele conhecia a natureza do seu problema, mas, tão importante quanto isso, estava determinado a encontrar a solução. Portanto, apoiou a definição de objetivo em um *desejo obsessivo* por sua realização.

CULTIVE A VISÃO CRIATIVA

Desejo obsessivo é o estado mental que, como você há de lembrar, serve para limpar a mente do medo, da dúvida e das limitações autoimpostas, abrindo assim o caminho para o estado mental conhecido como fé. Pela recusa em aceitar a derrota, depois de mais de dez mil fracassos, Edison *preparou sua mente para a aplicação da fé*. É razoável supor que sua fé o colocou em contato com a Inteligência Infinita que conhece todos os fatos e a solução para todos os problemas que têm solução.

P — Todas as invenções de Edison foram criadas pela aplicação conjunta da imaginação criativa e da imaginação sintética, como no caso da lâmpada elétrica incandescente?

R — De maneira alguma. A maioria de suas invenções foram criadas unicamente com o auxílio da imaginação sintética, pelo método de experimentação baseado em tentativa e erro. Mas ele concluiu uma invenção com o auxílio exclusivo da imaginação criativa e, até onde sei, essa foi a única invenção que ele aperfeiçoou aplicando esse princípio isolado. Estou me referindo ao fonógrafo, que foi basicamente uma ideia nova. Ninguém antes de Edison, até onde se sabe, havia produzido uma máquina que registrasse e reproduzisse as vibrações do som.

P — Qual foi a técnica usada por Edison na aplicação da imaginação criativa para o aperfeiçoamento do fonógrafo?

R — A técnica foi muito simples. Ele impressionou seu subconsciente com a ideia de uma máquina falante, e este transmitiu para a mente consciente um plano perfeito para a construção do equipamento.

P — Quer dizer que Edison confiou inteiramente na imaginação criativa?

R — Sim, totalmente! E uma das estranhas características dessa invenção específica de Edison é que o plano fornecido pelo subconsciente funcionou quase desde a primeira tentativa de aplicá-lo. A ideia de como tal máquina poderia ser produzida "lampejou" na mente de Edison. Na mesma hora ele sentou-se e desenhou um esboço da máquina, entregou-a a seu criador de protótipos e pediu que a produzisse. Em questão de horas ela foi finalizada, testada e *voilà!* Funcionou. Claro que a máquina era tosca, mas foi o suficiente para provar que a imaginação criativa de Edison não havia falhado.

P — Você disse que Edison "impressionou seu subconsciente" com a ideia de uma máquina de falar. Por quanto tempo fez isso e quanto tempo levou para que a mente subconsciente entregasse a ele o princípio de funcionamento da máquina?

R — Não estou certo de que Edison tenha afirmado exatamente por quanto tempo pensou na máquina antes de sua mente subconsciente captar os pensamentos e traduzi-los em um plano aperfeiçoado, mas tenho a impressão de que foram algumas semanas no máximo. Talvez não mais do que alguns dias.

O método adotado para impressionar o subconsciente consistiu do simples procedimento de converter o desejo em obsessão. Ou seja, o pensamento sobre uma máquina que pudesse gravar e reproduzir o som tornou-se dominante em sua mente. Ele focou o pensamento nisso mediante a concentração do interesse e transformou esse pensamento no principal ocupante de sua mente, dia após dia, até essa forma de sugestão automática penetrar o subconsciente e registrar uma imagem clara do desejo.

P — É assim que se conecta a mente consciente com a subconsciente?

R — Sim, esse é o método conhecido mais simples. Por isso tenho enfatizado a importância de intensificar os desejos até que se tornem obsessivos. Um desejo profundo e ardente é captado pelo subconsciente e colocado em prática muito mais rápida e definitivamente do que um desejo comum. *Uma mera vontade parece não causar impressão no subconsciente!* Muita gente se confunde quanto à diferença entre uma vontade e um desejo ardente estimulado a proporções obsessivas *pela repetição do pensamento* relacionado ao desejo.

P — Se entendi corretamente, a repetição é importante. Por quê?

R — Porque a repetição do pensamento cria "hábitos de pensamento" na mente, que fazem com que ela trabalhe em uma ideia sem esforço consciente. Aparentemente, o subconsciente preocupa-se primeiro com esses pensamentos que se tornaram hábito, especialmente se foram fortemente carregados por um desejo profundo e ardente pela realização.

P — Então qualquer um pode fazer uso da imaginação criativa pelo simples processo de carregar a mente subconsciente com desejos definidos?

R — Sim, não há nada que impeça qualquer pessoa de usar esse princípio, mas é preciso lembrar que os resultados práticos são obtidos apenas por aqueles que conseguem disciplinar seus hábitos de pensamento pelo processo de *concentração de interesse e desejo. Pensamentos passageiros*, que vêm e vão intermitentemente, e meras vontades, que compõem a maioria dos pensamentos das pessoas em geral, não causam impressão alguma no subconsciente. Terei mais a dizer sobre esse assunto quando discutirmos a autodisciplina.

CULTIVE A VISÃO CRIATIVA

(Nota do autor: o tema do hábito e seu efeito sobre a realização individual será coberto em detalhes em outro capítulo, sob o título "Força cósmica do hábito", uma lei da natureza recentemente descoberta que promete tornar-se de extrema importância em conexão com o poder do pensamento. Não se sabia dessa lei no momento em que Andrew Carnegie analisou o assunto, embora sua descrição de como a mente subconsciente pode ser alcançada e influenciada esteja perfeitamente de acordo com a natureza da "força cósmica do hábito").

P — Poderia citar alguns exemplos adicionais da aplicação prática dos dois tipos de imaginação?

R — Bem, pegue a experiência de Henry Ford no aperfeiçoamento de um veículo motor, por exemplo. A ideia de tal veículo foi sugerida a ele pela primeira vez por um trator a vapor que estava sendo usado para transportar uma debulhadeira. Desde a primeira vez que viu o trator, sua mente começou a trabalhar na ideia de um veículo sem cavalos. No começo, ele usou apenas a imaginação sintética, concentrando a mente em formas de converter o trator a vapor em um veículo rápido para transporte de passageiros.

A ideia tornou-se obsessiva e teve o efeito de transmitir o *desejo ardente* para a mente subconsciente, onde ele foi capturado e colocado em prática. A ação do subconsciente sugeriu o uso de um motor de combustão interna no lugar da máquina a vapor, e Ford passou a trabalhar imediatamente na criação de tal motor.

Claro que ele dispôs da experiência de outros homens com motores de combustão interna a gás como guia, mas o problema era encontrar uma maneira de transmitir a potência do motor às rodas do veículo. Ford manteve a mente ocupada com o *objetivo principal* até que, pouco a pouco, o subconsciente apresentou as ideias com que ele aperfeiçoou o *sistema planetário* de transmissão de energia que permitiu construir o primeiro modelo operante de automóvel (Modelo T).

P — Poderia descrever os principais fatores que entraram no *modus operandi* da mente de Ford enquanto aperfeiçoava o automóvel?

R — Isso é muito fácil. E, quando eu descrever, você terá uma compreensão clara dos princípios operativos utilizados por todos os homens de sucesso, bem como uma imagem clara da mente de Ford:

a. Ford foi motivado por um objetivo definido, que é o primeiro passo de todas as realizações individuais.

b. Ele transformou o objetivo em obsessão, concentrando os pensamentos nele.

c. Ele converteu o objetivo em planos definidos usando o *esforço individual organizado* e colocou seus planos em ação com *persistência inabalável*.

d. Ele fez uso do MasterMind, primeiro com a ajuda harmoniosa da esposa e, em segundo lugar, recebendo conselhos de outras pessoas que experimentaram motores de combustão interna e métodos de transmissão de energia. Mais adiante, é claro, quando começou a produzir automóveis para venda, ele fez uso ainda mais amplo do MasterMind, aliando-se aos irmãos Dodge e outros mecânicos e engenheiros especializados nos tipos de problemas mecânicos que ele teria que resolver.

e. Por trás de todo esse esforço estava o poder da fé aplicada, que ele adquiriu como resultado do intenso desejo de realização relacionado ao *objetivo principal definido*.

P — Em resumo, o sucesso de Ford deveu-se a ele ter adotado um *objetivo principal definido* que foi transformado em obsessão ardente, levando assim ao estímulo de ambas as faculdades, a imaginação sintética e a imaginação criativa.

R — Isso conta a história em uma frase! A parte da história que deve ser enfatizada é que Ford agiu com *persistência!* No início ele encarou uma derrota após a outra. Uma das principais dificuldades foi a falta de capital para continuar a pesquisa antes de aperfeiçoar o automóvel. A seguir veio uma dificuldade ainda maior relacionada à aquisição do capital operacional necessário para produzir os automóveis em quantidade.

Depois seguiu-se uma série de dificuldades, tais como divergências com os membros do grupo de MasterMind e problemas semelhantes, que exigiram *persistência e determinação*. Ford possuía essas qualidades, e acho que podemos dizer que ele deve seu sucesso à capacidade de saber exatamente o que quer e de defender seus desejos com *persistência implacável*.

Se uma única qualidade destaca-se no caráter de Ford acima de todas as outras, é a capacidade de persistência. Deixe-me lembrar mais uma vez que a definição de objetivo apoiada por uma persistência que assume a proporção de obsessão é o maior de todos os estimulantes, tanto para a imaginação sintética quanto para a criativa. A mente humana é provida de um poder que obriga o subconsciente a aceitar e agir de acordo com *desejos obsessivos devidamente planejados*.

P — Poderia citar outros exemplos da aplicação prática da imaginação?

R — Pegue, por exemplo, a pesquisa do Dr. Alexander Graham Bell sobre o telefone moderno. Aqui temos um exemplo do uso da imaginação criativa, pois a invenção de Bell foi basicamente nova. Digamos que ele, assim como Edison, "deparou" com o princípio que tornou o telefone possível enquanto procurava um dispositivo mecânico com que pudesse criar um aparelho auditivo para a esposa, cuja audição era deficiente.

Aqui encontramos de novo um homem inspirado por um objetivo definido que assumiu *proporções obsessivas*. A forte compaixão pela esposa foi o fator que deu força obsessiva ao objetivo. Nesse caso, como em todos os outros onde os homens conferem proporções obsessivas a seus desejos, havia um *motivo definido* por trás do desejo. *Motivo* é o início de todos os desejos.

Depois de um longo período de pesquisas que envolvem muitos detalhes para descrever aqui, a mente subconsciente de Bell finalmente apresentou uma ideia que serviu ao objetivo e se tornou conhecida no mundo científico como o experimento de Bell, cujo teor é o seguinte:

Um raio de luz é lançado sobre uma placa de selênio, que envia o raio de volta para outra placa do mesmo metal, localizada a uma certa distância. Esta última se comunica com uma bateria galvânica à qual o telefone está conectado. As palavras proferidas atrás da primeira placa são distintamente ouvidas pelo telefone no final da segunda placa. O raio de luz, portanto, serviu como um fio de telefone. As ondas sonoras tornaram-se ondas de luz, depois ondas galvânicas e, por fim, voltaram a ser ondas sonoras.

Assim foi descoberto um novo princípio para a transmissão de ondas sonoras. Alegou-se que o princípio havia sido sugerido a Bell em parte pelas experiências de um homem chamado Amos Dolbear. Houve um processo judicial sobre a prioridade do direito do princípio, mas Dolbear perdeu o caso, e Bell foi declarado descobridor do princípio de funcionamento do telefone moderno.

De qualquer maneira, o desejo de Bell por um aparelho auditivo mecânico para a esposa, apoiado por uma *busca persistente* por tal dispositivo, levou à descoberta do princípio de que ele precisava. Deve ser lembrado que o subconsciente faz uso de todos os meios práticos disponíveis para revelar conhecimento àqueles que o procuram com desejo obsessivo. O subconsciente não opera milagres, mas faz uso inteligente de todos os meios práticos disponíveis para a realização do objetivo.

P — Agora vamos nos distanciar do campo da invenção e ver como o princípio da imaginação pode ser aplicado em campos de atuação menos complicados.

R — Muito bem, pegue como exemplo a primeira grande empresa de vendas por correspondência criada nos Estados Unidos. Aqui temos um bom exemplo da imaginação sintética aplicada no comércio.

Um operador de telégrafo com quem trabalhei anteriormente descobriu que tinha tempo extra que não poderia usar nos deveres como telegrafista ferroviário. Sendo um homem de mente inquisitiva, começou a procurar algo que pudesse fazer para se manter ocupado e, ao mesmo tempo, aumentar a renda. Aqui de novo o motivo entrou em cena. (O motivo de ganho financeiro.)

Depois de pensar no assunto por vários meses, ele idealizou um canal rentável para seus esforços utilizando a linha telegráfica ociosa com a finalidade de vender relógios para os companheiros operadores de sua divisão. Ele então encomendou meia dúzia de relógios a preço de atacado e começou a oferecê-los a venda.

A ideia pegou fogo desde o início. Em pouquíssimo tempo ele tinha vendido os seis relógios. Estimulada pelo sucesso, sua imaginação começou a se expandir, e ele encomendou outros itens de joalheria. Tudo corria bem, e ele estava vendendo bastante, até seu superintendente descobrir o que ele estava fazendo e despedi-lo na hora.

Cada adversidade traz consigo a semente de um benefício equivalente! Da adversidade desse telegrafista nasceu a primeira grande empresa de *vendas por correspondência*. Ele mudou o método de vendas do telégrafo para a correspondência, usando primeiro um catálogo mimeografado com seus produtos. Além disso, acrescentou gente de fora do campo dos telegrafistas à lista de potenciais compradores, principalmente pessoas que viviam em aldeias e distritos rurais.

Em pouco tempo o negócio cresceu tanto que ele pôde pagar um catálogo impresso com fotos das mercadorias. Daquele ponto em diante a história é conhecida por milhões de pessoas em todos os Estados Unidos que agora compram mercadorias da empresa de vendas por correspondência que ele estabeleceu.

O homem finalmente trouxe um sócio para o negócio, fazendo uso assim do princípio do MasterMind. O sócio provou-se uma verdadeira mina de ouro, pois tinha grande senso de publicidade. Vários anos depois o negócio foi vendido para uma empresa a um preço que deixou os ex-donos multimilionários. Esse foi o começo do comércio por correspondência em grande escala.

Não há nada de muito misterioso no sucesso desse homem. Ele simplesmente colocou sua mente para trabalhar em um objetivo definido e se manteve atrás desse objetivo até ficar rico. Ele não criou nada de novo, simplesmente usou uma velha ideia de uma nova maneira. Grandes fortunas foram acumuladas dessa forma.

P — Se entendi corretamente, o telegrafista aplicou apenas o princípio da imaginação sintética.

R — Sim, foi isso. Ele não fez nada a não ser aplicar o princípio da comercialização de uma nova maneira, mas não esqueça que isso é tudo que a maioria dos homens bem-sucedidos faz. Raramente criam novas ideias mediante a aplicação da imaginação criativa, como fizeram Bell e Edison.

Agora vamos pegar o moderno vagão frigorífico como exemplo. O homem que primeiro fez a aplicação prática desse princípio revolucionou o mercado de carnes embaladas. Ele tinha um negócio de empacotamento cuja atividade era limitada pelo fato de que só podia enviar carne fresca a curtas distâncias. Motivado pelo desejo de expandir sua atividade para um território maior, ele começou a procurar um método adequado de transporte para sua mercadoria. Um homem geralmente encontra tudo o que está procurando se transforma seu desejo em obsessão. Esse empacotador foi motivado pelo desejo de maiores ganhos financeiros, então manteve sua mente trabalhando no problema até ter a ideia de transformar um vagão de trem comum em uma geladeira de grandes dimensões.

Não havia mais nada a fazer exceto partir para a ação e testar a ideia, e foi o que ele fez. O plano funcionou de forma satisfatória, embora o primeiro vagão frigorífico fosse muito tosco. Ele continuou aprimorando a ideia até resultar no vagão frigorífico moderno como o conhecemos hoje.

A ideia não só ajudou esse homem a expandir seu comércio de carnes quase sem limites, como deu novo impulso à venda e distribuição de outros tipos de mercadorias, especialmente frutas e verduras. Até hoje essa única ideia somou centenas de milhões de dólares de riqueza para indivíduos, corporações e para a nação como um todo.

O vagão frigorífico foi criado unicamente pela aplicação da imaginação sintética, pelo simples processo de colocar uma geladeira sobre rodas, por assim dizer.

George Pullman realizou proeza semelhante ao colocar camas nos vagões de trem, convertendo-os assim em dormitórios. Não havia nada de novo nas camas ou nos vagões, mas a ideia de combiná-los era nova.

A nova combinação rendeu grande fortuna ao homem que a criou, sem falar que gerou milhares de empregos e disponibilizou um serviço desejável para o público que viaja, que continua pagando uma enorme quantia para isso anualmente. Ideias como essas são fruto da imaginação. O homem que treina a mente para criar ideias ou dar novo uso a ideias antigas está bem encaminhado na estrada para a independência econômica.

Por trás dessas ideias está a iniciativa pessoal dos homens que as criaram, além do esforço individual organizado pelo qual elas foram colocadas em prática. Tanto o vagão dormitório quanto o vagão frigorífico tiveram que ser promovidos e vendidos, necessitando, portanto, do investimento de grande quantidade de capital. Ambas as ideias, e todas as outras semelhantes que são colocadas em prática, exigem a aplicação de uma combinação dos princípios da realização individual, mas, em última análise, tais ideias geralmente podem ser rastreadas até a fonte original — a imaginação de uma pessoa.

P — Poderia nomear os princípios mais comumente usados por aqueles que aplicam a imaginação?

R — Bem, isso depende um pouco da natureza da aplicação da imaginação e da pessoa, mas em geral os princípios mais frequentemente aliados à imaginação são os seguintes:

a. *Definição de objetivo*, com base em um desejo obsessivo crescente resultante de um ou mais dos nove motivos básicos (veja a lista dos nove motivos básicos no Capítulo 2). O motivo que mais comumente serve para estimular a imaginação é o desejo de ganho financeiro. O motivo de ganhos financeiros tem sido, sem dúvida, a maior inspiração para os homens que desenvolvem a indústria americana.

b. *O MasterMind*, em que os homens se reúnem em um grupo e trocam ideias francas com o objetivo de resolver problemas profissionais, é também um grande estímulo para a imaginação. Foi a partir desse princípio, mais do que de todos os outros, que a indústria do aço, da qual fui fundador, tornou-se próspera. A chamada "mesa-redonda" é uma grande instituição. Quando os homens sentam-se e começam a reunir suas ideias em espírito de harmonia e unidade de objetivo, logo encontram uma solução para a maioria dos problemas com que se defrontam, não importa em que ramo estejam envolvidos ou qual seja a natureza dos problemas.

CULTIVE A VISÃO CRIATIVA

c. *O hábito de ir além* tem contribuição de destaque como estimulante para a imaginação. Quando um homem adota o hábito de fazer mais do que é pago para fazer, geralmente começa a utilizar a imaginação para criar novas fontes para prestar esse tipo de serviço. Esse fato isolado já seria uma compensação suficiente para ir além, mesmo que não houvessem benefícios ainda maiores disponíveis.

d. *A fé aplicada* é uma fonte definitiva de estímulo à imaginação. Além disso, é um elemento essencial ao estímulo da imaginação criativa. *Homens com pouca ou nenhuma fé nunca receberão os benefícios da imaginação criativa.*

e. *O esforço individual organizado* depende diretamente da aplicação da imaginação para sua eficácia, pois todas as formas de planejamento definido são executadas mediante a imaginação.

Existem muitas outras fontes de estímulo da imaginação, mas essas cinco estão na lista das "indispensáveis".

O medo às vezes estimula a imaginação, embora outras vezes a paralise, é claro. Quando um homem está em grande perigo, sua imaginação pode realizar façanhas aparentemente sobre-humanas, em especial quando o motivo é a autopreservação.

Fracasso e derrota temporária às vezes têm o efeito de instigar a imaginação, embora com mais frequência tenham efeito oposto.

O método de perguntas, ao qual os mestres em vendas muitas vezes recorrem, tem o efeito de despertar a imaginação e colocá-la para trabalhar, e a razão disso é óbvia. Ao fazer perguntas, o vendedor obriga seu potencial comprador a pensar. *Além disso, ele escolhe a linha de pensamento a ser desenvolvida* pela sagacidade das perguntas.

A curiosidade muitas vezes estimula a imaginação em alta intensidade. A curiosidade sobre a morte e as incertezas da vida, os fatos desconhecidos e talvez inexplicáveis da imortalidade foram a principal fonte de inspiração de onde todas as religiões surgiram.

A autoexpressão pela fala e pela escrita é uma fonte inesgotável de estímulo à imaginação, assim como muitas outras formas de ação. No momento em que um homem começa a organizar seus pensamentos para fins de expressão, seja por palavras ou ações, ele começa a colocar a imaginação para funcionar. Por isso as crianças devem ser incentivadas a dar livre expressão a seus pensamentos, para desenvolverem a imaginação cedo na vida.

A fome é uma fonte universal de inspiração para a imaginação. Quando um homem precisa de comida, sua imaginação funciona automaticamente, sem qualquer impulso. Nas ordens inferiores de vida, o instinto age diante da fome, e já vi aplicações engenhosas do instinto sob tal impulso.

Assim, vemos que, onde quer que exista vida, seja humana ou nas ordens inferiores de vida orgânica, a imaginação e o instinto podem ser considerados parte essencial das ferramentas de trabalho do indivíduo.

A concentração da atenção sobre um problema ou objetivo definido tende a colocar a imaginação para trabalhar imediatamente. Veja, por exemplo, as surpreendentes realizações do Dr. Elmer R. Gates, que criou centenas de invenções úteis "sentando à espera de ideias". O mesmo princípio foi usado por Thomas A. Edison e Alexander Graham Bell. Ao fixar a mente em objetivos definidos, mediante a definição de objetivo, eles colocaram a imaginação criativa a trabalhar e tiveram resultados de longo alcance.

Os cientistas, e às vezes os leigos, colocam a imaginação a funcionar criando hipóteses de fatos ou ideias que, de momento, presumem existir. A pesquisa e a experiência científica dificilmente seriam úteis se casos hipotéticos não fossem utilizados, pois muitas vezes os fatos pesquisados são inteiramente desconhecidos.

Advogados e juízes muitas vezes recorrem ao uso de hipóteses a fim de estabelecer fatos que não podem ser definidos por qualquer outra fonte. Os químicos e físicos recorrem ao mesmo método na busca de fatos desconhecidos. E o mesmo acontece com o médico quando outros meios de diagnóstico de uma doença falham. Detetives muitas vezes trabalham inteiramente com a ajuda de hipóteses na solução de um crime.

P — Por que tão pouca gente parece ter uma imaginação bem desenvolvida? A capacidade de imaginação é uma questão de hereditariedade?

R — Não, a faculdade da imaginação, como todas as outras faculdades da mente, pode ser desenvolvida pela utilização. O motivo para tanta gente parecer não ter uma imaginação aguçada é óbvia. A maioria permite que a faculdade da imaginação atrofie por negligência.

P — Na medida em que todo mundo deve utilizar técnicas de venda de uma forma ou de outra, você poderia ilustrar como a imaginação pode ser utilizada nas vendas?

R — Posso dar um número infindável de exemplos desse tipo. Pegue o caso de um agente de seguros de vida que conheço, por exemplo. Ele começou a vender seguros depois de um acidente que o incapacitou para qualquer tipo de trabalho manual pesado e em um ano tornou-se o homem mais importante de todos os Estados Unidos na força de sua empresa.

CULTIVE A VISÃO CRIATIVA

Vou contar uma história que ilustrará o sucesso dele. Mas, antes de fazer isso, acho que deveria dizer que esse homem tornou-se um mestre na aplicação do princípio do MasterMind. Também se tornou igualmente proficiente na aplicação de muitos dos outros princípios da realização, entre estes a visão criativa.

Um dia ele entrou no escritório de um advogado muito distinto e riço e saiu meia hora depois com o contrato de uma apólice de seguro de vida no valor de um milhão de dólares, embora o advogado fosse conhecido por ter se recusado a contratar seguro de meia dúzia ou mais dos melhores agentes da cidade.

O vendedor fez o seguinte:

Ele levou consigo uma reportagem jornalística fartamente ilustrada das atividades do advogado, com uma manchete em letras garrafais: "Advogado proeminente faz seguro de um milhão de dólares para seu cérebro!".

A história contava como o homem havia começado de baixo, graças à habilidade incomum como advogado de uma corporação, até chegar à posição atual, na qual atendia a clientela mais seleta da cidade de Nova York. A reportagem estava bem redigida. Trazia fotos do advogado e dos membros de sua família, incluindo uma foto de sua propriedade em Long Island.

O vendedor entregou a história para o advogado e disse: "Fiz arranjos para esta reportagem ser lançada em mais de cem jornais no momento em que você passar no exame físico necessário. Não preciso explicar para um homem com a sua inteligência que isso trará novos clientes suficientes para mais do que pagar o prêmio da apólice do seguro".

O advogado leu a reportagem com cuidado. Quando terminou, perguntou como o agente de seguros havia conseguido tantas informações a respeito dele e sua família.

"Oh, isso foi fácil", respondeu o vendedor. "Simplesmente tomei providências para que o sindicato de jornais fizesse o trabalho."

O advogado leu a história uma segunda vez, fez algumas correções, devolveu e disse: "Vamos preencher o formulário". A venda foi concluída em poucos minutos, mas foram necessários mais de três meses de preparação prévia antes da visita do vendedor. Ele não deixou nenhum detalhe escapar. Esforçou-se para descobrir tudo sobre o advogado antes da história ser redigida e fez com que fosse preparada de maneira que tocasse o ponto mais fraco do advogado, que era seu desejo de publicidade.

O que ele realmente vendeu ao advogado não foi uma apólice de seguro de vida, mas uma apólice de seguro da vaidade! Aquela manchete foi o verdadeiro truque. Além disso, o vendedor não só ganhou um prêmio polpudo pela venda, como recebeu US$ 500,00 do sindicato de jornais pelo uso exclusivo da matéria.

Se isso não é imaginação, não sei o que é!

Vendedores com imaginação muitas vezes vendem algo totalmente diferente daquilo que parecem estar vendendo. A experiência de William Rainey Harper, ex-presidente da Universidade de Chicago, ilustra com clareza o que quero dizer.

Harper foi um dos maiores "batalhadores de doações" que o mundo educacional já conheceu. Ele precisava construir um novo edifício no campus que exigia a doação de um milhão de dólares. Se você deseja ver como a imaginação é empregada por um mestre, observe a técnica pela qual ele obteve o milhão de dólares. Observe também quantos dos princípios da realização individual ele aplicou, além da imaginação.

Primeiro, foi sagaz na escolha dos candidatos a doador, limitando o número a dois homens bem conhecidos de Chicago, ambos plenamente capazes de doar um milhão de dólares.

Não por mera casualidade, esses dois homens eram inimigos ferrenhos e notórios. Um era político, o outro era líder do sistema de bondes de Chicago. Os dois lutavam entre si há anos, o que não significava nada para qualquer um com menos imaginação que Harper.

Um dia, precisamente ao meio-dia, Harper foi até o escritório do magnata ferroviário, não encontrou ninguém de plantão na porta externa (que era exatamente o que ele esperava) e entrou em seu gabinete particular sem anúncio prévio.

O magnata olhou para ele, mas, antes que tivesse tempo de protestar, o supervendedor disse: "Me desculpe por entrar sem anúncio prévio, mas não encontrei ninguém na recepção. Meu nome é Harper e só preciso de um minuto".

"Por favor, sente-se", disse o empresário dos bondes.

"Não, obrigado", respondeu o educador, "tenho apenas um minuto, então vou lhe dizer o que tenho em mente e seguir meu caminho. Venho pensando há algum tempo que a Universidade de Chicago deve fazer algo para reconhecer o trabalho maravilhoso que você tem feito, fornecendo à cidade o melhor sistema de bondes dos Estados Unidos. Tive a ideia de homenageá-lo com um edifício no campus com o seu nome. Quando sugeri isso ao conselho, um dos membros sugeriu a mesma coisa, mas querendo

CULTIVE A VISÃO CRIATIVA

homenagear _____ (citando o nome do inimigo do magnata ferroviário), então só vim aqui contar o que aconteceu na esperança de que você possa encontrar alguma maneira de me ajudar a vencer o plano desse outro membro do conselho".

"Bem!", exclamou o homem dos bondes, "é uma ideia interessante. Por favor, sente-se e vamos ver o que podemos fazer".

"Me desculpe", disse o educador, "mas tenho outro compromisso em poucos minutos e preciso ir embora. Mas sugiro o seguinte: pense no assunto durante a noite e me telefone pela manhã se tiver alguma ideia de como me ajudar a dar o nome do homem certo ao edifício. Tenha um bom dia, senhor!".

Sem deixar brecha para mais conversa, o mestre da imaginação foi embora.

Na manhã seguinte, quando chegou ao escritório na universidade, encontrou o empresário dos bondes esperando por ele. Os dois entraram, permaneceram ali por cerca de uma hora e depois saíram, ambos sorrindo. Harper tinha um cheque na mão e o balançava para frente e para trás para secar a tinta. O cheque era no valor de um milhão de dólares.

O magnata dos bondes tinha encontrado uma maneira de vencer o inimigo, como o inteligente Harper imaginou que ele faria. Além disso, fechou o negócio entregando o dinheiro com o entendimento de que Harper seria pessoalmente responsável pela aceitação.

Capítulo 8
EXERCITE A AUTODISCIPLINA

Edison falhou dez mil vezes antes de aperfeiçoar a lâmpada elétrica incandescente. O homem comum teria desistido depois do primeiro fracasso, o que explica por que existem tantos homens "comuns" e apenas um Edison.

Talvez não exista outra palavra em nosso idioma que descreva o principal requisito para a realização individual como "autodisciplina".

Toda essa filosofia serve principalmente para permitir que se desenvolva o autocontrole, sendo esse o maior de todos os elementos essenciais ao sucesso.

Neste capítulo encontraremos a consolidação dos sete princípios anteriores e prepararemos o caminho para aplicá-los.

Você já notou como os princípios dessa filosofia se misturam uns com os outros e estão conectados como os elos de uma corrente, de maneira tal que nenhum dos princípios pode ser suprimido sem enfraquecer a filosofia. Com a autodisciplina, o poder de cada um dos princípios é condensado e fica pronto para uso nos assuntos práticos do cotidiano.

O efeito desta condensação pode ser claramente descrito pela comparação com um grupo de baterias elétricas, cada um dos dezessete princípios da filosofia representando uma bateria isolada. Ao ligar as baterias de maneira adequada, tem-se disponível a soma total do poder de cada bateria. A autodisciplina é a "bateria mestre", pela qual o poder de todos os dezessete princípios pode ser aplicado.

É necessário que o aluno dessa filosofia entenda o pleno significado da relação entre a autodisciplina e os outros princípios da filosofia a fim de que possa valer-se de toda a energia disponibilizada pelos dezessete princípios, pois a autodisciplina representa o "gargalo" por onde o poder deve passar.

Andrew Carnegie fez um grande esforço para enfatizar a necessidade da autodisciplina, pois aprendeu por experiência própria, ao lidar com milhares de homens, que ninguém pode esperar alcançar sucesso notável *sem adquirir controle sobre si mesmo.*

Ele aprendeu, a partir da própria experiência e da observação de outras pessoas, *que, quando um homem finalmente toma posse da própria mente*

EXERCITE A AUTODISCIPLINA

e começa a confiar nela, alcança uma vitória da mais alta ordem, que o coloca muito perto de tudo aquilo em que focar a mente e o coração.

Autodisciplina, portanto, pode ser definida como o ato de tomar posse da própria mente!

Autodisciplina é algo que não se consegue adquirir como se aprende a tabuada, mas pela persistência, seguindo o procedimento descrito neste capítulo. O preço da autodisciplina, portanto, é a eterna vigilância e o esforço contínuo em seguir estas instruções. Ela não pode ser adquirida de nenhuma outra maneira, e não existe preço promocional. Ou se obtém a autodisciplina por esforço próprio ou não se consegue.

Sem autodisciplina um indivíduo pode ser comparado a uma folha seca soprada de lá para cá pelos ventos dispersos da circunstância, *sem a menor chance de chegar a qualquer situação que se assemelhe sequer remotamente ao sucesso pessoal.*

Os homens que tomam posse da própria mente e a utilizam, podem definir seu valor e fazer a vida pagar o que querem. Aqueles que falham nisso devem aceitar o que a vida lhes trouxer, o que geralmente não passa do suficiente para as meras necessidades básicas.

No estudo particular com Andrew Carnegie, você terá agora o privilégio de assistir enquanto ele instrui seu primeiro aluno sobre o tema da autodisciplina.

P — Você designou a autodisciplina como o oitavo princípio da realização individual. Poderia começar descrevendo o papel que a autodisciplina desempenha na realização pessoal e indicar como esse princípio pode ser desenvolvido e aplicado nos assuntos práticos do cotidiano?

R — Vamos começar chamando a atenção para alguns usos da autodisciplina. Depois disso, vamos discutir os métodos pelos quais qualquer um que esteja disposto a pagar o preço pode apropriar-se deste importante princípio.

A autodisciplina começa com o domínio dos pensamentos. Sem controle sobre os pensamentos, não pode haver controle sobre as ações! Digamos, portanto, que a autodisciplina inspira a *pensar primeiro* e agir depois. O procedimento usual é justamente o contrário. A maioria das pessoas age antes e pensa depois (se e quando pensa).

A autodisciplina proporciona um controle completo sobre as quatorze grandes emoções, permitindo eliminar ou subjugar as sete emoções negativas e exercitar as sete positivas da maneira desejada. O efeito desse controle torna-se óbvio quando percebe-se que as emoções governam a vida da maioria das pessoas e o mundo em larga medida.

Embora tenhamos descrito as quatorze emoções principais em uma entrevista anterior, somos obrigados a mencioná-las novamente, pois a autodisciplina deve começar com o domínio completo dessas emoções.

As sete emoções positivas:

a. AMOR
b. SEXO
c. ESPERANÇA
d. FÉ
e. ENTUSIASMO
f. LEALDADE
g. DESEJO

As sete emoções negativas:

a. MEDO (ver os 7 medos básicos)
b. CIÚME
c. ÓDIO (prolongado)
d. VINGANÇA
e. GANÂNCIA
f. RAIVA (temporária)
g. SUPERSTIÇÃO

Todas essas emoções são estados mentais sujeitos a controle e direção. As sete emoções negativas obviamente são mortais se não forem dominadas. As emoções positivas podem ser tão destrutivas quanto as negativas se não forem organizadas, dominadas e guiadas sob completo controle.

Nessas quatorze emoções está a "dinamite mental" que pode elevá-lo a grandes alturas de realização ou enterrá-lo nas profundezas do fracasso, e nenhuma quantidade de educação, experiência, inteligência ou boas intenções pode alterar ou modificar essa possibilidade.

P — Parece óbvio que a falta de controle das sete emoções negativas pode levar à derrota certa, mas não está claro como se pode utilizar as sete emoções positivas para a consecução dos fins desejados.

R — Vou mostrar exatamente como as emoções positivas podem ser transformadas em uma força motriz que pode ser utilizada na obtenção de qualquer objetivo. Posso fazer isso mais satisfatoriamente descrevendo como um homem fez uso efetivo das emoções. Esse homem é Charlie Schwab, e

EXERCITE A AUTODISCIPLINA

a minha análise de seu uso das emoções é baseada na estreita relação que tivemos durante muitos anos.

Pouco depois de começar a trabalhar comigo, ele convenceu sua mente de que se tornaria parte indispensável da minha família empresarial, orientando assim a emoção do desejo para um fim definido. Para a realização do desejo, ele aplicou todos os princípios da realização mencionados anteriormente, ou seja:

a. Definição de objetivo
b. MasterMind
c. Personalidade atraente
d. Fé aplicada
e. Ir além
f. Esforço organizado
g. Visão criativa
h. Autodisciplina

Com a autodisciplina, Charlie Schwab organizou os outros sete princípios e os manteve sob controle. Por trás desse autocontrole, colocou todo seu sentimento e o expressou por meio da lealdade aos associados, do entusiasmo pelo trabalho, da esperança de realização bem-sucedida no trabalho e da fé em sua capacidade de realização; por trás de todas essas emoções, ele foi impulsionado pelo amor pela esposa, a quem buscava agradar com suas realizações.

Os dois motivos que o inspiraram a organizar e utilizar as emoções para a realização de um objetivo definido foram O AMOR e O DESEJO DE GANHOS FINANCEIROS. Ambos estão no topo da lista dos nove motivos básicos.

É claro que Schwab fez uso de todos os outros princípios da realização individual que ainda não foram mencionados antes de finalmente alcançar seu objetivo e continuou usando todos depois de alcançá-lo, mas os oito princípios já mencionados foram os que ele utilizou em um primeiro momento.

P — Acho que entendo o que você quer dizer. Poderia conferir se estou correto enquanto descrevo minha compreensão da ascensão de Schwab?

Primeiro, ele decidiu o que queria, colocando em uso assim o princípio da *definição de objetivo*. Adotou um plano para conseguir o que queria e, a julgar pelo que você disse, começou a seguir o plano *indo além* e fazendo uso do *esforço organizado*.

Ao trabalhar em harmonia com você e seus outros colegas, fez uso do *MasterMind*.

Pela adoção de um objetivo tão elevado, ele demonstrou ter compreendido e utilizado a *visão criativa* e demonstrou também a compreensão e utilização da *fé aplicada*.

Pela forma atraente e harmoniosa como se relacionou com você e seus outros associados, ele indicou a compreensão e uso do princípio da *personalidade atraente*.

Pela forma inteligente como utilizou todos esses princípios e permaneceu persistentemente fiel a seu compromisso até alcançá-lo, ele demonstrou compreensão e uso da *autodisciplina*, com a qual subordinou todos seus desejos para o único objetivo de se tornar parte indispensável de sua organização.

Por trás de todo esse esforço estavam dois motivos: o *amor* pela esposa e o *desejo de ganhos financeiros*, pelos quais ele aproveitou todas as emoções positivas para a realização de um objetivo definido.

Então, isso resume o caso?

R — Esse foi o procedimento seguido. E você vai notar que as chances de sucesso seriam menores se ele tivesse deixado de usar qualquer um dos princípios mencionados. Foi pela aplicação cuidadosamente planejada de todos esses princípios que ele alcançou o sucesso. A aplicação exigiu autodisciplina da mais alta ordem.

Se ele tivesse desperdiçado parte do poder emocional em qualquer outra direção, os resultados poderiam ter sido diferentes, o que me faz lembrar da experiência de outro homem que procurou alcançar a mesma posição de Charlie Schwab na minha organização.

Esse homem tinha tudo o que Charlie tinha em se tratando de aptidões. Além disso, tinha uma educação muito melhor, com graduação em química industrial por uma das melhores faculdades. Ele fez uso de cada um dos princípios mencionados tão eficazmente quanto Charlie, com a única exceção de que o *motivo* que o inspirou foi o desejo de ganhos financeiros, não como meio de expressar amor pela esposa, mas para alimentar a própria vaidade.

Ele tinha amor pelo poder, não como expressão de orgulho por sua realização, mas como meio de impor sua autoridade sobre outras pessoas. Apesar dessa fraqueza, subiu constantemente até tornar-se membro oficial do meu grupo de MasterMind. Então levou um tombo que despedaçou suas esperanças e oportunidades por causa da arrogância e vaidade.

Ele perdeu o cargo para que pudéssemos manter a harmonia em nosso grupo de MasterMind e por fim acabou na base da escada, exatamente onde havia começado. O rebaixamento feriu sua vaidade, e ele nunca se recuperou.

EXERCITE A AUTODISCIPLINA

P — Qual foi a maior fraqueza desse homem?

R — Posso responder com três palavras: *falta de autodisciplina!* Se tivesse dominado seus sentimentos, poderia ter sucesso com muito menos esforço do que Charlie Schwab, pois tinha mais educação e possuía todos os outros atributos de Schwab.

Ele fracassou em controlar e dirigir suas emoções positivas. Quando se viu escorregando, começou a dar lugar a muitas emoções negativas, particularmente inveja, medo e ódio. Ficou com inveja dos bem-sucedidos, odiou-os porque o haviam superado e temia a todos, especialmente a si mesmo. Nenhum homem é forte suficiente para ser bem-sucedido com tamanha variedade de inimigos trabalhando contra ele.

P — A partir do que você disse, concluo que o poder pessoal deve ser usado com critério ou pode tornar-se uma maldição em vez de uma bênção.

R — Sempre fez parte de minha filosofia de negócios advertir meus associados para os perigos do uso indiscriminado do poder pessoal, especialmente aqueles que apenas recentemente adquiriram poder graças a promoções. O poder recém-adquirido é como a riqueza recém-adquirida, precisa ser vigiado de perto para que um homem não se torne vítima dele. É aqui que a autodisciplina prova-se necessária. Se um homem mantém sua mente sob controle completo, ela funciona de maneira a não antagonizar com outras pessoas.

P — Se entendi bem, a autodisciplina exige um domínio completo das sete emoções negativas e uma orientação controlada das sete emoções positivas. Em outras palavras, um homem deve estar com o pé no pescoço das sete emoções negativas, enquanto organiza e dirige as sete emoções positivas para um objetivo definido. É essa a ideia?

R — Sim, mas a autodisciplina exige domínio dos traços de caráter além das emoções. Exige um planejamento rigoroso do uso do tempo e domínio do traço inato da procrastinação. Se um homem almeja um alto cargo na vida, não tem tempo para perder em outras atividades não essenciais além daquelas necessárias para sua recreação.

P — Você pode nomear os traços de caráter que na maioria das vezes obstruem o caminho da autodisciplina?

R — A lista é bastante longa e será abordada em detalhes na futura conversa sobre *aprender com a derrota*. No entanto, vamos assumir por enquanto que os principais inimigos da autodisciplina são as sete emoções negativas. São estes os obstáculos aos quais um homem deve prestar atenção primeiro, se quiser ter certeza do sucesso.

Autodisciplina começa com a formação de hábitos construtivos, especialmente os hábitos relacionados a comida, bebida, sexo e uso do chamado "tempo livre".

De modo geral, quando um homem mantém esses hábitos sob controle, eles ajudam a regular todos os outros hábitos, e você vai perceber que o domínio dos oito princípios já mencionados dessa filosofia fornece tudo que é preciso para moldar os hábitos de modo que atuem de forma construtiva.

Considere, por exemplo, o que a *definição de objetivo* faz para se estabelecer hábitos. Quando se começa a aplicar o princípio de *ir além*, faz-se um grande avanço no estabelecimento de hábitos construtivos, pois, fazendo mais do que se é pago para fazer, o planejamento do tempo torna-se necessário para se obter maior vantagem.

Considere então o que acontece quando um homem fica obcecado por um forte *motivo* que ele começa a expressar pelo *esforço organizado* em conjunto com a *visão criativa*. Até adquirir o controle desses princípios, ele já terá percorrido uma longa distância na adoção de hábitos que, por si, constituem o melhor tipo de *autodisciplina*. Você entende como isso funciona?

P — Sim, entendo. E posso ver também que tudo que um homem faz gira em torno do principal motivo por trás do objetivo principal definido. O motivo é realmente o ponto de partida de toda a realização, não é?

R — Sim, mas você deve cuidar para dizer que a motivação deve ser obsessiva. Ou seja, deve ser tão forte que impulsione um homem a subordinar todos os pensamentos e esforços para sua realização. Muitas vezes as pessoas ficam confusas entre um motivo e uma mera vontade. Ter vontade não traz sucesso. Se trouxesse, todo mundo seria bem-sucedido, pois todas as pessoas têm vontades.

Elas querem tudo, da terra até a lua, mas ter vontades e sonhar acordado não levam a nada até serem atiçadas a uma chama ardente de desejo baseado em um motivo definido, e isso deve tornar-se a influência dominante na mente, deve adquirir proporções obsessivas suficientes para provocar a ação.

Até mesmo um motivo sem esforço organizado por trás dele não trará benefício, por isso repito a sugestão que já fiz: deve-se copiar os nove motivos básicos e colocá-los em um lugar de destaque, onde possam ser vistos diariamente.

EXERCITE A AUTODISCIPLINA

Esses motivos, que atuam como uma força motriz por trás do objetivo principal, devem ser ressaltados e enfatizados para não serem negligenciados. Devem ser incluídos também na descrição por escrito do *objetivo principal definido*, como sugerido em uma entrevista anterior. Um objetivo definido sem um motivo obsessivo por trás dele é tão inútil quanto uma locomotiva sem vapor na caldeira. O motivo é a coisa que dá poder, ação e persistência aos planos.

P — Isso me lembra de perguntar: qual é a sua motivação em gastar todo esse tempo treinando-me para organizar a filosofia da realização pessoal? Você tem mais riquezas materiais do que precisa e é reconhecido como um líder industrial mundial. Sua vida é um sucesso extraordinário, e a meu ver não há nada que você possa desejar que ainda não possua.

R — É aí que você se engana. Não tenho tudo o que quero. É verdade que tenho mais riqueza material do que preciso, como demonstra o fato de estar doando meu dinheiro tão rapidamente quanto posso com segurança. Mas há algo que quero mais do que tudo e que se tornou um desejo obsessivo: presentear o povo americano com uma filosofia segura e confiável pela qual as pessoas possam adquirir riquezas da ordem mais elevada, riquezas que permitam que se relacionem umas com as outras de modo a encontrar a paz, felicidade e alegria nas responsabilidades da vida.

Meu desejo obsessivo nasceu de minha experiência com as pessoas, que me fez perceber a grande necessidade de tal filosofia. Quando encontro um homem que está tentando promover-se sem prejudicar os outros, ele é exceção e não a regra. Vejo pessoas por todos os lados tentando imprudentemente obter alguma coisa a troco de nada, embora eu saiba muito bem que tudo o que vão conseguir é tristeza e decepção.

Minha motivação em ajudar a organizar uma filosofia confiável de realização individual é a mesma que leva alguns homens a erguer grandes monumentos de pedra para marcar o local onde seus restos mortais serão enterrados.

Monumentos de pedra desintegram-se com o tempo e voltam ao pó, mas há um tipo de monumento que pode ser eterno e durar tanto quanto a civilização. É o monumento que um homem pode construir no coração de seus semelhantes por algum tipo de serviço construtivo que beneficie a humanidade como um todo.

É um monumento como esse que espero construir com sua cooperação, e posso sugerir que, me ajudando a construí-lo, ele será também o seu monumento?

P — Entendo sua colocação. Era essa a sua motivação no início da carreira?

R — Não, não era. No início eu era motivado pelo desejo de autoexpressão e de ganhos financeiros para difundir a influência dessa expressão. Mas, ao levar a cabo meu motivo original, felizmente deparei com um motivo maior e mais nobre — formar homens em vez de ganhar dinheiro.

Vislumbrei essa motivação superior ao perceber, durante o processo de ganhar dinheiro, a grande necessidade de homens melhores. Para a civilização evoluir a padrões de vida ainda mais elevados ou apenas manter o que já conquistou, os homens devem aprender padrões mais elevados de relacionamento humano do que os que agora prevalecem.

E, acima de tudo, devem aprender que existem riquezas muito maiores do que qualquer uma representada por coisas materiais. A necessidade dessa visão mais ampla é suficiente para desafiar até mesmo o maior dos homens. Foi a esse desafio que eu respondi quando meu motivo obsessivo tornou-se oferecer às pessoas uma sólida filosofia de realização individual.

P — A partir de tudo o que você disse, deduzo que a autodisciplina é em grande parte uma questão de adoção de hábitos construtivos.

R — Essa é precisamente a ideia! Aquilo que um homem é, aquilo que ele realiza, tanto suas falhas quanto seus acertos, são resultados de seus hábitos. Felizmente, os hábitos são cultivados pelo indivíduo e estão sob seu controle. O mais importante é o hábito do pensamento. As ações de um homem assemelham-se à natureza de seus pensamentos. Quando adquire o controle sobre seus hábitos de pensamento, ele percorre uma grande distância do caminho para o domínio da autodisciplina.

Motivos definidos são o princípio dos hábitos de pensamento. Não é difícil para um homem manter a mente em sua maior motivação, especialmente se esta vira uma obsessão. A autodisciplina sem definição de motivo é impossível. Além disso, seria inútil. Vi faquires na Índia com autodisciplina tão perfeita que podiam permanecer sentados durante todo o dia sobre as pontas afiadas de milhares de pregos presos a uma placa, mas a disciplina era inútil porque não havia nenhum motivo construtivo por trás dela.

P — Então a autodisciplina, no sentido em que é designada como um dos 17 princípios da realização individual, refere-se ao domínio completo tanto dos hábitos de pensamento quanto dos hábitos físicos.

R — Autodisciplina significa exatamente o que a palavra implica: disciplina completa sobre si mesmo! Devo chamar a atenção para o fato de que a autodisciplina exige um equilíbrio entre as emoções do coração e a faculdade de raciocínio do cérebro.

Ou seja, é preciso aprender a responder tanto à razão quanto aos sentimentos, de acordo com a natureza de cada decisão. Às vezes será necessário deixar as emoções inteiramente de lado e permitir que a cabeça governe. Em matéria de amor e sexo, essa capacidade torna-se altamente importante.

Conheci homens com tão pouco controle sobre seus sentimentos amorosos que pareciam massa de vidraceiro nas mãos de uma mulher. Homens assim, é desnecessário dizer, nunca realizam algo que os beneficie muito. Por outro lado, conheci homens tão frios e insensíveis que estavam completamente sob o controle de suas cabeças. Esses também perdem as melhores coisas da vida.

P — Não seria mais seguro se um homem controlasse sua vida com a faculdade do raciocínio, deixando as emoções de fora das decisões e planos?

R — Isso seria muito imprudente, mesmo se fosse possível, pois as emoções fornecem a força motriz, a força de ação que permite a um homem colocar as decisões "da cabeça" em operação. A solução é controlar e disciplinar as emoções, não eliminá-las. Além disso, é muito difícil eliminar a grande natureza emocional do homem, se não impossível.

As emoções do homem são como um rio, seus poderes podem ser represados e liberados em qualquer proporção e direção que se deseje, mas não podem ser eliminados. Com autodisciplina um homem pode organizar todas as emoções e liberá-las de forma altamente concentrada para realizar seu plano e objetivo.

As duas emoções mais poderosas são o AMOR e o SEXO. Essas emoções são inatas, obras da natureza, instrumentos que o Criador forneceu tanto para a perpetuação da raça humana quanto para a integração social pela qual a civilização evolui de uma ordem inferior para uma ordem superior de relacionamento humano.

Dificilmente alguém desejaria destruir algo tão grandioso quanto o dom das emoções, mesmo que fosse possível, pois elas representam o maior poder humano. Se você destruísse a esperança e a fé, o que sobraria para o homem? Se você eliminasse o entusiasmo, a lealdade e o desejo de realização, você ainda teria a faculdade da razão (o "poder da cabeça"), mas de que adiantaria? *Não restaria nada para a cabeça dirigir!*

Agora deixe-me chamar a atenção para uma verdade surpreendente, isto é: as emoções de esperança, fé, entusiasmo, lealdade e desejo nada mais são do que aplicações especializadas das emoções inatas do AMOR e do SEXO, desviadas ou transmutadas para propósitos diferentes! Na verdade, todas as emoções humanas além do AMOR e do SEXO têm raízes nessas duas características naturais inatas. Se essas duas emoções naturais fossem destruídas em um homem, ele se tornaria tão dócil quanto um animal castrado. Ele ainda teria a faculdade do raciocínio, mas o que poderia fazer com ela?

P — Autodisciplina então é a ferramenta com que um homem pode controlar e direcionar suas emoções inatas em qualquer direção que escolha?

R — Correto. E agora desejo chamar a atenção para uma outra verdade surpreendente, isto é: a visão criativa é resultado da autodisciplina que permite transformar as emoções do AMOR e do SEXO em algum plano ou objetivo especializado. *Ainda não nasceu nenhum grande líder em qualquer forma de atividade humana que não tenha conquistado a liderança pelo domínio e direção dessas duas grandes emoções inatas!*

Os grandes artistas, músicos, escritores, oradores, advogados, médicos, arquitetos, inventores, cientistas, industriais, vendedores e homens e mulheres de destaque em todas as esferas da vida alcançaram a liderança mediante o aproveitamento e direcionamento das emoções naturais do AMOR e do SEXO como força motriz por trás de seus esforços. Na maioria dos casos, o desvio dessas emoções para o esforço especializado é feito de modo inconsciente, como resultado de um DESEJO ARDENTE de realização. Em alguns casos, a transmutação é deliberada.

P — Então não é desgraça nascer com grande capacidade para as emoções do AMOR e do SEXO?

R — Não, a "desgraça" vem do abuso desses dons naturais do Criador! O abuso é resultado da ignorância, da falta de educação sobre a natureza e as potencialidades dessas grandes emoções. Dizer que o meio pelo qual o Criador perpetua a espécie é uma desgraça é o mesmo que dizer que o próprio homem é uma desgraça, pois, se você retirasse dele o poder criativo da emoção, sobrariam apenas substâncias químicas no valor de cerca de dezesseis dólares!

P — Tenho a impressão de que a aplicação mais importante da autodisciplina é aquela com que se pode tomar posse da emoção sexual e transformá-la em qualquer forma de empreendimento que se desejar. Isso é verdade?

R — Sim, e posso acrescentar que, quando um homem consegue disciplinar a emoção sexual, ele percebe que é fácil disciplinar-se em todos os outros sentidos, pois a emoção sexual reflete-se, consciente ou inconscientemente, em praticamente tudo o que um homem faz.

EXERCITE A AUTODISCIPLINA

O fracasso em controlar as emoções do AMOR e do SEXO em geral significa incapacidade de controlar outros traços. Pegue o caso de Charles Dickens, por exemplo. Ele teve uma grande decepção amorosa quando jovem. Em vez de permitir que o sentimento não correspondido o destruísse, transmutou aquela grande *força motriz* em um romance chamado *David Copperfield*, que lhe rendeu fama e fortuna e o levou à criação de outras obras literárias que fizeram dele um mestre nesse campo.

Abraham Lincoln era um advogado medíocre que fracassara miseravelmente em tudo o que havia empreendido até os poços profundos de sua emoção serem escancarados pelo grande pesar em função da morte de Anne Rutledge, a única mulher que ele amou de verdade. Ele converteu a tristeza em um serviço público que o tornou um dos imortais dos Estados Unidos. É lamentável que nenhum de seus biógrafos tenha captado a importância ou feito referências explicativas sobre a tragédia que marcou o ponto de virada do grande estadista.

A genialidade criativa de Napoleão Bonaparte como líder militar foi em grande parte uma expressão da aliança de MasterMind com a primeira esposa. Observe com profunda atenção a tragédia que se abateu sobre esse homem depois de sua "cabeça" anular seu coração e ele colocar a primeira esposa de lado em prol das ambições de sua cabeça.

Em sua pesquisa, enquanto estiver organizando a filosofia da realização individual, observe com cuidado e descobrirá que *em algum momento na vida de todos os grandes homens será encontrada a influência de uma mulher*! Observe também que, onde quer que um homem e uma mulher reúnam suas emoções em espírito de harmonia para a obtenção de um objetivo definido, eles tornam-se quase invencíveis contra todas as formas de desânimo e derrota temporária.

É pela aliança harmoniosa do homem com a mulher que ele toma posse de seu maior poder espiritual! Talvez o Criador quisesse que fosse assim, mas, seja como for, a verdade é que o mundo não tem registro de nenhum grande homem cuja vida não tenha sido definitivamente influenciada pelas emoções do AMOR e do SEXO.

Que fique claro que, ao falar de sexo, refiro-me à emoção criativa inata que confere ao homem capacidade criativa e *não meramente à expressão física desse poder*. O uso errado e as conotações grotescas dessa grande emoção às vezes a degradam aos níveis mais baixos. Quanto a isso, o homem degrada-se como nenhum animal de inteligência inferior jamais fez.

P — A partir de sua análise da emoção sexual, fico com a impressão de que ela pode ser tanto o maior trunfo do homem quanto sua maior responsabilidade, de acordo com seu entendimento e aplicação da emoção.

R — Você está completamente certo. E agora desejo chamar a atenção para outro fato significativo, isto é: a emoção do sexo, sem a emoção modificadora do amor, como nos relacionamentos sexuais "ilícitos", é a influência mais perigosa para o homem. Quando essas duas grandes emoções são expressas em conjunto, tornam-se um poder criativo que apresenta uma natureza espiritual.

P — Então concluo, a partir de suas observações, que a emoção do sexo, sem a influência modificadora do amor, é puramente uma força biológica que pode ser desastrosa se não for controlada.

R — Você captou a ideia. Mas deixe-me dizer algo sobre o método com o qual essa emoção deve ser controlada. A válvula de segurança consiste na transmutação desse grande poder impulsionador, para que seja convertido e aplicado no objetivo principal definido. Quando usado dessa forma, torna-se um recurso de valor inestimável, mesmo sem a influência modificadora da emoção do amor.

Não há de se negar alguma forma de expressão à emoção do sexo. Como já disse, ela se assemelha a um rio, na medida em que sua energia pode ser represada e desviada para qualquer forma de ação que se deseje, mas não é possível impedir sua expressão sem grandes danos. Assim como a água represada de um rio, se ela não for liberada em condições controladas, irá liberar-se de maneira destrutiva pela força de seu poder inerente.

Esse é um fato bem conhecido por todos os médicos e psiquiatras. As emoções descontroladas do amor e do sexo são responsáveis pela maioria dos transtornos mentais e por muitas formas de insanidade. Então, veja que a autodisciplina, que guia essas forças para os canais seguros do esforço humano, é a única solução sensata para o problema que elas apresentam.

P — Visto que as emoções do amor e do sexo parecem ocupar o primeiro lugar entre os poderes sobre os quais deve-se exercitar a autodisciplina, poderia analisar sua influência nos assuntos práticos do cotidiano? Eu gostaria de mais esclarecimentos sobre o papel que essas emoções têm nos fatores essenciais das relações humanas em todas as esferas da vida.

R — É um pedido razoável, então vamos tratar disso francamente, tendo em mente que qualquer filosofia de realização individual que seja de valor prático deve permitir que as pessoas superem os problemas práticos do cotidiano, *e me refiro a todos os problemas!*

EXERCITE A AUTODISCIPLINA

Como já vimos, toda a atividade humana é baseada em um *motivo*. Não por acaso os motivos do AMOR e do SEXO foram colocados no topo da lista dos nove motivos básicos. Esse é precisamente o lugar onde devem estar, pois estes dois motivos inspiram mais ação do que todos os outros combinados.

O melhor da literatura, poesia, arte, teatro e música tem raízes no motivo do amor. Nas obras de Shakespeare você vai observar que tanto as tragédias quanto as comédias são altamente coloridas com os motivos do AMOR e do SEXO. Retire esses motivos das peças de Shakespeare e não restaria nada além de diálogos banais, em nada melhores do que os de um dramaturgo comum. Veja, portanto, que essas emoções criativas podem servir ao objetivo mais elevado na literatura.

O orador talentoso em qualquer campo de atuação dá cor e força magnética às palavras transmutando as emoções do AMOR e do SEXO em entusiasmo e assim transmite sentimentos pela palavra falada. Já ouvi discursos que eram obras-primas no tema e no uso perfeito das palavras, mas não conseguiram transmitir sentimento porque o orador organizou seus pensamentos na cabeça e não no coração. Ele não colocou nenhum sentimento nas palavras porque lhe faltava capacidade emocional ou desconhecia seu uso.

Nenhum autor escreve uma linha sequer sem transmitir ao leitor o estado exato de sua mente, quer escreva com a "cabeça" ou o "coração", e nada consegue impedir o leitor de detectar a presença de emoção ou a falta dela. Talvez o maior exemplo dessa verdade em toda a literatura possa ser encontrada na Bíblia. Ninguém é capaz de ler um único parágrafo da Bíblia sem captar algo da sensação emocional do escritor, embora o significado real às vezes possa estar além da possibilidade da interpretação precisa.

Não existem duas pessoas que tenham interpretado o significado da maior parte do conteúdo da Bíblia exatamente da mesma maneira, mas todo mundo que lê a Bíblia reconhece o poder do sentimento emocional que ela transmite.

Em uma conversa trivial todos transmitem, pela palavra falada, o tom exato de seus sentimentos ou a falta deles, e é assim que os observadores experientes do caráter humano conseguem decifrar o estado real da mente de quem está falando. Como todos nós sabemos, as palavras muitas vezes são utilizadas não para transmitir pensamentos, mas para escondê-los! Portanto, o analista experiente do caráter humano avalia as pessoas não pelas palavras, mas pelo sentimento ou a falta dele, que inconscientemente se transmite com as palavras.

É por esse método que a chamada "intuição" feminina pode distinguir o real do falso nas palavras de afeto de um homem. Quando um homem fala com o "coração" em vez de com a "cabeça", suas palavras carregam uma conotação que nenhuma mulher experiente interpretará errado, mas ela confia no sentimento transmitido pelas palavras e não nas palavras.

Em vista dessas verdades bem estabelecidas, considere o quanto é importante compreender e utilizar deliberadamente o poder da emoção na fala e na escrita, pois é verdade que nenhum homem jamais fala uma palavra ou escreve uma linha sem revelar seus sentimentos ou a falta deles, consciente ou inconscientemente, não importa o que a construção das palavras pretenda transmitir.

P — Se entendi bem, as palavras são coloridas pela natureza das emoções, sejam elas positivas ou negativas.

R — É verdade, mas desejo chamar a atenção para o fato de que emoções negativas como o medo, a inveja e a raiva podem ser controladas e transmutadas em uma força motriz construtiva. É com esse tipo de autodisciplina que as emoções negativas podem ser despidas de seus perigos para servir a fins úteis. Às vezes o medo e a raiva podem inspirar ações nas quais um homem de outra forma não se envolveria, mas todas as ações que surgem de emoções negativas devem passar pela influência modificadora da "cabeça" para que possam ser guiadas para fins construtivos.

P — Deve-se submeter tanto as emoções negativas quanto as positivas à influência modificadora da faculdade do raciocínio, ou à "cabeça", como você falou, antes de se expressar as emoções em ação?

R — Sim, esse é um dos principais objetivos da faculdade do raciocínio. Ninguém jamais deveria, em momento algum, agir conforme as emoções sem antes modificar os impulsos do pensamento, submetendo-os à faculdade do raciocínio. Essa é a principal função da autodisciplina. Como eu disse no início, a autodisciplina consiste de um equilíbrio adequado entre os poderes da "cabeça" e do "coração".

O ego humano, que consiste, como define Webster, do "homem inteiro, considerado como união de alma e corpo", deve ser o juiz cuja influência deve ser o fator determinante quanto às circunstâncias e extensão em que a "cabeça" ou o "coração" devem ter maior influência na formação de planos e tomada de decisões. A autodisciplina então deve incluir um acordo operacional pelo qual o ego possa decidir entre a emoção ou a faculdade de raciocínio no que se refere a todas as expressões de cada uma delas.

Capítulo 9
ORGANIZE SEUS PENSAMENTOS

O tempo é um mestre implacável. Ele obriga tudo e todos a gravitar para o lugar a que pertencem por natureza.

P — Você disse que o nono princípio da realização individual é o pensamento organizado. Afirmou também que ninguém pode assegurar o sucesso sem desenvolver a capacidade de organizar os hábitos de pensamento. Portanto, poderia explicar o significado do termo "pensamento organizado"? Tenho uma ideia geral do que significa, mas gostaria de ter uma declaração detalhada do seu significado — e também uma compreensão clara de como esse princípio pode ser aplicado nos assuntos práticos do cotidiano.

R — Antes de discutir a organização do pensamento, vamos examinar o pensamento em si. O que é pensamento? Nós pensamos com o quê? O pensamento está sujeito ao controle individual?

O pensamento é uma forma de energia distribuída pelo cérebro, mas tem uma qualidade peculiar não encontrada em nenhuma outra forma de energia: tem *inteligência*!

O pensamento pode ser controlado e dirigido para qualquer realização que o homem possa desejar. Na verdade o pensamento é a única coisa sobre a qual qualquer pessoa tem controle completo e incontestável. O sistema de controle é tão completo que ninguém pode entrar na mente de outra pessoa sem consentimento, embora esse sistema de proteção muitas vezes seja tão frouxo que a mente pode ser adentrada à vontade por qualquer pessoa hábil na arte da interpretação do pensamento.

Muita gente não só deixa a mente escancarada para que outros entrem e interpretem seus pensamentos, como divulga voluntariamente a natureza destes pela conduta pessoal, expressões descuidadas ao falar, expressão facial e afins.

P — É seguro deixar a mente aberta para a livre entrada de outros?

R — Tão seguro quanto deixar a porta da própria casa aberta com tudo de valor dentro dela, exceto que a perda de coisas puramente materiais não é nada em comparação com a perda que se pode sofrer por deixar a mente aberta para a entrada de qualquer vadio que deseje entrar e tomar posse.

O hábito de deixar a mente aberta e desprotegida não só permite que outros entrem e se familiarizem com os pensamentos mais íntimos, como permite a entrada de todos os tipos de pensamentos "vadios" emitidos por mentes alheias.

P — Então você acredita que os pensamentos passam de uma mente para outra por telepatia?

R — Aparentemente, esse fato foi confirmado por cientistas, mas tenho provas de sua existência por experiência pessoal. Sim, a mente é constantemente bombardeada pelos impulsos de pensamento liberados pelas mentes dos outros, especialmente aqueles com quem entramos em contato próximo diário. Como já afirmei antes, um trabalhador de mentalidade negativa, ao relacionar-se com outros trabalhadores, vai transmitir seus pensamentos negativos para todas as pessoas ao alcance de sua influência, mesmo que não fale uma palavra ou faça um único movimento que indique seu estado mental. Já vi isso acontecer com tanta frequência que não posso estar errado.

P — E é por isso que você enfatiza tão fortemente a importância da harmonia entre os membros de uma aliança de MasterMind?

R — Essa é uma das principais razões pelas quais enfatizo a importância da harmonia. A "química" do cérebro é tal que o poder mental de um grupo de homens pode ser organizado de maneira a funcionar como uma unidade de força apenas se houver harmonia perfeita entre as mentes dos indivíduos.

P — A aliança de MasterMind parece ser um dos passos importantes para o pensamento organizado, pois nela os homens reúnem sua energia mental, experiência, educação e conhecimento e movem-se em direção a um motivo comum. É essa a ideia certa?

R — Você descreveu a situação perfeitamente. Poderia ter dito que a aliança de MasterMind é o passo mais importante no que se refere ao pensamento organizado, pois isso é verdade. Mas o pensamento organizado começa com a organização dos *hábitos de pensamento* do indivíduo.

Para se tornar um membro efetivo de uma aliança MasterMind um indivíduo deve antes formar *hábitos controlados e definidos de pensamento*! Um grupo de homens trabalhando juntos no MasterMind, sendo que cada um deles controla os próprios *hábitos de pensamento*, representa o pensamento organizado do mais alto nível. Na verdade não existe garantia plena de

ORGANIZE SEUS PENSAMENTOS

harmonia em um grupo de MasterMind a menos que cada membro seja tão autodisciplinado que possa controlar seus pensamentos.

P — Você quer dizer que um indivíduo pode de fato disciplinar-se para controlar a natureza de seus pensamentos?

R — Exatamente, mas lembre-se que se adquire controle sobre os pensamentos mediante a formação de *hábitos de pensamento* definidos. Você sabe, é claro, que os hábitos uma vez formados funcionam automaticamente, sem qualquer esforço voluntário do indivíduo.

P — Mas não é muito difícil forçar a mente a funcionar a partir de hábitos definidos? Como se pode adquirir esse tipo de autodisciplina?

R — Não, a formação de hábitos não é nada difícil. Na verdade a mente está constantemente formando hábitos de pensamento sem o conhecimento consciente do indivíduo, respondendo *a todas as influências que chegam até ela do ambiente cotidiano.*

Com autodisciplina pode-se mudar a ação da mente, da resposta às influências casuais ao seu redor para temas de escolha pessoal. Isso é conseguido estabelecendo na mente um motivo definido, baseado em um objetivo definido, e intensificando o objetivo até ele tornar-se uma obsessão.

Colocado de outra forma, pode-se ocupar a mente com um objetivo tão interessante que não sobre tempo ou oportunidade para se dedicar a outros assuntos. Desse modo formam-se hábitos de pensamento definidos. A mente responde a qualquer estímulo recebido. Quando um homem é impulsionado por um forte desejo de alcançar o sucesso, sua mente responde a esse desejo e forma hábitos de pensamento definidos relacionados à realização desse desejo.

P — Então o pensamento organizado começa com a definição de objetivo?

R — Tudo que o homem conquista começa com a definição de objetivo. Cite um único exemplo, se puder, em que um homem tenha alcançado qualquer forma de sucesso sem um motivo definido, baseado em um objetivo definido, executado mediante um plano definido.

Mas é preciso lembrar que há mais um fator a ser considerado em relação à definição de objetivo. O objetivo deve ser expresso em termos de ação intensa. É aqui que o poder das emoções prova o seu valor. O sentimento de desejo pela realização de um objetivo definido é o poder que dá vida e ação a esse objetivo e influencia a atuação por iniciativa própria.

Para garantir resultados satisfatórios, o objetivo definido deve assumir proporções obsessivas e ser apoiado por um *desejo ardente* de realização.

Desejos desse tipo tomam posse plena da mente e a mantêm tão ocupada que ela não tem nenhuma inclinação ou oportunidade de distrair-se com pensamentos dispersos liberados pela mente dos outros.

P — Acredito ter entendido o que você quer dizer. Por exemplo, um jovem apaixonado não tem dificuldades em manter a mente focada no objeto de seu amor, e não raro sua mente encontra meios de induzir uma resposta da mulher amada à sua afeição. Nesse tipo de circunstância não temos dificuldade em formar *hábitos de pensamento controlado*.

R — Foi um bom exemplo. Agora, considere outro tipo de finalidade, como, por exemplo, o desenvolvimento de um negócio ou profissão, a obtenção de uma posição definida ou a acumulação de dinheiro, e você terá uma ideia de como esses fins são obtidos a partir do desejo obsessivo de realização.

P — Mas geralmente não é possível desenvolver pelas coisas materiais o mesmo tipo de desejo emocional que se experimenta no amor.

R — Claro que não, mas existem outras emoções com as quais se pode estimular o desejo por coisas materiais. Estude as nove motivações básicas e você vai observar que qualquer tipo de desejo é emocional por natureza. Existe o desejo de riquezas materiais, bastante universal e bem-desenvolvido na maioria das pessoas, o desejo de expressão pessoal, que leva à fama e ao reconhecimento, o desejo de autopreservação e o desejo de liberdade do corpo e da mente.

Todas as emoções, incluindo, é claro, a emoção do amor, podem ser convertidas para a realização de qualquer fim desejado. O desejo de acumulação de riqueza material pode, por exemplo, ser combinado com o amor pela mulher escolhida, de maneira que o desejo de dinheiro seja associado ao desejo de proporcionar à amada o conforto que o dinheiro pode comprar. Em tal circunstância poderia haver um motivo duplo para a acumulação de dinheiro.

P — Entendi. Na verdade é possível ser influenciado por todos os sete motivos positivos como força motriz por trás do objetivo principal de vida, não é?

R — Sim, pelos sete motivos positivos e, mediante a transmutação da emoção, pelos dois motivos negativos também. Você sabe, é claro, que qualquer emoção, seja ela positiva ou negativa, pode tornar-se uma inspiração para a ação que pode ser direcionada para a realização de qualquer fim desejado. O motivo do medo, por exemplo, com frequência serve como uma

ORGANIZE SEUS PENSAMENTOS

poderosa inspiração para a ação. Para beneficiar-se dele, é preciso apenas controlar os *hábitos de ação* até que se tornem automáticos.

P — Quer dizer que os hábitos funcionam de forma voluntária, sem qualquer esforço do indivíduo?

R — Sim, é exatamente isso o que qualquer hábito faz quando se torna fixo.

P — Você diz "quando se torna fixo". O que fixa um hábito? Como proceder para tornar um hábito permanente?

R — Os hábitos são fixados por alguma lei desconhecida da natureza que faz com que os impulsos do pensamento sejam assumidos pela mente subconsciente e voluntariamente executados. Essa lei não produz hábitos, só os fixa para que operem automaticamente. O indivíduo começa o hábito, repetindo um pensamento ou um ato físico. Depois de um tempo (dependendo do sentimento colocado no pensamento), os hábitos do pensamento são assumidos e seguidos voluntariamente.

P — Então a formação de hábitos é algo que um indivíduo pode controlar?

R — Oh, sim! E deixe-me lembrar que o controle da formação de hábitos é uma parte importante do *pensamento organizado*. Se ignorar esse fato, você vai perder a parte mais importante desta entrevista. Veja bem, um indivíduo pode estabelecer qualquer tipo de hábito que escolher, praticá-lo por um tempo, da mesma maneira que se praticam exercícios físicos, e após esse período o hábito ficará perpetuado automaticamente, sem a necessidade de atenção consciente.

P — E você diz que alguma lei desconhecida da natureza fixa os hábitos para que se perpetuem?

R — Isso é um fato estabelecido. É um dos fatos mais importantes em todo o campo dos fenômenos mentais, pois é literalmente o meio pelo qual um indivíduo pode *tomar posse da própria mente!* Pense nisso antes de continuar e lembre-se de que quem descobrir o segredo de como a natureza fixa os hábitos do homem terá feito uma contribuição estupenda para a ciência — uma contribuição talvez maior que a de Newton, que descobriu a lei da gravidade.

Quando a descoberta for feita, se é que algum dia será feita, talvez seja revelado que a lei que fixa os hábitos dos homens e a lei da gravidade estão intimamente relacionadas, se não forem na realidade a mesma coisa.

(Essa observação de Andrew Carnegie plantou uma semente na mente de seu protegido que trinta anos mais tarde produziu a revelação da lei da força cósmica do hábito, a ser descrita em um capítulo posterior.)

P — Sua hipótese me intriga! Poderia elaborá-la?

R — Não muito. A pergunta me faz lembrar de uma história que ouvi. Depois de pregar um sermão de duas horas sobre "pecados", um pastor negro foi solicitado a aprofundar o assunto por um membro de seu rebanho. "Bem", disse o reverendo, "pecado é o que mais temos e sobre o que menos sabemos!".

Tudo que sabemos ao certo sobre o hábito é o fato de que qualquer pensamento ou ato físico que se repete tende a perpetuar-se por meio de uma força que prossegue com o hábito automaticamente. Sabemos que os hábitos podem ser alterados, modificados ou eliminados por completo pelo simples ato de adotar voluntariamente hábitos opostos de natureza mais forte.

Por exemplo, o hábito da procrastinação (pelo qual todo mundo é mais ou menos atormentado) pode ser dominado estabelecendo-se hábitos definidos ou iniciativa imediata com base em um motivo suficientemente forte para assegurar a influência dominante dos novos hábitos na mente até que se tornem automáticos. Assim, você vê que *motivo* e *hábito* são irmãos gêmeos! Quase todo hábito que se adota voluntariamente é resultado de um motivo ou objetivo definido.

Veja, portanto, que se pode estabelecer qualquer hábito desejado ou eliminar um indesejável aplicando autodisciplina suficiente até que se torne automático. Se os hábitos não são fixados voluntariamente, desenvolvem-se sem ajuda consciente. É dessa forma que os hábitos mais indesejáveis são formados.

P — É óbvio então que a autodisciplina é uma ferramenta necessária na formação deliberada de hábitos?

R — *Autodisciplina* e *pensamento organizado* são quase sinônimos. Não pode haver pensamento organizado sem autodisciplina rigorosa, afinal de contas, o pensamento organizado nada mais é do que pensamento cuidadosamente escolhido. *Hábitos de pensamento* só podem ser estabelecidos com autodisciplina rigorosa. O motivo ou desejos obsessivos tornam a autodisciplina muito fácil. Não é difícil formar hábitos de pensamento quando se tem um motivo definido apoiado por um forte desejo de realização do objeto do motivo.

ORGANIZE SEUS PENSAMENTOS

P — Você quer dizer que é fácil formar hábitos de pensamento relacionados a assuntos pelos quais se tem vivo interesse pessoal?

R — Essa é a ideia. O procrastinador fica à deriva na vida, um fracassado, pois não tem motivo obsessivo para fazer nada em particular. Seu pensamento não é organizado porque ele não escolheu nenhuma área específica para o planejamento organizado.

P — Poderia descrever brevemente os principais benefícios do pensamento organizado do ponto de vista do homem que deseja fazer o melhor uso de seu tempo e capacidade?

R — Os benefícios são tão numerosos que é difícil decidir por onde começar ou onde parar, mas algumas das vantagens mais óbvias desse hábito são as seguintes:

a. O pensamento organizado capacita o indivíduo a se tornar mestre de sua mente pelo treinamento da faculdade de controle das emoções, ligando-as ou desligando-as de acordo com as circunstâncias.

b. O pensamento organizado força a trabalhar com definição de objetivo, permitindo assim a criação de um hábito que impede a procrastinação.

c. Desenvolve o hábito de trabalhar com planos definidos em vez de avançar aos trancos e barrancos pelo método de tentativa e erro.

d. Permite o estímulo da mente subconsciente para mais ação e resposta mais imediata na consecução dos fins desejados, em vez de permitir que responda aos pensamentos "vadios" e às influências destrutivas do ambiente.

e. Desenvolve a autossuficiência.

f. Dá o benefício do conhecimento, experiência e educação de outros por meio da aliança de MasterMind, que é um importante método usado por todos os pensadores aptos.

g. Permite converter os esforços em mais recursos materiais e maior renda, uma vez que uma mente organizada pode produzir mais do que uma não organizada.

h. Desenvolve o hábito da análise precisa, pelo qual se pode encontrar a solução para problemas em vez de preocupar-se com eles.

i. Ajuda na manutenção da boa saúde, pois o poder mental organizado e dirigido para a conquista dos fins desejados não tem tempo para desperdiçar com autopiedade ou doenças imaginárias. Mentes ociosas tendem a desenvolver corpos enfermos.

j. Por último, mas não menos significativo, o pensamento organizado leva à paz mental e àquela forma de felicidade permanente só conhecida pelo homem que mantém sua mente totalmente ocupada. Ninguém pode ser feliz ou bem-sucedido sem um *programa planejado* de uso do tempo. Programas planejados são baseados no pensamento organizado.

Como já disse antes, o cérebro é como uma espécie de jardim fértil, onde crescerá uma bela safra de ervas daninhas se não for organizado e mantido ocupado com o cultivo de plantas mais desejáveis. As ervas daninhas representam os pensamentos dispersos que tomam posse da mente desorganizada e ociosa, como resultado do ambiente cotidiano.

Estude essa lista de benefícios com cuidado e vai chegar à conclusão de que qualquer um deles oferece recompensa suficiente para justificar todo o esforço necessário para organizar os hábitos de pensamento. A soma total desses benefícios representa a diferença entre sucesso e fracasso. O sucesso é sempre resultado de uma vida ordenada, e uma vida ordenada decorre do pensamento organizado e de *hábitos cuidadosamente controlados*.

P — A partir do que você disse, entendo que trabalho e pensamento organizado estão essencialmente relacionados.

R — Nada pode substituir o trabalho como parte do pensamento organizado. Veja bem, trabalho é pensamento transformado em ação física! O pensamento organizado nunca poderá se tornar um hábito até ser expresso em algum tipo de ação.

P — Você afirmou que o pensamento organizado começa com a adoção de um objetivo definido, que o objetivo deve ser seguido de um plano, expresso em ação até que a ação se torne um hábito. Poderia explicar se é possível trabalhar de forma eficaz em um plano de ação relacionado a uma atividade da qual não se gosta?

R — Um homem sempre será mais eficiente quando se dedicar ao tipo de trabalho de que mais gosta. Por isso ele deve escolher seu próprio objetivo principal de vida. As pessoas que passam a vida à deriva, trabalhando no que não gostam simplesmente porque precisam de uma renda, raramente obtêm mais do que o necessário para a sobrevivência. Esse tipo de serviço não inspira um desejo obsessivo pelo trabalho. Uma das tragédias da civilização é não ter encontrado uma maneira de oferecer a cada pessoa o tipo de trabalho que ela mais gosta de fazer, pois esse tipo de trabalho nunca é penoso.

ORGANIZE SEUS PENSAMENTOS

P — Então seria apropriado dizer que o pensamento organizado é mais eficaz quando um homem atua com um motivo definido no desempenho do trabalho de sua escolha, em condições que o inspiram a transformar o trabalho em um desejo obsessivo?

R — Seria uma maneira de descrever a situação. Você vai observar, quando começar a analisar homens que venceram e que fracassaram, que os bem-sucedidos sempre estão envolvidos na atividade que gostam de realizar. Horas não significam nada para eles, que consideram a alegria no trabalho uma parte importante, talvez a mais importante, da sua compensação.

P — Você acha que um dia a sociedade organizada encontrará um jeito de permitir que todos façam o que mais gostam de fazer?

R — Acredito que sim, porque esse tipo de sistema não seria só econômico, mas também acabaria com grande parte dos mal-entendidos entre empregadores e empregados. O homem envolvido com o que gosta vale muito mais do que aquele que realiza um trabalho do qual não gosta, não importa em que faixa salarial.

P — Não é responsabilidade dos empregadores encontrar uma maneira de encaminhar todos os trabalhadores para o tipo de tarefa de que mais gostam?

R — Talvez seja, mas nosso sistema industrial atual não torna isso uma tarefa fácil. Há apenas um certo número de vagas para cada tipo de trabalho em uma empresa ou indústria, e geralmente os homens gostam mais daquelas atividades com o menor número de postos disponíveis.

A solução desse problema exigirá um sistema de emprego otimizado, que permita aos empregadores selecionar pessoas adequadas para cada trabalho específico em relação à sua habilidade natural, treinamento e preferência por cargo. Também exigirá um sistema diferente de compensação, que dê às pessoas uma oportunidade de ganhar mais dinheiro ao realizar o trabalho menos desejado, estabelecendo assim um motivo para se dedicarem.

P — Posso ver que a análise desse tema nos coloca em maus lençóis. Parece que a solução do problema deve começar enquanto o indivíduo está sendo educado, com um sistema que o prepare para realizar a atividade de sua escolha. Então, todas as instituições de ensino devem coordenar esforços de maneira tal que não formem muitos homens para determinados tipos de trabalho e poucos para outros tipos. Isso exigiria uma pesquisa periódica dos negócios, da indústria e das profissões, para permitir que as instituições de ensino determinassem quantos homens de cada formação poderiam ser absorvidos pelo mercado de trabalho.

R — Sim, o sistema teria que ser conduzido de outra maneira. Neste momento, por exemplo, as escolas estão formando mais médicos, professores e advogados do que o necessário nesses campos, e o resultado é que alguns terão dificuldade em ganhar a vida.

P — A partir de sua análise, deduzo que o *pensamento organizado* deve começar pelos envolvidos no campo educacional e no gerenciamento de indústrias e negócios.

R — São alguns dos lugares por onde se deve começar, mas não se esqueça de que o hábito do pensamento organizado é também uma responsabilidade individual, e o indivíduo que o negligencia deve aceitar da vida o que receber. As melhores coisas da vida acabam sempre com os homens que formam hábitos de pensamento organizado. Sempre foi assim e sempre será. Pensar construtivamente é uma responsabilidade que ninguém pode delegar a outro. É uma *responsabilidade individual*.

P — Já que o pensamento organizado é uma responsabilidade individual, deve haver um ponto de partida para começar a adquirir a capacidade de organizar o pensamento e pelo menos algumas regras simples a seguir. Você poderia citar algumas dessas regras?

R — A primeira coisa que se deve reconhecer a fim de se tornar um pensador preciso é o fato conhecido de que o poder com o qual pensamos é "dinamite mental", que pode ser organizada e utilizada de forma construtiva para a obtenção de determinados fins, mas que, se não for organizada e utilizada com hábitos controlados, pode se tornar um "explosivo mental" que literalmente explodirá todas as esperanças de realização e levará ao fracasso inevitável.

Colocando de outra maneira, deve-se reconhecer que o poder do pensamento é provavelmente uma parte projetada da Inteligência Infinita, mas cada indivíduo recebeu o privilégio de apropriar-se desse poder e utilizá-lo para a realização dos fins de sua escolha e que o meio de apropriação e controle são os *hábitos voluntários!*

Não se pode controlar a Inteligência Infinita, mas pode-se controlar os hábitos mentais e físicos e assim, indiretamente, apropriar-se da Inteligência Infinita e utilizá-la, pois ela fixa os hábitos e os torna permanentes e automáticos em sua operação.

Em seguida, o pensador preciso deve aprender a aproveitar fontes seguras de informação, onde vai obter fatos confiáveis de que precisa ligados ao pensamento organizado. Conjecturas e desejos esperançosos (as fontes mais comuns de informação para a maioria das pessoas) jamais podem suplantar as fontes de fatos precisos.

É aqui que o MasterMind torna-se indispensável, uma vez que permite ao indivíduo suplantar o seu estoque de conhecimento com o conhecimento, educação, experiência e habilidade natural de todos os outros membros da aliança. Escolhendo os aliados de MasterMind com sabedoria, assim como fazem os maiores líderes empresariais e industriais, pode-se ter sob comando as fontes mais confiáveis de conhecimento que a educação escolar e a experiência humana têm a oferecer. Assim, na atividade de pensar, planejar e organizar, pode-se ter não apenas o próprio cérebro para orientar, mas o cérebro de cada um dos membros do MasterMind.

Não há como escapar do fato de que a formação de uma aliança de MasterMind é um dos passos mais importantes para organizar o pensamento; a evidência disso pode ser encontrada no fato de que todas as pessoas bem-sucedidas estão de alguma forma aliadas com outras, cujo conhecimento usam livremente. Sem essa aliança não pode haver pensamento organizado eficaz, pois um cérebro (não importa o quão capaz ele seja) nunca é completo por si.

Quando dizemos que a esposa de um homem é sua "cara-metade", geralmente estamos expressando muito mais verdade do que imaginamos, pois é fato bem conhecido que a mente de homem algum está completa sem uma aliança harmoniosa com a mente de uma mulher. Portanto, todo homem deve incluir pelo menos uma mulher em sua aliança de MasterMind.

Quando as mentes de um homem e uma mulher são combinadas em espírito de harmonia, a aliança entra em sintonia com o chamado "poder espiritual" e se apropria de uma proporção muito maior dele do que qualquer um dos dois poderia apropriar-se ao operar de forma independente. O homem que ignorar essa verdade sofrerá perda irreparável do poder potencial de sua mente, pois não há nada que possa substituir o poder espiritual.

Não posso dizer o que é realmente o "poder espiritual", mas presumo que seja simplesmente um volume maior de Inteligência Infinita do que o disponível quando a sensação que descrevemos como "espiritual" não está presente.

Certas emoções elevam as pessoas a esse sentimento sublime, como o amor e a fé. Quando a mente é estimulada por esse sentimento sublime, a faculdade da imaginação torna-se mais alerta, as palavras têm uma influência magnética que as torna impressionantes, o medo e a autolimitação desaparecem e o indivíduo atreve-se a realizar tarefas que sequer seriam cogitadas quando a mente estava apenas sob o estímulo dos processos puramente mentais do entusiasmo e do desejo.

P — Quer dizer que uma pessoa pode associar-se com outras pelo MasterMind de maneira tal que pode elevar-se acima dos processos normais de operação mental e colocar-se sob a influência do poder conhecido como espiritual? E isso também faz parte do pensamento organizado?

R — Exatamente! O termo "pensamento organizado" significa tudo que as duas palavras conotam, ou seja, pensamento baseado em todas as vantagens conhecidas, todos os estimulantes mentais conhecidos, todas as fontes conhecidas de conhecimento preciso e nas formas mais elevadas de capacidade, seja capacidade inata ou adquirida, individual ou disponível a partir da mente de outros.

P — Perdoe meu tom aparentemente jocoso, mas a partir do que você acabou de dizer, um homem altamente qualificado como pensador organizado é uma espécie de super-homem!

R — Para ser sincero, você está correto! E fico contente em saber que você enfim captou o pleno significado do que estou tentando dizer, ou seja, que o poder do pensamento é uma força irresistível, que não tem limites a não ser aqueles impostos pelo próprio indivíduo, seja por falta de compreensão das possibilidades do poder do pensamento ou por falta de conhecimento sobre como organizar, aproveitar e abastecer esse poder.

P — E o homem que adquire grande conhecimento graças ao pensamento organizado, mas usa esse poder de forma injusta, para obter vantagens sobre os outros? Não é perigoso ensinar aos homens como se tornar super-homens, tendo em vista que alguns têm grande capacidade de usar a mente, mas não têm um senso bem fundamentado da obrigação moral para com os outros?

R — Um Criador onisciente previu tal circunstância; evidência disso pode ser encontrada no fato de que o homem que utiliza seu poder mental para prejudicar ou destruir outras pessoas logo elimina a si mesmo pela perda de seu poder, e o Criador também determinou muito sabiamente que esse tipo de poder não pode ser transmitido por hereditariedade física. *É um poder que cada indivíduo deve adquirir por si, ou não se torna privilegiado para beneficiar-se dele.*

Recue na história, examine os registros daqueles que se empenharam em se tornar conquistadores do mundo e observe o que aconteceu com eles! Nero, Alexandre, o Grande, Júlio César, Napoleão Bonaparte e outros de determinação semelhante fizeram grandes progressos para dominar o mundo, mas veja o que aconteceu com eles e suas realizações. Nenhum alcançou o objetivo, nenhum transmitiu aos seguidores qualquer meio pelo qual suas conquistas pudessem ser mantidas; esses líderes egoístas transmitiram aos seguidores uma maldição que destruiu tudo o que haviam conquistado.

Aplique o princípio onde quiser, em qualquer período da civilização, e observe que o efeito é o mesmo. Somente os ganhos de homens que usaram seu poder mental beneficamente foram preservados. Estude os ganhos obtidos por Jesus de Nazaré, por exemplo, e observe que, apesar de terem sido ínfimos durante sua vida, resistiram e espalharam-se por dezenove séculos, até a influência do cristianismo ser hoje uma força reconhecida em todas as partes do mundo.

Não se preocupe com o homem que usa o poder da sua mente em detrimento de outros, pois ele escolheu seu destino pela natureza de seus atos. Se ele não for eliminado antes, será dentro de setenta anos, a idade média que os homens vivem. A tendência da civilização é ascendente e, mesmo que a linha oscile para cima e para baixo em determinados períodos, move-se eternamente para cima como um todo. Os homens sábios reconhecem essa verdade e adaptam-se a ela.

P — Concordo com o que você disse, mas há tão poucos homens sábios! O mundo parece repleto de pessoas que ou não reconhecem as vantagens de relacionar-se com os outros de maneira prestativa ou grosseiramente recusam-se a fazê-lo, acreditando que são inteligentes o suficiente para fazer as próprias regras da vida e se dar bem com elas. O que deve ser feito com ou para essas pessoas? Não devem ser ensinadas ou obrigadas a entrar em conformidade com as regras do relacionamento humano decente?

R — Sim, elas são obrigadas a conformar-se em certa medida. Praticamente todas as leis do homem são evidência do reconhecimento da necessidade de um meio de contenção. Se todos entendessem e respeitassem as leis da natureza não haveria necessidade das leis do homem. Mas a força não é suficiente para colocar os homens a par das leis da natureza. A educação também é necessária. Por isso você foi escolhido para organizar a filosofia da realização pessoal. Aqui você tem os motivos e os incentivos necessários, na forma de promessa de benefícios individuais, para influenciar as pessoas a aplicar a filosofia de forma voluntária. Esse tipo de esforço é muito superior àquele produzido pela força. *Os homens fazem melhor o que eles desejam fazer!*

Capítulo 10

APRENDA COM A DERROTA

*A mais benéfica de todas as preces é aquela que oferecemos como
expressão de gratidão pelas bênçãos que já recebemos.*

Dois fatos importantes da vida se destacam audaciosamente!

O primeiro é o fato de que as circunstâncias da vida são tais que
todo mundo inevitavelmente é atingido pela derrota de muitas maneiras
diferentes, em um momento ou outro. O segundo é o fato de que *todas as
adversidades trazem consigo a semente de um benefício equivalente!*

Procure onde quiser, mas você não encontrará uma única exceção
a esses dois fatos, seja na sua experiência ou nas experiências de outros.
Portanto, o objetivo deste capítulo é descrever como a derrota pode
produzir "a semente de um benefício equivalente", como convertê-la em
um trampolim para uma realização maior, e mostrar que não é necessário
aceitar a derrota como desculpa para o fracasso.

P — Você disse em entrevistas anteriores que não existem limitações para
a capacidade mental, exceto aquelas que o indivíduo define em sua mente,
e explicou que a derrota pode ser convertida em um bem de valor inestimável se a atitude correta for tomada diante dela. Poderia explicar qual é
a atitude correta?

R — Antes de mais nada, deixe-me dizer que a atitude correta diante da
derrota é recusar-se a aceitá-la como mais do que um evento temporário, e
essa é uma atitude que pode ser melhor mantida desenvolvendo-se a força
de vontade, que enxerga a derrota como um desafio para testar a coragem.
Esse desafio deve ser aceito como um sinal emitido deliberadamente para
informar que os planos precisam de ajuste.

A derrota deve ser encarada exatamente da mesma forma que se
aceita a desagradável experiência da dor física, pois é óbvio que a dor física
é a maneira da natureza informar que algo precisa de atenção e correção.
Dor, portanto, pode ser uma bênção e não uma maldição!

O mesmo se aplica à angústia mental experimentada ao se enfrentar
uma derrota. Por mais desagradável que seja, o sentimento é benéfico, pois
serve de sinal para impedir que se siga na direção errada.

APRENDA COM A DERROTA

P – Entendo sua lógica, mas a derrota às vezes é tão dura que tem o efeito de destruir a iniciativa própria e a autoconfiança. O que deve ser feito em tal circunstância?

R – É aqui que a autodisciplina vem em auxílio. A pessoa disciplinada não permite que nada destrua sua crença em si mesma nem a impeça de reorganizar os planos e avançar. Ela muda os planos, se eles precisam de mudança, mas não o objetivo. A pessoa que dominou o princípio do pensamento organizado sabe que a força de vontade é igual a todas as circunstâncias da vida e não permite que nada destrua sua *vontade de vencer*.

P – Presumo que a derrota deva ser aceita como uma espécie de tônico mental que pode servir para estimular a força de vontade.

R – Sua afirmação está correta. Como eu disse anteriormente, todas as emoções negativas podem ser transformadas em um poder construtivo e utilizadas para a realização dos fins desejados. A autodisciplina permite transformar emoções desagradáveis em uma força motriz e, cada vez que isso é feito, ajuda a desenvolver a força de vontade.

Você deve lembrar também que o subconsciente aceita e age com base na "atitude mental". Se a derrota é aceita como permanente em vez de ser vista como mero estimulante para uma ação maior, a mente subconsciente age em conformidade e a torna permanente.

Veja, portanto, como é importante formar o *hábito* de procurar pelo bem que existe em todas as formas de derrota. Esse procedimento é o melhor tipo de treinamento da força de vontade e serve ao mesmo tempo para colocar o subconsciente em ação a seu favor.

P – Sim, claro! Quer dizer que o subconsciente leva a atitude mental até a sua conclusão lógica, independentemente da natureza da circunstância que o coloca em ação.

R – Sim, mas você não descreveu a situação por completo. O subconsciente sempre responde aos pensamentos dominantes na mente. Além disso, adquire o hábito de agir rapidamente sobre os pensamentos que se repetem com mais frequência. Por exemplo, se alguém cria o hábito de aceitar a derrota como circunstância negativa, o subconsciente comete o mesmo erro e forma hábitos semelhantes. É por isso que enfatizo a importância dos *hábitos controlados*.

A atitude mental em relação à derrota torna-se eventualmente um hábito, e esse hábito deve ser controlado caso queira-se adquirir a capacidade de encarar a derrota como algo útil em vez de negativo. Você com certeza já conheceu homens e mulheres que parecem aceitar a derrota automaticamente e também aqueles que ficam confinados ao pessimismo.

P — Entendi o que você quer dizer. A "semente de um benefício equivalente" encontrada em todas as adversidades consiste na oportunidade de usar a experiência como meio de desenvolver a força de vontade, aceitando-a como um estimulante mental para uma ação maior. É essa a ideia?

R — Isso resume em parte a ideia, mas você esqueceu de dizer que, ao aceitar a derrota com uma atitude mental positiva, o subconsciente é influenciado a formar o hábito de fazer a mesma coisa. Com o tempo, esse hábito torna-se permanente, e então o subconsciente vai relutar em considerar qualquer experiência de outra forma que não seja positiva. Em outras palavras, o subconsciente pode ser treinado para converter todas as experiências negativas em um impulso de inspiração para um esforço maior. Esse é o ponto que eu gostaria de enfatizar.

P — Aparentemente não há como escapar da lei que fixa os hábitos. Se entendi corretamente, o fracasso pode tornar-se um hábito.

R — Não apenas o fracasso pode tornar-se um hábito: a mesma regra aplica-se à pobreza, preocupação e pessimismo de qualquer natureza. Qualquer estado mental, seja positivo ou negativo, torna-se um hábito no momento em que começa a dominar a mente.

P — Nunca pensei na pobreza como um hábito.

R — Então deve pensar melhor, pois é um hábito! Quando alguém aceita a condição de pobreza, esse estado mental torna-se um hábito, e o pobre continua sendo pobre.

P — O que você quer dizer com "aceitar a pobreza"? Como pode alguém aceitar uma condição tão indesejável como a pobreza num país como o nosso, onde há uma abundância de riquezas de toda natureza?

R — Um homem *aceita* a pobreza descuidando a criação de um plano para adquirir riquezas. Seu gesto pode ser, como costuma ser, totalmente negativo, consistindo em nada mais do que falta de um objetivo definido. Ele pode não estar consciente da aceitação, mas o resultado é o mesmo. A mente subconsciente age sobre a "atitude mental" dominante.

P — Pelo que você diz sobre hábitos, chego à conclusão de que o sucesso é um hábito.

APRENDA COM A DERROTA

R — Agora você está captando a ideia! Claro que o sucesso é um hábito. É um hábito que forma-se pela adoção de um objetivo principal definido, apoiado por um plano para a realização desse objetivo, e colocando-se o plano em ação com todo o empenho. Daí em diante, o subconsciente entra em ação e ajuda, inspirando com ideias para o objetivo poder ser alcançado.

P — É verdade então que quem nasce em meio à pobreza, onde não vê nem ouve nada além de assuntos relacionados à pobreza e convive diariamente com pessoas que a aceitaram, tem "dois baques" de saída.

R — Precisamente. Mas não presuma que não há nada a se fazer em tais circunstâncias, pois é bem sabido que a maioria das pessoas bem-sucedidas dos Estados Unidos começou exatamente sob as condições que você descreveu.

P — O que se pode fazer para superar essa situação que coloca a maioria das crianças em condição de pobreza em um país como o nosso, onde há o suficiente para todos? Ninguém é responsável em ajudar a corrigir essa situação? As crianças indefesas devem ficar entregues a seu destino simplesmente porque escolheram o ambiente errado onde nascer?

R — Agora você está percebendo o verdadeiro motivo que eu tinha em mente quando lhe atribuí a tarefa de organizar a filosofia da realização pessoal, e estou feliz em vê-lo falar com entusiasmo sobre esse assunto vital. O que me proponho a fazer sobre a pobreza estou fazendo agora, preparando-o para ajudar as pessoas a vencê-la.

Como já disse, estou doando o dinheiro que acumulei, mas esta não é a solução do problema que você mencionou. O que as pessoas precisam não é de doação em dinheiro, *mas* de doação de conhecimento com o qual possam se tornar autodeterminadas, incluindo não só a acumulação de dinheiro, mas a questão mais importante, que é aprender como encontrar a felicidade nas relações com os outros.

Os Estados Unidos são o país mais desejável que a civilização já criou, mas há muito trabalho ainda a ser feito antes de virar o paraíso na terra que pode se tornar. *Paraíso e pobreza não se misturam!* A alma dos homens não pode evoluir enquanto o estômago está vazio.

A marcha do progresso humano não pode ser rápida se a maioria das pessoas sofre com complexos de inferioridade oriundos do medo da pobreza. E posso também afirmar que não pode haver felicidade duradoura para os poucos que têm riqueza enquanto a maioria de seus vizinhos não tem nem o suficiente para suprir as necessidades mínimas da vida.

Não conclua erroneamente que estou defendendo um sistema socialista no qual todos nós dividiremos nossos bens com os vizinhos. Isso não mudaria a condição de pobreza, pois você deve lembrar que *pobreza é um estado mental, um hábito*! Doações materiais nunca salvarão ninguém da pobreza.

O lugar para começar a mudar a pobreza é na mente individual, inspirando cada um a usar sua mente para se tornar criativo, para prestar um serviço útil em troca do que deseja. Esse tipo de doação não prejudica ninguém e é precisamente o que você vai dar ao povo americano.

P – Então você acredita que um homem não pode tirar o máximo proveito da riqueza material a menos que faça por merecê-la.

R – Claro! O maior objetivo do ser humano é o estado mental conhecido como felicidade. Nunca ouvi falar de alguém que tenha alcançado a felicidade plena exceto mediante *alguma forma de ação pessoal em benefício de outros*. Veja bem, a acumulação de riqueza, se feita no espírito certo, não só permite ao homem suprir suas necessidades e luxos, como proporciona felicidade em suas atividades.

Faz parte da natureza humana desejar construir, criar e satisfazer a expressão pessoal, possuir riqueza material além das necessidades reais da vida e alcançar a felicidade na proporção do serviço realizado.

P – Você está me colocando em uma situação difícil, mas compreendo a solidez de seu ponto de vista. Quer dizer que a posse de coisas materiais não pode, por si só, trazer a felicidade, mas o uso dessas coisas pode. É essa a sua crença?

R – Não é mera crença minha, é fato! Tenho a obrigação de saber porque já estive dos dois lados. Comecei na pobreza e construí meu caminho até a riqueza. Portanto, falo por experiência quando digo que as riquezas reais não consistem em coisas materiais, mas no uso que se dá às coisas materiais. É por isso que estou me desfazendo da maior parte de minha riqueza material. Mas lembre-se: não estou doando para indivíduos, estou investindo onde ela possa inspirar as pessoas a ajudarem a si mesmas.

P – Então é sua intenção fornecer ao povo americano uma filosofia prática que ajude a adquirir riquezas da mesma forma que você adquiriu, por meio do próprio esforço?

R – Essa é a única maneira segura de se adquirir qualquer coisa!

Meu objetivo é oferecer ao povo americano uma filosofia que o torne ciente do sucesso. Que eu saiba, essa é a única maneira possível de controlar a consciência da pobreza que você mencionou antes. Ela com certeza não pode ser eliminada por nenhum sistema de doação de coisas materiais.

Esse tipo de sistema só iria amolecer as pessoas e torná-las mais dependentes. O que esta nação precisa é de uma filosofia semelhante à dos pioneiros que fundaram o país, uma filosofia de autodeterminação, que dê a todos um incentivo para adquirir riqueza por si e um meio prático de realizar esse fim.

P — Quer dizer que você não acredita em caridade?

R — Com certeza acredito em caridade, mas não ignore o fato de que a mais sólida de todas as formas de caridade é aquela que ajuda o homem a cuidar de si. Esse tipo de ajuda começa auxiliando-o a organizar a mente.

Todas as mentes normais têm dentro de si a semente tanto do sucesso quanto do fracasso. Minha ideia de caridade é um sistema que encoraje o crescimento da semente do sucesso e desencoraje o crescimento da semente da derrota. Acredito em doações pessoais de coisas materiais apenas quando os indivíduos são incapazes, por deficiência física ou mental, de cuidar de si.

Mas muitas vezes cometemos erros nesse tipo de caridade, agraciando a deficiência física com doações e ignorando as possibilidades de incentivar os fisicamente incapacitados a começar a utilizar suas mentes.

Conheço muitas pessoas cujos males físicos são suficientes para justificar que esperem caridade, mas elas recusam essa ajuda, pois encontraram maneiras de ganhar a vida usando a mente. Dessa forma, escapam da humilhação de aceitar a ajuda dos outros.

P — Mas você acredita na manutenção de asilos para indigentes e idosos que são incapazes de se sustentar, não é verdade?

R — Não! Absolutamente não! A própria palavra "asilo" tem conotações que levam ao desenvolvimento de complexo de inferioridade. Mas acredito em um sistema de compensação para os idosos e indigentes, desde que permita ao indivíduo viver sua vida no ambiente de sua preferência.

A melhor maneira de lidar com esses casos é mediante um sistema cuidadosamente supervisionado de subsídio mensal ou semanal que permita ao indivíduo manter seu ambiente doméstico. Não acho que o sistema deva restringir-se a simplesmente doar dinheiro. Deve proporcionar alguma forma de atividade mental quando o indivíduo é mentalmente apto, mesmo que seja apenas leitura.

A maior de todas as maldições é aquela que priva a pessoa de "alimento mental" e a condena à ociosidade eterna. Nunca ouvi falar de um homem que vá se "aposentar" sem ter sentido pena dele, pois sei que o homem não foi feito para permanecer inativo enquanto tem uma mente pensante. Sei também que nenhuma pessoa ociosa é feliz.

P — Então você não acredita no sistema carcerário que priva as pessoas da liberdade sem proporcionar oportunidade construtiva adequada para usarem sua mente e corpo?

R — Não, eu não! Tal sistema é brutal, e não deixa de ser só porque alguns homens têm tendências criminosas e não são dignos de confiança. Todas as prisões deveriam proporcionar ampla atividade, tanto para o corpo quanto para a mente dos prisioneiros. Homens não podem ser recuperados com castigos ou ócio.

A recuperação só decorre de atividades devidamente orientadas, pela força se necessário, que resultam no desenvolvimento do tipo certo de hábitos. A maldição do nosso sistema carcerário é ser geralmente conduzido como forma de "punição" e não como um sistema de *recuperação*! Se quiser recuperar um homem, você deve alterar seus *hábitos de pensamento*. E isso se aplica àqueles que estão fora da prisão tanto quanto àqueles que estão dentro.

Existem milhões de pessoas em uma prisão imaginária, e não foram acusadas de nenhum crime. São prisioneiras da própria mente, lá mantidas por limitações autoimpostas, pela aceitação da pobreza e da derrota temporária. É esse tipo de prisioneiro que espero libertar com a filosofia da realização pessoal.

P — Nunca tinha pensado em homens livres como prisioneiros, mas, a partir da sua análise, vejo que são muitos.

R — E a pior parte é que milhões desses infelizes são crianças que nasceram em tal prisão. Crianças que não pediram para vir ao mundo, mas encontram-se aqui, em uma prisão tão rígida e tão mortal quanto qualquer outra construída com barras de ferro e paredes de pedra. Esses pequenos prisioneiros devem ser resgatados! O resgate deve começar por despertá-los para o entendimento do poder de sua própria mente.

P — Onde e como esse despertar começa?

R — Deve começar em casa e ser levado adiante como parte do sistema público de ensino. Mas nada nessa linha vai acontecer até que alguém elabore um plano prático que tenha apoio público.

P — E você acha que existe uma necessidade nacional de alguma forma complementar de formação para que as crianças em idade escolar possam aprender os fundamentos da realização individual baseada na iniciativa pessoal?

APRENDA COM A DERROTA 183

R — Essa é uma das maiores necessidades dos Estados Unidos. Anote o que estou dizendo: se tal sistema não for introduzido, vai chegar o dia, e não falta muito, em que este país deixará de ser a nação de pioneiros que foi no passado. As pessoas vão se tornar indiferentes à oportunidade, deixarão de agir por iniciativa própria e se tornarão presas fáceis até mesmo da menor forma de derrota.

P — Você acredita então que parcimônia e espírito de determinação são qualidades que devem ser ensinadas nas escolas públicas?

R — Sim, e em casa também. Mas o problema na maioria das casas é que os pais precisam desse tipo de formação tanto quanto os filhos. Na realidade os pais são os maiores culpados em se tratando de influenciar os filhos a aceitar a pobreza, pois é natural que as crianças aceitem as condições de vida dos pais, sejam elas quais forem.

P — Então você acredita que a autodisciplina deve começar em casa e ser demonstrada pelos pais na forma de parcimônia, ambição e autossuficiência?

R — O lar é o lugar onde a criança forma as primeiras impressões de vida, e é ali que ela muitas vezes adquire hábitos de derrota que perduram por toda a vida. Siga o rastro de qualquer pessoa bem-sucedida e vai descobrir que em algum ponto, provavelmente durante a infância, ela esteve sob a influência de alguém consciente do sucesso, talvez um membro da família ou um parente próximo. Quando uma pessoa torna-se consciente do sucesso, ela raramente se permite ser sufocada pela derrota. Pode-se dizer que a consciência do sucesso cria uma espécie de imunidade contra todas as formas de derrota.

P — Você deve ter aprendido a partir da vasta e variada experiência com as pessoas quais as principais causas do fracasso. Poderia mencionar as mais importantes?

R — Sim, estava me encaminhando para isso, pois é essencial que uma filosofia prática de realização individual inclua tanto as causas do sucesso quanto as causas do fracasso. Você pode se surpreender ao saber que a lista das principais causas do fracasso é mais de duas vezes maior do que a lista das causas do sucesso.

P — Você vai nomeá-las em ordem de importância?

R — Isso não seria prático, mas vou citar algumas e colocar as mais comuns no topo da lista. São elas:

1. *Hábito de ficar à deriva ao longo da vida*, sem um objetivo principal definido. Essa é uma das principais causas de fracasso, pois induz a outras causas de fracasso.
2. Condição física hereditária desfavorável no nascimento. Aliás, essa é a única causa de fracasso que não é possível eliminar, e mesmo essa pode ser transposta com o MasterMind.
3. Hábito da curiosidade intrometida sobre a vida alheia, que resulta em desperdício de tempo e energia.
4. Preparação inadequada para o trabalho em que se atua, especialmente escolaridade inadequada.
5. Falta de autodisciplina, geralmente manifestada em excessos ao comer, beber e praticar sexo.
6. Indiferença em relação às oportunidades de promoção.
7. Falta de ambição para almejar mais do que a mediocridade.
8. Problemas de saúde, muitas vezes devido a pensamentos errados, dieta inadequada e falta de exercícios.
9. Influências ambientais desfavoráveis durante a infância.
10. Falta de persistência para concluir o que se começa (devido em grande parte à falta de um objetivo definido e de autodisciplina).
11. Hábito de manter uma "atitude mental" negativa em relação à vida em geral.
12. Falta de controle sobre as emoções por meio de hábitos *controlados*.
13. Desejo de obter algo a troco de nada, normalmente expresso por jogos de azar e outros hábitos mais graves de desonestidade.
14. Indecisão e indefinição.
15. Um ou mais dos sete medos básicos: (1) pobreza, (2) críticas, (3) problemas de saúde, (4) perda do amor, (5) velhice, (6) perda da liberdade e (7) morte.
16. Escolha errada do cônjuge.
17. Cautela excessiva nas relações comerciais e profissionais.
18. Tendência excessiva ao acaso.
19. Escolha errada de associados na profissão ou nos negócios.
20. Escolha errada da vocação ou completa negligência em fazer uma escolha.
21. Falta de concentração do esforço, levando a perda de tempo e energia.
22. Hábito de gastar indiscriminadamente, sem um controle sobre as receitas e despesas.
23. Fracasso em planejar e utilizar o TEMPO adequadamente.
24. Falta de entusiasmo controlado.

APRENDA COM A DERROTA

25. Intolerância — uma mente fechada, baseada principalmente na ignorância ou preconceito em relação a religião, política e economia.
26. Falta de cooperação com os outros em espírito de harmonia.
27. Desejo de poder ou riqueza não merecidos.
28. Falta de lealdade onde a lealdade é devida.
29. Falta de controle sobre o egoísmo e a vaidade.
30. Egoísmo exagerado.
31. Hábito de formar opiniões e planos sem baseá-los em fatos conhecidos.
32. Falta de visão e imaginação.
33. Deixar de formar uma aliança de MasterMind com aqueles cuja educação, experiência e capacidade nativa são necessárias.
34. Deixar de reconhecer a existência da Inteligência Infinita e os meios de adaptar-se a ela.
35. Linguagem mundana e vocabulário inadequado, evidenciando uma mente impura e indisciplinada.
36. Falar antes de pensar. Falar demais.
37. Cobiça, vingança e ganância.
38. Hábito da procrastinação, muitas vezes baseado na preguiça, mas geralmente resultado da falta de um objetivo definido.
39. Caluniar outras pessoas, com ou sem causa.
40. Ignorar a natureza e a finalidade do poder do pensamento e desconhecer os princípios do funcionamento da mente.
41. Falta de iniciativa pessoal, devido em grande parte à falta de um objetivo definido.
42. Falta de autoconfiança, também devido à ausência de um motivo obsessivo fundado sobre um objetivo definido.
43. Insuficiência de qualidades de uma personalidade atraente.
44. Ausência de fé em si mesmo, no futuro, em outros homens e em Deus.
45. Incapacidade de desenvolver força de vontade por hábitos controlados e voluntários do pensamento.

Essas não são todas as causas de fracasso, mas representam a maior parte delas. Todas essas causas, a não ser a de número 2, podem ser eliminadas ou controladas com definição de objetivo e força de vontade. Você pode dizer, portanto, que a primeira e a última causas controlam todas as outras, exceto uma.

P — Quer dizer que dominando a primeira e a última dessas 45 causas de fracasso a pessoa pode considerar-se encaminhada para o sucesso?

R — Sim, se um homem busca a realização de um objetivo definido e tem a força de vontade tão organizada que a utiliza para dirigir suas forças mentais, eu diria que ele está bem encaminhado para o sucesso.

P — Mas esses dois princípios apenas não são suficientes para salvar um homem da derrota, são?

R — Não, mas são suficientes para ele dar a volta por cima e ir em frente com seus planos. Como já disse, a autodisciplina fará com que o homem encare todas as derrotas como uma experiência temporária que servirá como desafio para um esforço maior.

P — Suponha que a derrota seja de natureza extremamente prejudicial ao corpo, como por exemplo, a perda das pernas ou das mãos, ou um ataque de paralisia que limite ou prive totalmente o uso do corpo. Isso não prejudicaria seriamente a pessoa?

R — Com certeza prejudicaria, mas a situação não precisa necessariamente ser aceita como derrota permanente. Alguns dos homens mais bem-sucedidos que o mundo já conheceu atingiram seu maior sucesso depois de terem sido fisicamente afetados. Mais uma vez deixe-me lembrar que o MasterMind é suficiente para proporcionar todo o tipo de conhecimento disponível à humanidade e pode ser utilizado no lugar de qualquer esforço físico.

P — Então, se um homem deixa de aplicar o princípio do MasterMind, pode ser derrotado pela negligência, uma vez que existe um remédio disponível para ele.

R — Você entendeu corretamente. O MasterMind pode ser utilizado como substituto para tudo, salvo apenas a utilização do cérebro. Enquanto um homem puder pensar, ele pode usar esse princípio, e às vezes acontece de alguém não descobrir as possibilidades de sua mente até ser privado do uso de uma parte essencial do corpo. Em tais casos, geralmente pode-se dizer que a deficiência física é uma bênção disfarçada.

Conheço um homem cego que é um dos mais bem-sucedidos professores de música dos Estados Unidos, se não do mundo. Antes de ser atingido por essa circunstância, ele tinha apenas uma vida modesta como membro de uma orquestra. Sua condição teve o efeito de apresentá-lo a um campo mais vasto de oportunidades, com uma receita financeira muito maior.

APRENDA COM A DERROTA

Helen Keller usou sua condição para se tornar uma das maiores mulheres dos Estados Unidos. Ela provou que a ausência de dois dos mais importantes dos cinco sentidos não necessariamente condena uma pessoa ao fracasso. Pela força de vontade ela definitivamente superou suas duas deficiências físicas. Com a ajuda do MasterMind, ela prestou um serviço útil ao ensinar ao mundo inteiro que a mente não precisa permanecer presa, mesmo que o corpo tenha grandes deficiências.

Beethoven fez algo semelhante. Às vezes, a falta ou perda de qualidades físicas tende a fortalecer as qualidades mentais, e ainda estou para conhecer alguém que tenha alcançado grande sucesso sem ter encontrado e superado grandes dificuldades na forma de derrota temporária. Cada vez que um homem supera uma derrota, fica mental e espiritualmente mais forte. Assim, com o tempo pode encontrar a si mesmo — seu verdadeiro EU, interior — em virtude da derrota temporária.

Capítulo 11
BUSQUE INSPIRAÇÃO
(ENTUSIASMO APLICADO)

> *Dois tipos de pessoas nunca vão em frente.*
> *Aquelas que só fazem o que são mandadas e*
> *aquelas que não fazem o que são mandadas.*

A palavra "inspiração", conforme utilizada aqui, refere-se a uma combinação de emoções geralmente conhecida como "entusiasmo", mas *sentimento inspirado* tem um significado mais profundo porque se relaciona aos poderes espirituais do homem e tem sua fonte na mente subconsciente.

Inspiração — emoções colocadas em ação pelo poder espiritual — é o começo de todas as grandes realizações de qualquer natureza!

Todos desejam alcançar o sucesso pessoal de uma forma ou de outra, mas apenas aqueles que adquirem o hábito de transformar o entusiasmo em um *desejo obsessivo* alcançam sucesso notável.

Há mais de quarenta anos, a madrasta de um jovem montanhês o chamou até a sala, excluiu as outras crianças da família da reunião e disse algo que mudou toda a vida dele para melhor e ao mesmo tempo plantou em sua mente um desejo que ele transplantou para milhares de outras mentes — o desejo de autodeterminação pela prestação de serviço útil.

O menino tinha apenas onze anos de idade, mas era conhecido entre as pessoas da montanha como "o pior menino do condado". A madrasta disse o seguinte:

"As pessoas julgam você errado. Dizem que você é o pior menino do condado, mas você não é, você é o garoto mais ativo e tudo de que você precisa é um objetivo definido para onde possa dirigir a atenção de sua mente indagadora. Você tem uma imaginação fértil e muita iniciativa. Portanto, sugiro que se torne escritor. Se fizer isso e dedicar tanto interesse à leitura e à escrita como dedica a pregar peças nos vizinhos, chegará o dia em que sua influência será sentida em todo esse estado".

Havia algo no tom de voz da madrasta que registrou efetivamente o recado na mente do menino "mau". Ele captou o espírito de entusiasmo com que a madrasta falou com ele e começou imediatamente a agir como ela sugeriu.

BUSQUE INSPIRAÇÃO (ENTUSIASMO APLICADO)

Aos 15 anos de idade ele escrevia histórias que eram publicadas em pequenos jornais e revistas. Sua escrita não era brilhante, mas revelava um espírito entusiasta que a tornava agradável de ler.

Aos 18 anos de idade ele foi escolhido pelo editor da revista de Bob Taylor para escrever a história das realizações de Andrew Carnegie na indústria. Essa atribuição estava destinada a ser outra mudança em sua vida, pois traria a oportunidade de escrever livros que não só influenciariam todo o estado, como a madrasta havia previsto, mas que estenderiam sua influência por uma parte importante do mundo e, obviamente, prestariam um serviço útil ajudando a salvar o modo de vida americano da extinção.

Na entrevista com Andrew Carnegie, o jovem escritor foi tocado pelo entusiasmo do empresário. Ele captou o espírito desse entusiasmo, e foi esse espírito que tornou seus livros *best-sellers* por muitos anos.

Carnegie enfatizou a importância da iniciativa, da definição de objetivo, da persistência e do esforço organizado. Neste capítulo analisaremos o poder por trás de tudo isso, o poder que dá vida e movimento a essas qualidades. Esse poder é conhecido como inspiração.

P — Estou pronto para sua análise do décimo primeiro princípio da realização individual, que você chama de inspiração. Peço que você defina o significado desse termo e descreva como se pode desenvolver entusiasmo por vontade própria.

R — A inspiração pode ser desenvolvida estimulando-se a faculdade das emoções com qualquer uma das quatorze emoções principais que mencionamos em entrevistas anteriores ou qualquer outra emoção.

P — Então inspiração é emoção em ação?

R — Essa é a maneira mais breve de descrevê-la. Talvez fosse mais correto dizer que inspiração é emoção voluntária — um sentimento ao qual se dá início por vontade própria. Mas você esqueceu um fator muito importante na pergunta, a questão do controle da inspiração. Saber como modificar, controlar ou desligar totalmente a ação das emoções é tão importante quanto saber como colocá-las em ação.

Antes de entrar na discussão do controle emocional, no entanto, vamos fazer um inventário dos benefícios da inspiração. Para começar, vamos lembrar que inspiração é o resultado do desejo expresso em termos de ação com base em um motivo. Inspiração é uma forma de animação que cria entusiasmo. Nenhuma pessoa normal fica altamente entusiasmada sem motivo. É óbvio, portanto, que o início de todo entusiasmo é o desejo com base em um motivo.

Existem dois tipos de entusiasmo, passivos e ativos. Talvez fosse mais correto dizer que o entusiasmo pode ser expresso de duas maneiras: de forma passiva, pelo estímulo do sentimento emocional, e ativamente, pela expressão de sentimentos em palavras ou ações.

P — Qual é a mais benéfica das duas — a expressão ativa ou a passiva?

R — A resposta para isso depende das circunstâncias. É claro que o entusiasmo passivo sempre precede a expressão do entusiasmo ativo, pois devemos senti-lo antes de poder expressá-lo em qualquer forma de ação ou palavras.

Há momentos em que a expressão do entusiasmo pode ser prejudicial, pois pode indicar ansiedade ou revelar seu estado mental em circunstâncias nas quais você não quer que ele seja revelado. Então é muito importante aprender a controlar a expressão dos sentimentos em todas as circunstâncias. Também é importante adquirir a capacidade de expressar abertamente os sentimentos quando quiser. Em ambos os casos, o controle é o fator importante.

Agora vamos descrever brevemente alguns dos benefícios de ambos os entusiasmos, passivo e ativo. Primeiro, vamos lembrar que o entusiasmo (que pode ser a expressão de uma ou mais emoções) estimula a vibração do pensamento e a torna mais intensa, fazendo a faculdade da imaginação começar a trabalhar no motivo que inspirou o entusiasmo.

O entusiasmo dá qualidade ao tom da voz e faz com que ela fique atraente e impressionante. Um vendedor ou orador público seria ineficaz sem a capacidade de acionar seu entusiasmo por vontade própria. O mesmo pode ser dito de quem envolve-se em uma conversa normal. Até os assuntos mais banais podem ficar interessante se expressos com entusiasmo. Sem ele até os assuntos mais interessantes podem se tornar chatos.

O entusiasmo inspira iniciativa tanto em pensamento quanto na ação física. É muito difícil realizar satisfatoriamente uma tarefa pela qual não se tem entusiasmo.

O entusiasmo dissipa o cansaço físico e vence a preguiça. Já foi dito que não existem homens preguiçosos. O que parece ser um homem preguiçoso é apenas um homem que não tem um motivo para ficar entusiasmado.

O entusiasmo estimula todo o sistema nervoso e faz com que ele desempenhe suas funções de forma mais eficiente, incluindo em particular a digestão dos alimentos. Por isso, a hora da refeição deve ser a hora mais atraente do dia e nunca tornar-se ocasião para resolver diferenças pessoais ou familiares nem para aplicar corretivos nas crianças.

BUSQUE INSPIRAÇÃO (ENTUSIASMO APLICADO)

O entusiasmo estimula a seção subconsciente do cérebro e a coloca para trabalhar no motivo que inspira entusiasmo. De fato, não há método conhecido para estimular o subconsciente de forma voluntária exceto o de inspirar sentimentos. Vamos enfatizar o fato de que o subconsciente age sobre todos os sentimentos, sejam eles positivos ou negativos. A força do entusiamo agirá sobre o medo tão rapidamente quanto sobre o amor. Ou funcionará com a preocupação com a pobreza tão rapidamente quanto com a sensação de opulência. É importante, portanto, reconhecer que o entusiasmo é *a expressão positiva* do sentimento.

O entusiasmo é contagiante! Afeta todos ao seu alcance, fato bem conhecido pelos mestres em vendas. Além disso, pode influenciar os outros tanto pela expressão ativa quanto passiva, já que o entusiasmo passivo estimula o cérebro para que envie vibrações de pensamento altamente intensificadas que podem ser captadas pelos outros.

O entusiasmo desencoraja todas as formas de pensamento negativo e dissipa o medo e a preocupação, preparando a mente para a expressão da fé.

O entusiasmo é o irmão gêmeo da vontade, *sendo a principal fonte de ação contínua da vontade*! É também uma força de sustentação da persistência. Podemos dizer, portanto, que força de vontade, persistência e entusiasmo são trigêmeos que permitem ação contínua com uma perda mínima de energia física. Na verdade o entusiasmo converte o cansaço e a energia estática em energia ativa.

Emerson falou uma verdade mais profunda do que a maioria das pessoas consegue reconhecer quando disse que "nada grandioso jamais foi alcançado sem entusiasmo". Ele devia saber que o entusiasmo dá qualidade a cada palavra que um homem fala, a cada tarefa em que coloca as mãos.

P – Ouvi dizer que os escritores inconscientemente projetam seu entusiasmo, ou a falta dele, em cada palavra que escrevem, de modo que mesmo o leitor casual pode perceber qual era a atitude mental do escritor enquanto escrevia. É uma teoria sólida?

R – Não é apenas uma teoria sólida, mas fato. Experimente você mesmo e ficará convencido. A escrita de um homem pode ser traduzida para outros idiomas, mas levará junto grande parte do ritmo do entusiasmo que o escritor sentia ao escrever.

Ouvi dizer que o redator publicitário que não sente entusiasmo pelo trabalho escreve peças pobres, não importa quantos fatos descreva. Também ouvi dizer que o advogado que não está entusiasmado com seu caso não consegue convencer os juízes e jurados.

E há muitas evidências de que o entusiasmo de um médico é o maior remédio no quarto dos doentes. O entusiasmo é um dos maiores construtores da confiança, pois todo mundo sabe que entusiasmo e fé estão intimamente relacionados.

Entusiasmo denota esperança, coragem e crença em si mesmo. Não me lembro de alguma vez ter promovido ou selecionado alguém para uma posição de responsabilidade sem que a pessoa primeiro tenha demonstrado entusiasmo com a possibilidade do cargo. Observo que os jovens que trabalham em nossos escritórios como escrivães e estenógrafos promovem-se a posições mais elevadas em relação proporcional ao entusiasmo que demonstram pelo trabalho.

P — É possível uma demonstração de entusiasmo excessivo ser prejudicial?

R — Sim, entusiasmo descontrolado muitas vezes é tão prejudicial quanto falta de entusiasmo. Por exemplo, o homem tão entusiasmado sobre si e suas ideias que acaba monopolizando a conversa ao falar com outras pessoas com certeza será impopular, para não mencionar o fato de que perderá muitas oportunidades de aprender alguma coisa ouvindo o que os outros têm a dizer.

Existe o homem que fica entusiasmado demais com a roleta ou com os cavalos e aquele que se entusiasma mais com as formas de obter algo a troco de nada do que com a prestação de serviço útil. Para não falar da mulher que fica mais entusiasmada com festas e sociedade do que em manter a casa e ela mesma atraentes para o marido. Esse tipo de entusiasmo descontrolado pode ser muito prejudicial para todos a quem afeta.

P — O entusiasmo tem algum valor para o trabalhador manual?

R — A melhor forma de responder essa pergunta é chamando a atenção para o fato de que a maioria dos altos funcionários da minha organização começou nos cargos mais humildes. O homem que fez o maior progresso entre todos os meus associados começou como condutor e anteriormente era carroceiro. Seu entusiasmo sem limites foi a qualidade que atraiu minha atenção, e foi essa mesma qualidade que o levou, passo a passo, à posição mais alta que eu tinha para oferecer.

Sim, o entusiasmo é de valor para qualquer pessoa, independentemente da profissão, pois é uma qualidade que atrai amigos, estabelece confiança e desintegra a oposição alheia.

P — Que papel, se houver algum, o entusiasmo ou a falta dele desempenham no relacionamento doméstico?

BUSQUE INSPIRAÇÃO (ENTUSIASMO APLICADO) 193

R — Vamos voltar um pouco e considerar o papel que o entusiasmo desempenha unindo homens e mulheres pelo casamento. Você já ouviu falar de um homem que conquistou a mulher escolhida sem demonstrar considerável entusiasmo por ela? A mesma coisa funciona no sentido inverso, um homem não se sentirá inclinado a propor casamento a uma mulher que não demonstre entusiasmo por ele.

Entusiasmo mútuo, portanto, é geralmente a base do casamento, e ai de quem permitir que o entusiasmo diminua depois. Estamos falando do amor, mas o que é o amor senão o entusiasmo mútuo entre duas pessoas?

P — Em que circunstâncias o entusiasmo atinge o mais alto grau de benefício pessoal?

R — Em uma aliança de MasterMind, duas ou mais pessoas trabalham em conjunto em espírito de perfeita harmonia para a realização de um objetivo definido. Aqui o entusiasmo de cada membro da aliança projeta-se nas mentes de todos os outros membros, e a soma total de entusiasmo assim criada, pela mistura harmoniosa de um grupo de mentes, fica disponível para influenciar cada membro.

P — Você quer dizer, por exemplo, que onde existe, digamos, uma dúzia de homens aliados em um grupo de MasterMind, cada homem tem o seu entusiasmo complementado pelo de todos os outros. Portanto, o entusiasmo multiplica-se por doze. É essa a ideia?

R — Essa é a ideia geral, mas com frequência acontece que o entusiasmo de um ou mais membros de uma aliança é aumentado muito mais do que a soma total do grupo. Um dos estranhos efeitos do MasterMind é colocar em operação o princípio dos retornos crescentes na intensificação das vibrações mentais, de modo que uma pessoa pode sentir os efeitos do entusiasmo a uma extensão que produz o estado mental conhecido como fé.

Teoricamente, o que acontece é o seguinte: a influência do MasterMind intensifica a taxa de vibração do pensamento até atingir o nível da Inteligência Infinita por parte de um ou mais membros da aliança. Tenho conhecimento de homens que, sob tal condição, criaram ideias que não seriam capazes de criar sozinhos sob as circunstâncias ordinárias do pensamento — *ideias muito além do alcance do conhecimento de todos os membros juntos.*

P — A julgar pelo que você acabou de dizer, posso ver que entusiasmo é uma palavra muito incompreendida.

R — Talvez seja a palavra mais incompreendida do nosso idioma, pois são poucos que reconhecem que o chamado gênio é apenas um homem que, por causa da grande capacidade de entusiasmo, intensifica as vibrações de sua mente até poder comunicar-se com uma fonte de conhecimento não disponível pela simples faculdade do raciocínio.

A maioria do que se chama de entusiasmo não passa de uma expressão descontrolada do próprio ego — um estado de excitação mental facilmente reconhecível como nada além de uma expressão sem sentido da vaidade pessoal. Esse tipo de entusiasmo pode ser muito prejudicial para quem que se entrega a ele, pois a pessoa em geral se expressa de forma exagerada.

P — Você vai dar mais detalhes a respeito da afirmação de que muitos dos seus funcionários foram promovidos por causa do entusiasmo? Que efeito o entusiasmo teve sobre o trabalho deles para assegurar a promoção?

R — O entusiasmo não teve efeito apenas sobre o trabalho deles, *mas afetou também aqueles que trabalhavam com eles!* Lembra que eu disse que um homem com uma mente negativa trabalhando em uma fábrica onde entra em contato diário com centenas de outros trabalhadores pode influenciar todos os demais a se tornarem negativos também, em maior ou menor grau? Bem, o mesmo princípio se aplica quando a pessoa tem uma mente positiva e manifesta entusiasmo em relação ao trabalho.

Qualquer estado mental é contagiante!

Há uma lei da natureza que tende a tornar os hábitos de pensamento permanentes. Essa mesma lei pode estar relacionada também à telepatia, pela qual o pensamento passa de um cérebro para outro. De qualquer forma, uma pessoa com a mente ativa, tanto positiva como negativamente, influenciará todas as outras ao seu alcance, que assim vão adquirir uma porção dela.

Agora você pode ver por que um funcionário com uma mente positiva vale mais do que um com uma mente negativa. O funcionário entusiasmado é naturalmente aquele que é feliz no trabalho. Portanto, irradia uma atitude mental saudável que se espalha para os outros ao redor, e esses também assumem parte de sua atitude. Assim todos tornam-se trabalhadores mais eficientes.

Mas essa não é a única razão pela qual a pessoa que tem o hábito de manifestar entusiasmo é promovida às posições mais desejáveis da vida. O entusiasmo, como já foi dito, proporciona uma imaginação mais aguçada, aumenta a iniciativa, deixa a mente mais alerta, torna a personalidade mais atraente e, assim, atrai a cooperação dos outros. Esses traços mentais tornam inevitável a promoção para qualquer posição que a pessoa possa preencher.

BUSQUE INSPIRAÇÃO (ENTUSIASMO APLICADO)

Cada pensamento que liberamos torna-se uma parte definida do nosso caráter! Essa transformação ocorre por autossugestão. Não é necessário ser um matemático para entender o que acontecerá com a pessoa cujos pensamentos dominantes são positivos, tendo em vista o fato de que tal pessoa estará somando poder a seu caráter com cada pensamento que liberar.

Pensamento por pensamento ela construirá uma personalidade que proporcionará força de vontade, imaginação aguçada, autoconfiança, persistência, iniciativa, coragem e ambição para *desejar e adquirir* o que quiser. Um empregador tem pouco a ver com a promoção de tal pessoa. Se um empregador não reconhecer sua capacidade, ela encontrará outro que reconhecerá e continuará crescendo e avançando em qualquer direção que escolher.

P — Entendi. Um empregado cuja mente é dominada pelo espírito de entusiasmo é benéfico para o empregador não só pela influência sobre os outros empregados, mas por causa da própria força de personalidade adquirida. É isso que você quer dizer?

R — É isso. E o princípio aplica-se a todos, não apenas a empregados. Pegue o proprietário de uma loja de varejo, por exemplo, e verá que sua atitude mental reflete-se definitivamente em todas as pessoas que trabalham ali. Já ouvi dizer que um psicólogo qualificado pode entrar em qualquer loja, estudar os funcionários por alguns minutos e depois fazer uma descrição surpreendentemente precisa do proprietário ou do chefe sem nunca tê-lo visto ou ouvido nada sobre ele.

P — Então pode-se dizer que uma loja ou negócio tem sua própria "personalidade", que consiste na influência dominante das pessoas que ali trabalham. Isso é verdade?

R — Sim, e também é verdade em relação a uma moradia ou qualquer lugar onde as pessoas se reúnem regularmente. O psicólogo com grande senso de percepção pode entrar em qualquer residência, capturar a "sensação mental" do lugar e dizer com precisão se a casa é dominada pelo espírito de harmonia ou de brigas e atrito. A atitude mental das pessoas deixa sua influência permanente no ambiente.

Cada cidade, por exemplo, tem sua própria taxa de vibração, composta das influências dominantes e das atitudes mentais das pessoas que ali vivem. Além disso, cada rua e cada quadra de uma rua têm sua própria "personalidade", podendo ser tão diferentes umas das outras que um psicólogo treinado pode percorrer uma rua de olhos vendados e captar informações suficientes a partir da "sensação mental" para dar uma descrição exata das pessoas que ali vivem.

P — Isso parece quase inacreditável.

R — Talvez possa parecer para a pessoa inexperiente, mas não para o intérprete de "atitudes mentais" qualificado. Se quiser provas convincentes da veracidade do que eu disse, faça uma experiência.

Dê um passeio pela Quinta Avenida, em Nova York, e observe o sentimento de opulência que captará pelo caminho. Então continue até a seção dos condomínios de baixa renda, caminhe por uma de suas ruas e observe o sentimento de derrotismo e de pobreza que vai sentir. A experiência vai lhe fornecer evidência inegável de que as vibrações da Quinta Avenida e as vibrações da rua de baixa renda são completamente opostas, uma positiva e outra negativa.

Leve a experiência ainda além, entrando em residências específicas. Escolha uma casa onde você sabe que existe harmonia doméstica e cooperação. Estude cuidadosamente a "sensação mental" que você sentirá nessa casa, sem ninguém lhe dizer uma palavra. Em seguida, entre em uma casa onde você sabe que o relacionamento é perturbado por desarmonia e atrito familiar. Estude a "sensação mental" mais uma vez. Depois de fazer uma dúzia dessas experiências, você saberá por experiência própria que cada casa tem uma "atmosfera mental" que se harmoniza perfeitamente com a "atitude mental" de quem vive lá.

Essa experiência também irá convencê-lo de que existe alguma lei desconhecida da natureza que fixa os hábitos do pensamento e tende a torná-los permanentes. A lei não apenas fixa o pensamento na mente do indivíduo, como estende a influência desse pensamento ao ambiente em que ele vive.

Capítulo 12
CONTROLE SUA ATENÇÃO

Vale a pena para qualquer pessoa observar "de fora" como se comporta, para se ver como os outros a veem.

P — Você nomeou o décimo segundo princípio da filosofia da realização individual de atenção controlada. Poderia descrever a forma como esse princípio pode ser aplicado nos assuntos cotidianos?

R — Muito bem, antes de tudo vamos reparar que a atenção controlada está diretamente relacionada a todos os onze princípios analisados anteriormente. Na verdade existe uma parte de cada um desses onze princípios combinados com a atenção controlada.

A partir daí você vai observar que a abordagem adequada para o domínio do princípio da atenção controlada é o domínio e aplicação dos onze princípios comentados anteriormente.

Agora vamos definir o termo atenção controlada e nos certificar de entender exatamente o que significa. É o ato de combinar todas as faculdades mentais e concentrá-las na realização de um objetivo definido. O tempo envolvido no ato de concentração do pensamento em um determinado assunto depende da natureza do assunto e do que se espera em relação a ele.

Pegue o meu caso, por exemplo. As forças dominantes de minha mente estão há muitos anos concentradas na produção e comercialização de aço.

Tenho aliados comigo que também concentram seus pensamentos dominantes no mesmo objetivo. Assim, temos o benefício da atenção controlada de forma coletiva, que consiste no poder das mentes de um grande número de pessoas, todas trabalhando para o mesmo fim em espírito de harmonia.

P — Você não poderia ter conduzido ao mesmo tempo outras atividades empresariais tão bem-sucedidas quanto a indústria do aço? O MasterMind não tornaria isso possível?

R — Conheci homens com os quais conduzir com sucesso muitas outras empresas não relacionadas entre si com a ajuda do MasterMind, mas sempre acreditei que seria muito melhor concentrar meus esforços inteiramente em uma linha de negócios. Distribuir a atenção tem o efeito de dividir poderes. O melhor plano a seguir é dedicar todas as energias para algum campo específico. Essa concentração permite especializar-se nessa área.

P — Mas e os médicos que se dedicam à clínica geral? Eles não têm uma oportunidade melhor de aumentar a renda do que aqueles que se especializam em determinado ramo da medicina?

R — Não, é justamente o contrário. Se alguma vez você tiver a oportunidade de contratar um especialista para remover seu apêndice, como eu tive, vai perceber que a especialização em medicina compensa. Quando eu era criança, o velho médico de família que costumava cuidar da saúde das pessoas do nosso bairro teria removido um apêndice por US$ 25,00. Suspeito que ele poderia ter feito o trabalho tão bem quanto o especialista que me cobrou mais de dez vezes esse valor. Mas mesmo assim contratei o especialista.

P — Será que essa mesma regra se aplica no campo do comércio varejista?

R — Aplica-se em todas as áreas e em todas as atividades. O comércio moderno praticamente tornou o antigo armazém obsoleto. Embora as lojas mais prósperas sejam de departamentos, elas não são como as antigas lojas de mercadorias em geral, pois cada departamento é gerido por um especialista que dedica todo seu tempo àquele setor. Você poderia dizer que uma loja de departamentos moderna nada mais é do que um grupo de lojas altamente especializadas operando sob o mesmo teto e sob a mesma direção, mas com um maior poder de compra, o que oferece uma grande vantagem sobre as lojas menores.

P — Você diria então que a loja de departamentos é gerenciada sob o princípio da atenção controlada?

R — Por esse e outros princípios da filosofia da realização individual, especialmente o MasterMind e a definição de objetivo.

P — E sobre o sistema bancário? Ele também é gerido por meio da aplicação do princípio da atenção controlada?

R — Sim, claro! Todos os departamentos de um banco e praticamente todas as posições individuais em cada departamento são altamente especializadas. O mesmo vale para as ferrovias; praticamente todas as posições em uma empresa ferroviária são especializadas. As promoções são de baixo para cima, e os homens que detêm as posições de maior responsabilidade tiveram experiência em quase todas as posições subordinadas, mas nunca detêm dois cargos ao mesmo tempo.

CONTROLE SUA ATENÇÃO

Acontece a mesma coisa na indústria do aço. Os homens tornam-se altamente qualificados, concentrando o esforço em trabalhos especializados. Aqui também as promoções são de baixo para cima. Todos que ocupam os cargos mais altos aprenderam trabalhando em cargos subalternos, na base do funcionamento da empresa.

P — Você acredita então que as melhores oportunidades do futuro estarão disponíveis para aqueles que concentrarem esforços em alguma linha especializada?

R — Sempre foi assim. Talvez sempre seja.

P — E sobre o magistério? Não é possível um professor preparar-se para ensinar muitas disciplinas diferentes?

R — É possível, mas não é aconselhável. As grandes universidades não são nada mais do que um grupo de faculdades associadas, cada uma especializada em um ramo particular da educação. Se fosse possível um professor fazer um trabalho melhor dedicando seus esforços a uma diversidade de assuntos, as universidades já teriam descoberto isso há muito tempo.

P — E sobre o aluno que está se preparando para a vida profissional? Deve especializar-se em algum ramo particular da educação?

R — Sim, se ele sabe qual seu objetivo principal de vida. Caso contrário, deve concentrar esforços em um curso de formação geral até o momento em que escolher um objetivo. Aí deve continuar a educação em uma formação especializada. O advogado, por exemplo, geralmente faz um curso de formação geral e em seguida especializa-se em direito. O médico normalmente faz a mesma coisa. O ensino geral aborda o pensamento organizado, a autodisciplina e a autoconfiança, qualidades essenciais para o sucesso em qualquer área.

P — E o taquígrafo? Deve concentrar-se em uma linha de trabalho?

R — O taquígrafo obviamente deve especializar-se antes de obter um emprego. Depois disso, talvez tenha que se envolver no trabalho geral de escritório por um tempo, mas, se não desejar permanecer nesse tipo de trabalho, pode fazer um balanço de suas oportunidades e, mais cedo ou mais tarde, especializar-se em algum departamento especial onde poderá promover-se a uma posição melhor.

Muitos dos mais bem-sucedidos líderes empresariais e industriais do nosso tempo começaram como taquígrafos, cargo em que tiveram a oportunidade de estudar os métodos de seus superiores. De todos os tipos de trabalho de escritório, esse é um dos melhores, considerando a preparação para as responsabilidades executivas. O taquígrafo literalmente frequenta uma escola para executivos altamente qualificados e é pago para isso.

P — E o agricultor? Deve especializar-se também?

R — Sim, deve, mas normalmente não o faz. Esse é um dos principais pontos fracos da agricultura. Os homens que tiram mais dinheiro do solo são os que se especializam em determinadas culturas, como trigo, centeio e cevada. O agricultor que planta um pouco de tudo raramente recebe bem por qualquer coisa que planta.

P — E o contador? Deve especializar-se também?

R — Sim, a menos que se contente em ser contador para sempre e mesmo assim poderá obter mais do trabalho caso se especialize em algum ramo particular da contabilidade. Os homens mais bem remunerados nesse campo normalmente migram da contabilidade geral para a auditoria e a implantação de sistemas de contabilidade. Um homem inteligente nesse campo pode ter uma ótima renda, pois todas as empresas com mais de um homem precisam manter registros confiáveis de suas operações.

P — Agora vem uma pergunta difícil! E as moças que pretendem casar? Que chance têm de se especializar, a não ser em potes, panelas e criação de bebês?

R — Não é tão difícil quanto você imagina. De todas as pessoas que devem especializar-se, não consigo pensar em ninguém que possa tirar mais proveito disso do que a mulher que tem a intenção de fazer do casamento a carreira. Claro que ela deve especializar-se! Primeiro na psicologia de gerir o marido, aprendendo a inspirar um homem a fazer o seu melhor. Depois em economia doméstica, para que possa contribuir na gestão da casa. Deve especializar-se também em nutrição, para saber como alimentar a família com o tipo de comida que ajuda na manutenção da boa saúde.

P — Mas me parecem muitas especializações! Isso não transformaria uma dona de casa em uma espécie de faz-tudo?

R — Não necessariamente! Faz parte da preparação para a carreira do casamento, a maior de todas as carreiras. A mulher que conclui um curso universitário pode planejar sua educação de maneira a aprender a gerenciar uma casa e, se pretende se casar, é precisamente isso que deve fazer. Se deseja tornar-se uma mulher de carreira, é claro que deve planejar os estudos em conformidade com esse objetivo.

P — Então parece não haver jeito de fugir da responsabilidade de concentrar os esforços caso se queira ter sucesso?

R — Não, o faz-tudo normalmente não é bom em nada! Existe algum papel que cada um pode desempenhar no esquema das coisas — algum papel em que pode prestar um serviço útil e ganhar a justa compensação. É responsabilidade de cada um descobrir qual o seu papel e preparar-se para ele. *Uma vida bem organizada exige preparação.* Antes de começar a se preparar, deve-se saber para o que se está preparando. Isso, em si, é concentração de esforço.

O homem que não tem um objetivo de vida definido, que não sabe fazer apenas uma coisa e fazê-la bem, é como uma folha seca ao vento. Vai ser jogado para lá e para cá, para onde quer que os ventos do acaso o levem, e não criará raízes. Infelizmente, a maioria das pessoas passa rolando desse jeito!

P — Quer dizer que um homem deve definir seu objetivo principal antes de iniciar sua educação e preparar-se para se especializar em algo relacionado ao objetivo?

R — Nem sempre. Raramente uma pessoa tão jovem, que mal concluiu o ensino fundamental, tem condições de adotar um objetivo principal definido. Nesse caso, deve completar o ensino médio. Se ainda não for capaz de definir o objetivo de vida, deve trabalhar e descobrir pela experiência as possibilidades de diferentes ocupações ou ir para a faculdade e cursar artes liberais em geral. Depois disso deve estar apta a decidir qual profissão gostaria de seguir.

P — Suponha que uma pessoa escolha um objetivo principal definido, mas, depois de segui-lo por algum tempo, perceba que não gosta mais ou encontre outro do qual goste mais. Ela deve mudar?

R — Com certeza! Um homem será melhor sucedido naquilo de que mais gosta, mantidas inalteradas todas as outras variantes. É aconselhável mudar, desde que não se adquira o hábito de mudar a cada vez que o trabalho se tornar difícil ou sempre que se enfrentar uma derrota temporária. Mudar de uma linha de trabalho para outra envolve uma perda incrível. É como uma indústria substituindo a produção de um produto por outro. A pessoa bem-sucedida deve chegar à fase de especialização mais cedo ou mais tarde; quanto antes melhor.

P — É aconselhável um homem de negócios envolver-se em política?

R — Não se quiser ter sucesso nos negócios. A política é uma profissão em si e não muito confiável, aliás. Mas é uma profissão, e os que a seguem melhor são aqueles que não fazem nada além disso.

P — Que tipo de carreira você aconselharia um jovem a escolher? Uma carreira profissional ou uma carreira de negócios?

R — Depende do jovem, do que gosta e não gosta, de suas aptidões naturais, condições físicas, etc. De modo geral, eu diria que negócios e indústria oferecem oportunidades muito mais amplas do que as profissões, porque as profissões já estão superlotadas. Esta é uma nação essencialmente industrial. A indústria é a espinha dorsal de nossa estrutura econômica.

Nunca vi um homem confiável, leal e capaz não conseguir encontrar seu lugar na indústria. A maioria das grandes fortunas são feitas na indústria, o que em parte responde à sua pergunta, uma vez que a maioria das pessoas escolhe uma carreira com o objetivo de ganhar a vida e acumular tanta riqueza quanto possível. Sempre houve escassez de homens capazes de liderar na indústria, mas nunca entre as profissões.

P — E sobre o exército, a marinha ou o serviço público como carreira? Existem boas oportunidades em qualquer uma dessas áreas?

R — Mais uma vez devo dizer que depende em grande parte da pessoa que está escolhendo a carreira. Se um homem quer uma oportunidade de envolver-se em esforço criativo, não deveria escolher o serviço público como carreira, uma vez que suas chances se tornariam uma questão de caprichos dos políticos. Ele se sairia melhor no exército ou na marinha, uma vez que ficam um pouco mais distanciados da influência política.

Alguns fizeram carreiras louváveis nesses dois campos do serviço, mas geralmente eram homens que gostavam desse tipo de vida. A linha de promoção tanto no exército quanto na marinha é bastante longa e nada fácil. O serviço militar exige esforço concentrado e uma limitação da ambição definida, pois as possibilidades de avanço são conhecidas de antemão.

Alguns homens não são talhados por natureza a limitar-se dessa forma. Preferem se arriscar no mundo dos negócios ou da indústria, onde os riscos podem ser maiores e o trabalho mais difícil, mas as possibilidades de realização não têm limites.

P — Então você recomenda a concentração de esforços, pela especialização, em todos os campos? Você acredita obviamente na "mente com foco único"?

R — A especialização pela concentração de esforços proporciona um grande poder. Evita o desperdício de pensamento e de ação física. Harmoniza-se com a definição de objetivo, ponto de partida de todas as realizações. Acredito em uma mente com foco único se você me permitir descrevê-la da seguinte forma: uma vasta gama de conhecimento baseado em fatos relacionados ao objetivo principal, manifestado em planos organizados para a realização do objetivo.

Talvez seja mais fácil de entender se eu explicar assim: uma pessoa deve ter uma mente de foco múltiplo para acumular conhecimento, mas uma mente de foco único para expressar tal conhecimento, que é praticamente o mesmo que dizer que se deve ter uma reserva de ambos os conhecimentos, gerais e específicos, mas deve-se concentrar seu uso na realização do objetivo principal definido.

Já discutimos o fato de que conhecimento não confere poder até ser organizado e expresso em ação! Que requer concentração de esforços. Um homem pode ser uma enciclopédia ambulante de conhecimento geral, e conheço gente assim, mas o conhecimento será praticamente inútil até ele organizar e dar alguma forma de expressão mediante a definição de objetivo.

P — Entendo o que você quer dizer. Definição de objetivo implica na concentração de esforço. Quando um homem decide atingir qualquer objetivo definido, deve necessariamente concentrar os pensamentos e a ação física nesse propósito.

R — A ideia é essa. Veja, portanto, que a pessoa que domina e começa a aplicar os onze princípios discutidos anteriormente começa pelo menos a adquirir o hábito da *atenção controlada*. Chamo a atenção para o fato de que os princípios dessa filosofia estão tão relacionados entre si que o domínio e aplicação de qualquer um leva à aplicação de combinações de outros.

P — Quer dizer que, quando se adota um objetivo principal definido como trabalho de vida e se começa a perseguir esse objetivo, automaticamente se começa a fazer uso também da atenção controlada, *autodisciplina*, *esforço individual organizado*, *pensamento organizado* e *autossuficiência*, no mínimo. Naturalmente pode-se necessitar de muitos outros princípios, dependendo da natureza do objetivo.

R — É exatamente isso que quero dizer! Veja, portanto, como seria impossível alguém definir seu objetivo e começar a realizar os planos para alcançá-lo sem concentrar a atenção. Prossiga com a análise e imagine, se puder, alguém dominando e aplicando os onze princípios previamente mencionados dessa filosofia sem o auxílio da atenção controlada.

Esse princípio é parte indispensável da filosofia da realização individual. Se eu esquecesse de incluí-lo como um dos dezessete princípios, *ele teria se projetado na filosofia* onde quer que alguém começasse a aplicá-la. Assim, você pode compreender a importância da atenção controlada. Sem a sua aplicação, o sucesso no sentido mais amplo é impossível.

Capítulo 13
ADOTE A REGRA DE OURO

Um navio sem leme e um homem sem objetivo eventualmente acabam encalhados em algum areal remoto.

R — Chegamos ao décimo terceiro princípio da realização individual, a Regra de Ouro — princípio no qual quase todos dizem acreditar, mas poucos praticam, creio que por não entenderem a profunda psicologia subjacente. Muita gente interpreta a Regra de Ouro não como "não faça aos outros o que não gostaria que fizessem a você", mas como "faça aos outros, e faça bastante, antes que eles façam a você".

É claro que a interpretação errônea dessa grande regra de conduta humana só pode trazer resultados negativos!

Os verdadeiros benefícios da Regra de Ouro não são para aqueles em cujo favor ela é aplicada, mas se revertem a quem aplica a regra na forma de uma consciência fortalecida, paz mental e outros atributos de uma personalidade sólida — fatores que atraem tudo de mais desejado na vida, incluindo amizades duradouras e fortuna.

Para obter o máximo da Regra de Ouro, ela deve ser combinada com o princípio de *ir além*, que consiste em sua parte *aplicada*. A Regra de Ouro proporciona a atitude mental correta, enquanto ir além fornece o recurso ativo. A combinação concede o poder de atração que induz a cooperação amigável dos outros, bem como oportunidades para a acumulação pessoal.

P — Por suas observações, presumo que existam poucos benefícios a serem adquiridos pela mera crença na Regra de Ouro.

R — Muito poucos! A crença passiva não conquistará nada. É a aplicação que traz benefícios, e eles são tão numerosos e variados que influenciam a vida em quase todos os relacionamentos humanos. Estes são alguns dos benefícios mais importantes:

a. A aplicação da Regra de Ouro abre a mente para a orientação da Inteligência Infinita por meio da fé.
b. Desenvolve a autossuficiência graças a um relacionamento melhor com a própria consciência.
c. Constrói um caráter sólido suficiente para suportar momentos de emergência. Desenvolve uma personalidade mais atraente.

d. Atrai a cooperação amigável em todas as relações humanas.
e. Desencoraja a oposição hostil.
f. Traz paz mental e liberta das limitações autoestabelecidas.
g. Cria imunidade contra as formas mais prejudiciais de medo, uma vez que o homem com a consciência limpa raramente teme algo ou alguém.
h. Permite a oração com as mãos limpas e o coração puro.
i. Atrai oportunidades favoráveis para a promoção na sua ocupação, negócio ou profissão.
j. Elimina o desejo de obter algo a troco de nada.
k. Transforma a prestação de serviço útil em uma alegria que não pode ser obtida de nenhuma outra forma.
l. Propicia a reputação de honestidade e negociador justo, base de toda a confiança.
m. Desestimula o caluniador e repreende o ladrão.
n. Transforma as pessoas em uma força do bem pelo exemplo onde quer que entrem em contato com os outros.
o. Desencoraja os instintos básicos de ganância, inveja e vingança e dá asas aos instintos elevados do amor e do companheirismo.
p. Aproxima as pessoas do Criador em virtude da mente serena.
q. Permite reconhecer a alegria de aceitar que todo homem é, e deve ser, protetor de seu irmão.
r. Estabelece uma espiritualidade pessoal mais profunda.

Isso não é mera opinião minha. São verdades evidentes cuja solidez é conhecida por todos que vivem de acordo com a Regra de Ouro no cotidiano.

P — É evidente que a Regra de Ouro é a base das melhores qualidades do homem e que sua aplicação proporciona uma forte imunidade contra todas as forças destrutivas.

R — É uma boa definição. Ela realmente proporciona imunidade contra muitos dos males que assolam o caminho da humanidade, mas a imunidade é negativa. Ela proporciona também o poder de atração positivo com o qual pode-se adquirir tudo que se exige da vida, desde paz mental e entendimento espiritual até as necessidades materiais.

P — Alguns afirmam que gostariam de viver de acordo com a Regra de Ouro, mas acham impossível, pois aqueles que não vivem tirariam proveito deles facilmente. Qual a sua experiência a respeito?

R — Quando um homem diz que não pode viver de acordo com a Regra de Ouro sem sofrer danos causados por outros mostra claramente a falta de entendimento do princípio, mas esse é um equívoco comum. Se você estudar cuidadosamente os benefícios enumerados da aplicação da Regra de Ouro, verá que são coisas das quais ninguém pode ser privado.

Acredito que esse equívoco decorre da crença de que os benefícios da aplicação da Regra de Ouro devem vir diretamente das pessoas em cujo favor ela foi aplicada, quando na realidade podem vir de fontes completamente diferentes. Além disso, o mal-entendido pode surgir também da falsa crença de que os benefícios consistem apenas em ganhos materiais!

O maior de todos os benefícios obtidos pela aplicação da Regra de Ouro é aquele que reverte para quem o aplica na forma de harmonia dentro de sua mente, o que leva ao desenvolvimento de um caráter sólido. Não existem bens materiais comparáveis à solidez de caráter, e isso é algo que o indivíduo deve construir por si, por seus pensamentos e ações. O caráter tem um valor real definido.

P — Não é verdade que algumas pessoas tiram proveito de quem aplica a Regra de Ouro, vendo esse hábito como uma fraqueza a ser explorada em vez de uma virtude a ser recompensada?

R — Sim, alguns fazem isso, mas a porcentagem dos que pensam assim é tão incomparavelmente pequena que se torna insignificante, segundo a lei das probabilidades. Eu arriscaria estimar que, para cada pessoa que se recusa a aplicar a Regra de Ouro, existem noventa e nove que aplicam. Assim, pela lei das probabilidades, você pode ver que vale a pena ignorar o dano que aquela única pessoa pode causar.

Além disso, a lei da compensação entra em ação e, por alguma força estranha da natureza com a qual o homem não está familiarizado, mesmo o dano provocado pela pessoa sem visão é neutralizado pelas outras noventa e nove que não fazem como ela. Emerson fez um relato muito claro sobre isso no ensaio sobre a compensação.

P — Mas é tão pouca gente familiarizada com o ensaio de Emerson ou com a lei da compensação. E muitos dos que estão familiarizados veem-na como mera pregação de um moralista, sem qualquer valor real nos assuntos práticos da vida moderna. Poderia expressar sua opinião quanto à viabilidade da lei da compensação nos assuntos modernos da indústria e dos negócios, de acordo com sua experiência?

R — Minha experiência nos negócios e em todos os outros relacionamentos obrigou-me a aceitar a solidez da lei da compensação como uma verdade eterna da qual nenhum homem consegue escapar, não importa o quanto seja inteligente ou tente evitá-la. Existem algumas circunstâncias determinantes que elevam ou rebaixam um homem substancialmente para o seu lugar na vida, de acordo com seus *pensamentos* e *atos*!

Pode-se escapar da influência dessa lei por um tempo, mas, pelo visto pelo período de duração média de uma vida, *a lei obriga todos a gravitar para a exata posição a que pertencem.* Os próprios pensamentos e ações estabelecem o espaço que se pode ocupar e a influência que se pode exercer nas relações com os outros. Um homem pode direcionar suas responsabilidades temporariamente para um semelhante, mas não pode escapar permanentemente das consequências de se esquivar delas.

P — Então não seria conveniente adotar a política de aplicar a Regra de Ouro quando sua prática obviamente trouxer retornos imediatos e recusar-se a aplicá-la quando isso obviamente significar desvantagem temporária?

R — Não, isso seria suicida, embora muitas pessoas cometam o erro de escolher as circunstâncias sob as quais aplicar a regra. Para obter o máximo benefício dessa regra, ela deve tornar-se um hábito em todas as relações humanas. Não há exceções!

P — Essa afirmação é muito conclusiva, não deixa margens para transigir a Regra de Ouro. Deve-se ir até o fim ou sofrer as consequências da negligência.

R — Você captou a ideia. E deixe-me dizer que todo mundo enfrenta circunstâncias tentadoras para negligenciar a aplicação da regra como conveniência temporária. Mas ceder à tentação é fatal.

Outras pessoas podem até não saber do resultado, mas a consciência do indivíduo sabe. Se a consciência é suplantada, torna-se fraca e não serve mais para o objetivo para o qual foi concebida.

Nenhum homem deve tentar enganar os outros deliberadamente e, o mais importante, *não pode arcar com as consequências, em nenhuma circunstância, de tentar enganar a própria consciência,* uma vez que isso só servirá para enfraquecer sua fonte de orientação. O homem que tenta enganar a si mesmo é tão insensato quanto uma pessoa que colocasse veneno na própria comida.

P — Obviamente você acredita que um homem pode aplicar a Regra de Ouro em todas as suas relações humanas e ainda assim prosperar nessa era materialista.

ADOTE A REGRA DE OURO

R — Eu não diria assim. Faria uma declaração mais forte, dizendo que o homem que vive segundo a Regra de Ouro — que a aplica por questão de princípios — obrigatoriamente irá prosperar dentro dos limites de sua capacidade individual, seja ela qual for. Os resultados da aplicação dessa regra vão se acumular automaticamente e de fontes muitas vezes inesperadas.

P — Essa é uma afirmação cabal. Vinda de um homem com uma vasta experiência em lidar com todos os tipos de pessoas, não tenho outra escolha senão aceitá-la. Suas realizações provam que a Regra de Ouro pode ser aplicada lucrativamente mesmo em um período materialista como esse. Claro, presumo que você tenha sempre vivido segundo a Regra de Ouro, mas gostaria que comentasse a respeito.

R — Professor ruim é aquele que ensina uma coisa e pratica o oposto. Meu primeiro entendimento da Regra de Ouro veio de minha mãe em tenra idade, antes de eu vir para a América. Meu conhecimento real de sua solidez veio da experiência em aplicá-la com o máximo da minha capacidade e compreensão.

P — Você já sofreu alguma perda temporária por ter aplicado a Regra de Ouro?

R — Muitas vezes! Mas estou feliz que você tenha dito perda "temporária", porque não posso verdadeiramente dizer que, no fim das contas, eu tenha perdido alguma coisa por viver segundo a Regra de Ouro. As perdas resultantes das circunstância ocasionais em que a regra foi aplicada sem uma resposta direta foram reembolsadas muitas vezes em outras circunstâncias em que a resposta foi abundante.

Deixe-me dar um exemplo do que quero dizer:

Quando entrei no ramo siderúrgico, o preço do aço, como já mencionei antes, era de cerca US$ 130,00 por tonelada. Esse preço parecia muito alto, então comecei a procurar meios de reduzi-lo.

Primeiro coloquei o preço abaixo do custo de produção da época, embora meus concorrentes tenham se queixado de que eu estava sendo injusto com eles por causa dessa prática. Pouco depois, o aumento do volume de negócios resultantes do preço reduzido permitiu-me fazer ainda mais reduções. Logo descobri que baixar os preços significava aumentar a produção e que uma produção maior significava custos unitários mais baixos, o que possibilitava os preços reduzidos.

Mantive essa política até o aço chegar a cerca de US$ 20,00 por tonelada. Enquanto isso, o preço baixo do aço possibilitou seu uso de muitas novas maneiras, e depois de um tempo meus concorrentes descobriram que, em vez de prejudicá-los, na verdade eu os havia beneficiado ao obrigar que baixassem os preços. Assim, o público foi beneficiado, os trabalhadores das fábricas foram beneficiados, e os fabricantes beneficiaram-se de uma política comercial que no início acarretou uma perda evidente.

Hoje em dia o aço é utilizado na fabricação de uma grande variedade de artigos que não poderiam ser produzidos com os preços antigos, e no geral não perdi nada forçando o preço para baixo. Minhas perdas temporárias foram mais do que compensadas por meus ganhos permanentes, e acho que isso demonstra bem como a Regra de Ouro funciona. Ela pode causar perdas temporárias, e muitas vezes causa, mas ao longo do tempo os ganhos são maiores do que as perdas.

P — Quer dizer que a Regra de Ouro se harmoniza, em todos os detalhes, com a economia empresarial sólida?

R — Essa é a ideia, e, se quiser ver como ela funciona, olhe Henry Ford e observe o que aconteceu com sua empresa. Ele adotou a política de fornecer ao público um carro confiável pelo menor preço com que um automóvel já foi vendido.

Ele emprega bons materiais e mão de obra especializada na fabricação do produto, e você pode apostar que o público vai recompensá-lo com seu patrocínio; não importa quantos concorrentes venha a ter, ele vai prosperar além das expectativas da maioria das pessoas que o criticam.

Isso é uma profecia, mas observe e verá com seus olhos que é uma profecia sólida. Ford certamente dominará a indústria automobilística, a não ser que outro fabricante de visão entre em campo e siga seu exemplo.

(Nota do autor: essa declaração foi feita em 1909, e todos os estudantes dessa filosofia familiarizados com as surpreendentes realizações de Ford reconhecerão a sabedoria do discurso de Andrew Carnegie.)

P — Não seria impraticável para certos tipos de profissionais viver segundo a Regra de Ouro — advogados, por exemplo, cuja profissão obriga a tratar de casos que tornam a aplicação da regra difícil?

R — Eu poderia fazer um sermão sobre esse assunto, pois tive muitas experiências com muitos tipos de advogados, mas me limitarei à menção de apenas um advogado cujas política profissional e seus resultados devem ser respostas suficientes à pergunta.

Esse advogado não aceita um caso a menos que esteja convencido de que está do *lado certo*. Ou seja, não aceita um caso sem mérito, e não preciso dizer que ele dispensa muito mais clientes potenciais do que aceita. Mas também posso dizer que ele está ocupado o tempo todo e que sua renda, a julgar por tudo o que sei sobre ele, é aproximadamente dez vezes maior do que a renda média dos advogados.

Pago uma soma substancial a ele anualmente apenas por seus conselhos, fora qualquer outro serviço que ele preste a mim. Muitos dos meus amigos fazem o mesmo. Nós o contratamos porque confiamos nele, e nossa confiança baseia-se principalmente na certeza de que ele não vai enganar um cliente por dinheiro, nem aceitar um caso injusto.

P — Entendo. Um advogado pode viver segundo a Regra de Ouro e prosperar desde que esteja disposto a renunciar a casos que não têm mérito. Mas o que acontece com o cliente que vem com outro tipo de caso — aquele que é injusto? Parece que este tipo de caso é mais predominante do que o outro.

R — Em todas as profissões, todas as empresas e todas as ocupações há formas de ganhar dinheiro com práticas desleais, e devo confessar que há indivíduos que estão dispostos a ganhar dinheiro indevido, mas todos são cercados de riscos que, mais cedo ou mais tarde, secarão sua fonte de renda e trarão males ou perdas fora da proporção dos ganhos.

É verdade que há muitos casos legais sem mérito, alguns evidentes tentativas de obter algo a troco de nada, com fraudes e mentiras. É uma prerrogativa do advogado aceitar esse tipo de caso se quiser, mas mantenho minha declaração original de que tais casos trazem consigo males desproporcionais aos ganhos do advogado.

O dinheiro obtido injustamente em função de truques da profissão jurídica pode parecer tão bom quanto qualquer outro tipo de dinheiro, mas existe uma influência estranha que o acompanha, e algumas pessoas não desejam arcar com ela.

De alguma maneira esse dinheiro dissipa-se rapidamente sem cumprir sua maior utilidade, assim como o dinheiro roubado por assaltantes e ladrões. Você já ouviu falar de um ladrão ou assaltante bem-sucedido? Vi muitos fugirem com grandes somas de dinheiro, a maioria deles agora mora na prisão.

Todas as leis naturais são morais! O universo inteiro desaprova transações imorais de qualquer natureza. Ainda está para nascer o homem que consiga ir contra a tendência das leis naturais por mais do que um breve período.

Acredito que o segredo do grande poder da Regra de Ouro consiste em sua harmonia com as leis morais. Ela representa o lado positivo das relações humanas. Portanto, tem o apoio da lei moral.

P — Vamos considerar um jovem em início de carreira. De que forma ele pode lucrar com a Regra de Ouro?

R — O primeiro elemento crucial para o sucesso em qualquer área é a solidez de caráter. A Regra de Ouro desenvolve caráter sólido e boa reputação. Talvez você deseje um exemplo mais concreto de como os jovens podem se beneficiar substancialmente pela aplicação da Regra de Ouro, por isso vamos combinar os princípios da Regra de Ouro e o de ir além e ver que resultado teremos. Iremos um passo adiante e adicionaremos a definição de um objetivo principal. Agora temos uma combinação que, se for persistente e sinceramente aplicada, será suficiente para proporcionar mais do que um início ordinário a qualquer jovem.

P — É claro que essa combinação serve aos adultos tanto quanto aos jovens, certo?

R — Sim, se um homem sabe o que quer, prepara sua mente para adquirir o que deseja, cultiva o hábito de ir além para obtê-lo e relaciona-se com outras pessoas segundo a Regra de Ouro, ele não pode ser ignorado pelo mundo. Ele vai atrair atenção favorável, não importa o quão humilde possa ser seu início.

P — Esses três princípios não seriam uma ótima combinação para aplicar-se na escola ou na faculdade, na preparação para a vida profissional? Não dariam nítida vantagem sobre aqueles que não conseguem aplicá-los?

R — Sim. Como já afirmei antes, um dos pontos fracos da maioria dos jovens em idade escolar é estudar pelos "créditos" e passar nos exames sem saber o que vão fazer com sua escolaridade depois de adquiri-la. Acredito que todas as ações sem objetivo são desperdiçadas, não importa quando ou onde realizadas. Os "batalhadores", como o mundo chama as pessoas alertas, dinâmicas e bem-sucedidas, movem-se com um objetivo definido em praticamente tudo o que fazem. Atuam com um motivo definido, com um plano definido, e geralmente chegam ao destino, pois sabem para onde estão indo e não estão dispostos a ser interrompidos antes de chegar lá.

P — Você acredita que aqueles que se relacionam com os outros segundo a Regra de Ouro e criam o hábito de ir além encontrarão menos oposição, não é?

R — Primeiro, não terão praticamente nenhuma oposição. Pelo contrário, terão a cooperação voluntária e amigável dos outros. Essa tem sido a história dos que vivem segundo essas duas regras.

P — Então podemos dizer que esses dois princípios não apenas servem como um guia moral, mas também limpam o caminho das formas de oposição habituais?

R — Exatamente. Agora devo chamar a atenção para um outro benefício de que se pode desfrutar vivendo segundo esses dois princípios. Ele consiste no fato de que aqueles que assim o fazem no cotidiano, como uma questão de hábito, se destacarão pelo contraste com as pessoas que não os aplicam.

Capítulo 14
COOPERE

P — Você afirmou que o trabalho em equipe é o décimo quarto princípio da filosofia da realização pessoal; poderia citar seus principais benefícios, já que pode ser aplicado no mundo dos negócios?

R — Para começar, vamos reconhecer que a indústria americana, tal como a conhecemos hoje, não poderia levar a cabo sua vasta operação sem o trabalho em equipe.

Todas as indústrias que você puder citar são movidas por um grupo de pessoas que coordenam seus esforços em espírito amigável, trabalhando juntas por um benefício comum. Pequenas empresas individuais podem ser operadas por apenas uma pessoa, mas qualquer empresa que assume a proporção de uma indústria deve adotar e usar o trabalho em equipe.

Veja portanto, que *indústria e trabalho em equipe são sinônimos*! E você reconhece, é claro, que uma indústria bem-sucedida requer uma cooperação eficiente e harmoniosa entre aqueles que a operam.

P — Essa afirmação não se aplicaria da mesma forma à gestão de uma casa?

R — Sim, mas vamos voltar a isso mais adiante. Agora vamos limitar nossa análise às grandes operações dos negócios e da indústria.

Pegue o transporte como exemplo e você reconhecerá facilmente que é preciso trabalho de equipe em grande escala. No ramo ferroviário o trabalho em equipe é tão bem organizado que todas as principais operações são executadas por ordens escritas. Instruções verbais não funcionam, pois os riscos no setor ferroviário são tais que é preciso fixar as responsabilidades de cada indivíduo envolvido na operação.

O funcionamento de um trem moderno é um dos melhores exemplos do trabalho em equipe. Cada trem se move sobre ordens escritas. As ordens partem do escritório de executivos qualificados que planejam a movimentação dos trens. São encaminhadas para o ferroviário por meio de um despachante que, por sua vez, é responsável pela entrega e pela correta interpretação das ordens.

O trem fica a cargo de um condutor que se desloca de acordo com as ordens escritas, exceto sob certas condições nas quais pode rodar sem tais ordens por uma distância limitada. Todos os membros da tripulação respondem diretamente ao condutor e executam as instruções sem questionamentos.

Todos que trabalham em uma empresa ferroviária, desde o funcionário mais humilde até o presidente da companhia, estão relacionados com os outros pelo espírito de trabalho em equipe que não pode ser quebrado sem possivelmente ferir alguém.

P — Você diria que o executivo ferroviário moderno aplica perfeitamente o princípio do trabalho em equipe?

R — Quanto à relação dos trabalhadores ferroviários, existe uma coordenação de esforços quase perfeita, tirando as inevitáveis fraquezas humanas, e mesmo essas são em grande parte salvaguardadas por equipamentos mecânicos e dispositivos sinalizadores que funcionam automaticamente.

Mas o trabalho em equipe não deve limitar-se à mera coordenação de esforços entre os trabalhadores ferroviários; há o público servido pela ferrovia que também deve ser considerado, pois paga os salários dos homens que operam as ferrovias. Portanto, na verdade o público é o empregador de todos os homens da ferrovia.

P — Mas não é verdade que o público é forçado a utilizar as ferrovias, gostando ou não dos funcionários?

R — Essa é a atitude de muita gente, incluindo alguns funcionários, mas é um ponto de vista equivocado e, se for adotado pelos ferroviários em geral, não estaremos muito longe do dia em que veremos os clientes trocando os trens por outras formas de transporte, como automóveis e aviões.

P — Automóveis e aviões não são tão eficientes quanto as ferrovias e não podem transportar mercadorias mais pesadas. Como poderiam competir com as ferrovias?

R — Lembre-se do seguinte: o elemento humano é o fator controlador em todos os negócios, inclusive nos transportes. Quando muitas pessoas deixarem de bancar as ferrovias por causa da atitude mental dos funcionários, pode ter certeza de que vão existir outros sistemas concorrentes para assumir o mercado dos transportes. Os aviões serão aprimorados e capacitados a transportar cargas maiores. Os automóveis serão projetados para transportar carga e passageiros. Mas, mais importante do que isso, a publicidade moderna será aplicada de modo a convencer o público a utilizar os novos meios de transporte.

P — Mas as ferrovias podem se valer da publicidade também, certo?

R — Podem, mas se valerão? Essa é a pergunta. As ferrovias monopolizaram o mercado do transporte de mercadorias e passageiros por tanto tempo que podem demorar a entender os novos tempos com rapidez suficiente para ajustar-se a métodos mais avançados. Esse erro é comum a muita gente — não reconhecer os fatos a tempo de lucrar com eles.

Os monopólios muitas vezes levam à indiferença e à deterioração das relações humanas. O fato de que a natureza desencoraja monopólios deveria ser um aviso aos homens para evitá-los.

No sistema americano de livre iniciativa, temos uma forma de competição amigável com a qual mantemos o sistema ativo, alerta e altamente eficiente, o que equivale à cooperação, considerando o sistema como um todo.

P — Quer dizer que, embora o sistema americano de livre iniciativa seja competitivo, seus diversos fatores estão coordenados de maneira que lhe dão poder?

R — Sim, é isso. Pegue a relação entre o sistema de livre iniciativa e a forma americana de governo, por exemplo, e observe que tanto o governo quanto a indústria americana beneficiam-se da coordenação de esforços entre ambos. O governo protege a indústria, e a indústria, por sua vez, ajuda a bancar o custo do governo por meio dos impostos e salários que paga aos trabalhadores.

Enquanto esse sistema de coordenação for mantido de modo amigável, a forma americana de governo vai sobreviver, e a indústria americana vai prosperar, pois os resultados combinados desse tipo de cooperação representam o padrão de vida americano, o mais próspero que o mundo já conheceu.

P — Então governo e indústria são praticamente parceiros na estrutura econômica dos Estados Unidos?

R — Sim, e como tal estão sujeitos a todas as regras e regulamentos necessários para tornar qualquer parceria um sucesso. Ambos devem dar para receber. Ambos devem trabalhar amigavelmente. Ambos devem reconhecer os direitos e privilégios do público em geral, e ambos devem se tornar eficientes no atendimento ao público. Aqui, como em todos os outros relacionamentos humanos, a incapacidade de servir resultará na quebra do sistema.

O governo deve evitar os monopólios na indústria, mas ao fazê-lo não pode tornar-se um concorrente e não pode sobrecarregar a indústria com impostos despropositados nem interferir com regulamentações arbitrárias e pouco sólidas que desencorajem o exercício da iniciativa pessoal e a utilização de capital acumulado.

COOPERE

Pelo contrário, é o bom funcionamento do governo que incentiva a iniciativa pessoal e o exercício pleno da cooperação individual entre aqueles que administram as indústrias e o público a que servem.

P — O que aconteceria se o governo se tornasse um concorrente da indústria ou a sobrecarregasse de regulamentos e impostos que tornassem sua operação não lucrativa?

R — Precisamente a mesma coisa que aconteceria se as pessoas envolvidas na indústria se recusassem a cooperar amigavelmente para um objetivo comum. Às vezes isso acontece, mas sempre leva ao fracasso.

P — Quer dizer que a coordenação amigável de esforços é um requisito para o sucesso em todos os empreendimentos humanos?

R — O poder pessoal é adquirido exclusivamente mediante a coordenação amigável de esforços. Aqui nos Estados Unidos temos um sistema econômico baseado nesse tipo de cooperação. Por isso nossa nação é a mais rica e poderosa do mundo. Encontramos uma maneira prática de coordenar os esforços de grupos de indivíduos em todas as esferas da vida, e essa coordenação nos atribuiu grande poder.

Se você observar atentamente, notará que as pessoas que atingiram o mais alto grau de cooperação nas relações com os outros são aquelas que alcançaram o maior sucesso em suas áreas de atuação.

P — Então você acredita que a regulamentação governamental sobre a indústria é para o bem comum de todos! Por quê?

R — Porque a regulamentação, dentro dos limites do razoável, desencoraja os gananciosos e egoístas a criar monopólios e protege o público contra práticas abusivas nos negócios.

Assim como precisamos de árbitros imparciais no esporte, que assegurem que as regras do jogo sejam observadas e seguidas para o benefício de todos os jogadores, também precisamos de um árbitro governamental imparcial que certifique-se de que as regras da indústria estão sendo cumpridas em benefício de todos.

Todas as empresas bem geridas têm executivos que certificam-se de que todos os indivíduos trabalhem juntos com espírito de trabalho em equipe. Esses executivos são os árbitros que coordenam todos os fatores essenciais para o bom funcionamento do negócio. Seu senso de justiça e sabedoria determinam o grau de sucesso que o negócio alcança.

P — E você acredita que uma empresa não pode ser bem-sucedida sem o auxílio dessa coordenação imparcial conhecida como gestão?

R — Essa é a ideia. Pequenas empresas de apenas um homem podem operar com sucesso sem um coordenador, mas, a partir do momento em que um negócio requer mais do que um homem para seu funcionamento, um indivíduo deve assumir a responsabilidade de coordenar os fatores que afetam o negócio ou a empresa não terá sucesso.

Negócios são uma ciência que requer precisão de julgamento, experiência e senso de justiça. Todos esses fatores devem ser coordenados e aplicados de acordo com planos cuidadosamente definidos. A natureza humana é tal que nem todos os homens são adequados para servir como coordenadores. Alguns homens — na verdade a maioria deles — não aceitam a responsabilidade de dirigir a si mesmos com eficiência, muito menos a responsabilidade de guiar outras pessoas. No entanto, sem uma orientação prática dos trabalhadores, nenhuma empresa pode ter sucesso.

P — Quer dizer então que os serviços de um coordenador no mundo dos negócios são benéficos para todos os trabalhadores — especialmente aqueles que não assumem a responsabilidade de guiar a si mesmos?

R — Sim, e posso acrescentar que um coordenador capacitado não apenas atende aos interesses da empresa como um todo, mas ajuda os trabalhadores a orientar seus esforços de maneira que possam ganhar mais do que ganhariam se não tivessem essa orientação. Os homens precisam de disciplina, orientação e supervisão a fim que seus esforços sejam de maior valor para si mesmos e os outros. Se duvida disso, observe o que acontece quando a gestão de qualquer negócio torna-se ineficiente, egoísta ou desonesta.

P — Resumindo em poucas palavras, o que você está dizendo é que a coordenação dos esforços individuais é essencial para o sucesso de qualquer negócio, e a maioria dos homens não tem a capacidade ou tendência de cooperar com os outros de maneira eficiente e amigável?

R — É precisamente isso o que disse, apoiado pela experiência de todos os líderes empresariais capacitados. A melhor prova da solidez dessa afirmação pode ser encontrada no conhecido fato de que, enquanto o trabalho manual ordinário é abundante, a capacidade de gerenciamento é escassa. Isso acontece porque os homens com temperamento, educação, experiência e tendência pessoal para coordenar o esforço dos outros são escassos. A escassez explica por que aqueles com capacidade de gestão determinam o próprio valor no mercado de trabalho; pois aqui, assim como em todos os campos da economia, a lei da oferta e da procura impera.

P — Tendo em vista sua análise, na sua opinião, qual tipo de homem é mais essencial para um negócio bem organizado — o gestor ou o trabalhador que executa ordens?

R — Ambos os tipos são essenciais, mas posso acrescentar minha opinião de que o gestor em geral é de maior valia para o trabalhador do que o trabalhador para o gestor, uma vez que uma boa gestão permite que um trabalhador ganhe mais do que poderia ganhar se trabalhasse de forma independente! A situação ideal é, obviamente, quando gestor e trabalhador reconhecem a necessidade um do outro e trabalham juntos em espírito amigável, como fazem em todos os negócios bem-sucedidos.

P — Então não há razão sólida para a discórdia entre a gerência e os trabalhadores?

R — Não, e posso acrescentar que, quando essa discórdia prevalece, tanto a gerência quanto os trabalhadores sofrem, não importa qual seja a causa da discórdia. Qualquer circunstância que afete a gerência ou os trabalhadores causa danos proporcionais a todo o negócio.

O atrito entre a gerência e os trabalhadores da indústria só pode ser resultado da falta de vontade de alguns ou de muitos em cooperar em um espírito amigável. Tal atrito normalmente é resultado da intromissão de agitadores profissionais que lucram causando discórdia entre os trabalhadores.

P — Na medida em que o sistema de livre iniciativa é uma parte inseparável do modo de vida americano e um dos principais fundamentos do americanismo, não é verdade que a lesão ou destruição do sistema de livre iniciativa seria equivalente a um golpe nocivo à nossa forma de governo?

R — Sim, é verdade. O poder que mantém o modo de vida americano, ou o que chamamos de "americanismo", é uma coordenação de muitos fatores, sendo nosso sistema industrial o mais importante deles, pois é nossa principal fonte de troca de mercadorias e serviços pessoais.

A maior parte de todo o dinheiro que circula nos Estados Unidos passa pelo sistema industrial, via pagamento de mercadorias ou de salários. Portanto, o sistema industrial paga uma parte importante dos impostos necessários para o funcionamento do governo. Sem essa fonte de renda o governo iria à falência em pouco tempo, uma vez que não produz nada e não tem fonte de renda direta.

P — Se a forma americana de governo algum dia for destruída ou substancialmente alterada, de modo a limitar a liberdade pessoal, de que fonte você acredita que essa mudança virá?

R — Se qualquer mudança desse tipo acontecer, sem dúvida virá como resultado da interferência em nosso sistema industrial. Ele é ao mesmo tempo nosso maior patrimônio e nosso ponto mais vulnerável. É o núcleo do modo de vida americano, em torno do qual todos os fatores menores giram. Vai continuar a prosperar desde que o governo funcione da maneira para a qual foi criado, ou seja, *como um coordenador amigável de todos os fatores do estilo de vida americano!*

O governo obtém seu poder da cooperação voluntária dos estados, e os estados obtêm seu poder da cooperação voluntária das pessoas que vivem dentro de suas fronteiras, e as pessoas obtêm seu poder por meio da cooperação amigável mútua, expressa nos termos da livre iniciativa. Veja, portanto, que em última análise o poder dos Estados Unidos provém da cooperação amistosa entre as pessoas.

Se o governo for radicalmente alterado ou destruído, será resultado da discórdia entre o povo, começando talvez pelo desentendimento entre pequenos grupos motivados por razões egoístas de engrandecimento individual. Enquanto as pessoas trabalharem em conjunto, em espírito amigável, não haverá mudança em nossa forma de governo, a não ser que o povo queira. E mesmo assim a mudança virá de dentro, não será imposta ao povo vinda de fora.

Lembre-se de que a força com que o povo americano tornou-se próspero pode servir também como meio de defender seus direitos e privilégios, incluindo o sistema de livre iniciativa.

Capítulo 15

GERENCIE SEU TEMPO E SEU DINHEIRO

Andrew Carnegie conduziu toda sua vida sob um gerenciamento rigoroso, tanto do tempo quanto dos recursos financeiros. Suas realizações o qualificaram a falar como autoridade no assunto, visto que os Estados Unidos nunca produziram um homem que tenha feito mais com as oportunidades do modo de vida americano.

As condições econômicas e sociais mudaram muito desde os tempos de Carnegie, mas os princípios da realização pessoal não. São os mesmos de quando ele trilhou seu caminho de baixo para cima até uma posição invejável e servirão tão efetivamente hoje quanto serviram na época em que ele construiu sua carreira.

P — Você nomeou o gerenciamento do tempo como um dos elementos essenciais para a realização pessoal. Poderia indicar quais métodos devem ser adotados para se fazer melhor uso do tempo?

R — Todas as pessoas de sucesso planejam sua vida tão cuidadosamente quanto um homem de negócios bem-sucedido planeja seus negócios. Ele começa adotando um objetivo principal definido e segue dedicando uma parcela definida de tempo para atingir esse objetivo.

P — Qual proporção de tempo devemos dedicar à conquista do objetivo principal?

R — Para começar, temos de reconhecer que a pessoa comum vem ao mundo *com nada além de tempo* como recurso! Cada pessoa tem vinte e quatro horas a cada dia — nem mais, nem menos.

Quando a pessoa atinge a idade da responsabilidade pessoal, deve dividir o tempo em três partes: (1) uma para o sono, (2) uma para o trabalho e (3) uma para o lazer.

A distribuição habitual dessas vinte e quatro horas do dia é de (1) oito horas para o sono, (2) oito horas para o trabalho e (3) oito horas para o lazer. Algumas pessoas, talvez a maioria, acham necessário trabalhar dez horas por dia a fim de manter o atual padrão de vida, enquanto dedicam apenas seis horas por dia para o lazer. Normalmente uma pessoa não pode ter menos do que oito horas de sono.

P — Qual desses três períodos do dia você considera mais importante?

R — Isso depende totalmente do que você considera importante. A boa saúde requer pelo menos oito horas de sono. O padrão médio de vida atual demanda pelo menos de oito a dez horas de trabalho diário. Restam de seis a oito horas de tempo livre por dia, que o indivíduo pode usar como quiser. Eu diria que, em se tratando da realização pessoal, esse é o período mais importante do dia, pois propicia a oportunidade de adquirir educação adicional, planejar novas formas de prestação de serviço e desenvolver a boa vontade.

P — E a pessoa que não utiliza esse período para nenhum desses objetivos, mas o dedica inteiramente ao prazer pessoal, que não acrescenta influências ou amigos adicionais?

R — A pessoa que usa o tempo livre dessa forma nunca será bem-sucedida, exceto por um raro golpe de sorte que pode favorecê-la independentemente de seus esforços.

O período de sono não produz nada, exceto a manutenção da boa saúde. Portanto, não é possível tomar liberdades com ele, pois não detém sementes de oportunidade para a autopromoção ou acumulação de bens materiais.

O período de trabalho exige que todos os pensamentos e esforços sejam concentrados em funções específicas. Por isso detém apenas pequenas oportunidades de esforço extra, embora possa ser utilizado para estabelecer as bases para novas oportunidades, modificando-se a qualidade e quantidade do trabalho realizado.

O período de tempo livre é justamente o que o nome diz — tempo que se pode usar no que se quiser. Portanto, é apropriadamente chamado de tempo da "oportunidade". Nesse período, um indivíduo não só pode plantar a semente da oportunidade, como pode fazer a semente germinar e crescer, regulando cuidadosamente sua associação com outros e exercendo rigorosa disciplina sobre os próprios pensamentos.

As pessoas mais bem-sucedidas combinam o tempo livre com o período de trabalho, dedicando tudo para algum tipo de ação que possa ajudá-las a alcançar o objetivo principal. Assim, trabalham cerca de dois terços do tempo e dormem no outro terço.

P — Mas não é necessário tirar um tempo para lazer e recreação a fim de manter a boa saúde?

GERENCIE SEU TEMPO E SEU DINHEIRO

R — Sim, a boa saúde exige uma mudança de hábitos físicos e mentais, mas as pessoas bem-sucedidas aprenderam a fazer essas alterações combinando o horário de trabalho e o tempo livre, de modo que o tempo livre proporcione prazer e ao mesmo tempo contribua e se harmonize com as tarefas que realizam durante o horário de trabalho.

P — Entendo o que você quer dizer. Um homem pode usar o tempo livre de forma que traga oportunidades definitivamente relacionadas ao trabalho, como contato com pessoas que possam gerar benefícios na conquista do objetivo principal, embora o relacionamento com elas possa ser de natureza inteiramente social, ligada ao lazer.

R — Essa é exatamente a ideia! Mas você deve reconhecer o fato de que a maioria das pessoas não usa o tempo livre dessa maneira. Utilizam para diversão, que muito frequentemente confundem com prazer, e com companhias que as influenciam com hábitos destrutivos como bebida e jogos de azar, ou simplesmente preguiça.

Enquanto o tempo livre pode ser apropriadamente chamado de "tempo da oportunidade", geralmente revela-se o "tempo do infortúnio", pois é nesse período que a maioria das pessoas adquire hábitos negativos que afetam crucialmente seu período de trabalho. Tais hábitos podem, por exemplo, reduzir o período de sono e consequentemente reduzir a eficiência durante o trabalho, bem como prejudicar a saúde física.

P — Entendo a lógica do argumento, mas não é verdade que uma vida satisfatória demanda um pouco de diversão? O velho ditado "nem só de pão vive o homem" parece sensato.

R — Pode ser um ditado sensato, mas há muitos equívocos. Falando por mim e a partir de minha observação de pessoas bem-sucedidas, posso dizer que não há melhor forma de lazer do que aquela associada ao planejamento e conquista do objetivo principal. Seria um equívoco dizer que eu trabalho *duro*, pois a verdade é que vejo meu trabalho como o melhor tipo de divertimento, assim como todos os outros homens bem-sucedidos no verdadeiro sentido do termo.

O trabalho de um homem pode ser um lazer se ele realizá-lo com um espírito de intenso entusiasmo e gostar do que faz. O entusiasmo distrai, e o interesse pelo trabalho e pode, portanto, ser um divertimento.

P — Reconheço a verdade do que você disse, mas e o homem que não gosta de seu trabalho — que é forçado a trabalhar para suprir as necessidades básicas da vida? Que motivo ele tem para se entusiasmar com o trabalho?

R — Achei que você fosse chegar a essa pergunta. É exatamente o que preciso para deixar claro o benefício potencial do período de tempo livre.

É verdade que um homem pode não estar sempre entusiasmado com um trabalho que não rende nada mais do que uma parca sobrevivência, mas, quanto menos gosta do trabalho, mais motivos ele tem para tomar as medidas necessárias para sair dele e encontrar outro melhor.

Na maioria dos casos, a única esperança está nas possibilidades do tempo livre, quando ele pode preparar-se para o tipo de trabalho de que gosta e formar alianças com outros que podem ajudá-lo a conseguir tal emprego. Se desperdiça o tempo livre em uma vida desregrada ou ociosa, ou na companhia de gente que o conduz a hábitos negativos, ele obviamente deverá permanecer no tipo de trabalho de que não gosta!

Eu não gostava do trabalho que fui forçado a fazer na juventude!

Era pesado e rendia apenas o suficiente para a sobrevivência. Saí daquele tipo de trabalho usando meu tempo livre para preparar-me para algo melhor. A preparação consistiu em ler, ir à escola e especialmente fazer amigos em uma classe de pessoas que poderiam ser úteis. Foram esses amigos, com quem tive contato no tempo livre, que me ajudaram mais tarde na vida, quando precisei de capital para entrar no negócio do aço.

Veja por que chamei o tempo livre de "tempo da oportunidade"!

Rigorosamente, não se deve ter tempo livre, *pois todo o tempo, exceto aquele necessário para o sono, deve ser utilizado para se obter alguma forma de benefício.*

Posso dizer sinceramente que nunca, em toda a minha vida, passei voluntariamente um segundo de meu tempo com qualquer pessoa que eu não acreditasse que pudesse me trazer algum benefício! Claro que transformei a maioria delas em associados, não apenas usando-as para meu benefício, mas as cultivando e servindo com cuidado.

P — Mas alguns não considerariam egoísta cultivar amizades apenas com quem se deseja uma colaboração mútua?

R — Não importa como esse hábito seja visto, é um elemento essencial para a realização pessoal. Pessoalmente não vejo nada de egoísta nisso, desde que a pessoa se relacione com as outras de maneira a DOAR tanto quanto recebe, e sempre deixei claro que seguia essa prática.

Posso dizer sinceramente que, para cada benefício que já recebi de outra pessoa, prestei a tal pessoa um benefício equivalente ou maior e, para cada dólar que acumulei, ajudei outros — muitos outros — a acumular.

GERENCIE SEU TEMPO E SEU DINHEIRO

Então, onde entra o egoísmo de minha parte? E, para completar minha carreira, agora estou empenhado em doar toda a minha riqueza a outras pessoas da maneira que achar mais adequada para ajudá-las.

P — Estou feliz por ter feito essa pergunta, pois muitas outras pessoas vão fazê-la e não teriam a oportunidade de obter resposta. A partir do que você disse, cheguei à conclusão de que a questão do valor do tempo resume-se a reconhecer que o período mais importante é o tempo livre, pois os outros dois devem necessariamente permanecer como períodos de rotina, sobre os quais nem sempre se pode ter controle.

R — Agora você tem o ponto de vista que eu gostaria que tivesse. Tempo livre é exatamente o que o nome implica, pois é o ponto de partida de toda a liberdade individual de corpo e mente! Há apenas uma coisa sobre a qual temos maior controle do que nosso tempo livre: a natureza de nossos pensamentos. Curiosamente, o tempo livre é o mais favorável de todos os períodos para organizar e dirigir os pensamentos de acordo com a escolha pessoal. *O tempo livre proporciona a oportunidade de se retirar os pensamentos das obrigações prioritárias da vida e direcioná-los para a fonte daquele poder interno secreto que detém a resposta para todos os problemas humanos.*

Essa é a maior razão para se organizar o tempo livre e fazer uso deliberado e construtivo dele, em vez de desperdiçá-lo com gente preguiçosa e sem ambição.

Acredito que a pessoa que organiza e protege seu tempo livre com a escolha cuidadosa de associados e amigos, longe de ser egoísta, demonstra extremo altruísmo, pois somente dessa forma pode tornar-se de maior benefício para si e os outros. Se quiser encontrar o verdadeiro egoísta, você pode encontrá-lo perdendo tempo — tempo que pode pertencer à sua família ou aos credores — em companhia de ociosos que imprudentemente acreditam que estão se divertindo.

Você encontrará o egoísta em bares e antros de jogatina ou lugares piores, na companhia de quem acredita que tempo livre é algo que se tem o direito de desperdiçar. Olhe ao redor, observe as pessoas cuidadosamente, e a veracidade do que eu disse ficará evidente. O egoísta é aquele que vive apenas para si e em geral prefere viver na companhia de outros que pensam da mesma forma.

Espero ter esclarecido esse assunto, pois há muitos equívocos relacionados à definição do egoísmo.

O altruísmo manifesta-se pelo respeito ao tempo e uso construtivo deste. O egoísmo manifesta-se pela desconsideração arbitrária do próprio tempo e do tempo dos outros. Nenhum homem tem o direito de viver apenas para si. A civilização impõe a cada pessoa um certo grau de responsabilidade para com as outras, de uma forma ou outra. Mas muitos homens desejam beneficiar-se das vantagens da civilização sem contribuir em nada para a fonte desses privilégios. Isso é egoísmo em sua forma mais maligna, ou estou totalmente equivocado sobre o significado da palavra egoísmo.

Minha ênfase nesse assunto não é uma repreensão a você por ter feito a pergunta, mas destina-se a inspirar o pensamento nas pessoas que precisam ter uma ideia clara sobre o assunto. O egoísmo é um dos males fundamentais do mundo, e sua verdadeira natureza precisa ser analisada como espero ter feito.

P — Admitindo-se que um indivíduo faça uso eficiente do período de trabalho, combinando-o com o tempo livre para que possa obter tudo o que deseja, tenha um objetivo principal definido e, pelo uso eficiente do tempo, alcance o objetivo ou esteja no caminho para alcançar, isso é suficiente para garantir o sucesso?

R — Não! Supondo que se refira a bens materiais — dinheiro ou o seu equivalente — quando fala de sucesso, deixe-me chamar a atenção para o fato de que nem a capacidade de obter dinheiro facilmente, nem sua posse temporária significarão muito para o homem que não aprender a UTILIZAR a riqueza.

O valor de todas as riquezas, incluindo o dinheiro, consiste na utilização que a pessoa faz delas, não na mera posse!

O homem bem-sucedido (aquele que alcança o sucesso econômico) gerencia o uso do dinheiro e dos bens materiais tão cuidadosamente quanto gerencia o tempo. Reserva uma quantidade definida dos rendimentos (geralmente determinada como uma porcentagem do total) para (1) alimentação, vestuário e despesas da casa, (2) seguro de vida, (3) poupança em algum tipo de investimento, (4) caridade e divertimento.

Todos esses quatro itens são controlados por um orçamento rigoroso no qual não há desvios, exceto em casos raros de emergência. Isso garante a economia de um percentual definido da renda e leva à segurança econômica.

Que diferença faria se a renda de uma pessoa fosse de US$ 1.000,00 ou US$ 10.000,00 por mês e ela gastasse tudo em seu custo de vida, lazer ou qualquer outra atividade que não rendesse nenhum tipo de retorno material?

Devo dizer, entretanto, que a maioria dos norte-americanos comete esse erro. Não importa o quanto ganhem, gastam tudo de uma forma ou de outra porque não têm um sistema de orçamento estabelecido para poupar e *utilizar* adequadamente uma porcentagem do dinheiro. Conheci homens que receberam aumentos salariais que gastaram prontamente — cada centavo — nas despesas diárias. Veja, se um indivíduo recebe US$ 100,00 por mês e ganha um aumento de US$ 25,00, sob circunstâncias normais ele poderia guardar o valor total desse aumento, pois, se conseguia manter-se com o salário anterior, poderia continuar vivendo com o mesmo montante depois, tão bem quanto antes.

A segurança econômica é alcançada pela administração cuidadosa da renda, e isso exige rigorosa disciplina no assunto das despesas. O problema da maioria dos americanos é que adquiriram o hábito de gastar na infância por causa da falta de disciplina dos pais, e esse hábito tornou-se uma espécie de mania. O hábito de economizar causa tanta excitação quanto o hábito de gastar uma vez que seja desenvolvido pela disciplina. E preciso mencionar que é um hábito muito mais desejável?

P — Quando fala em "economizar", você não se refere apenas à acumulação de dinheiro em uma conta poupança ou um depósito de segurança, não é?

R — Não, não me refiro a isso. Economia inteligente implica a UTILIZAÇÃO das economias. *O dinheiro deve ser utilizado para gerar mais dinheiro!* Se não for colocado em uso, é o mesmo que não ter nada mais do que o suficiente para pagar o custo de vida.

P — Que porcentagem da renda um homem deveria reservar em uma poupança?

R — Isso depende de muitos fatores. O percentual deve variar, dependendo de ele ser casado ou solteiro e do número de dependentes dele. O solteiro deve poupar uma porcentagem muito maior do que o casado, já que geralmente tem menos dependentes. Deve poupar para o dia em que tiver uma família, bem como para ter segurança econômica na velhice.

Mas todos os homens devem poupar um percentual definido do rendimento bruto, mesmo que não seja mais do que 5%, a fim de que possam desenvolver o *hábito* de poupar. O montante não é tão importante quanto o hábito em si, porque a rotina de economizar conota *autodisciplina*, que é de grande valor em outros sentidos. Sem autodisciplina, ninguém pode assegurar a conquista da segurança econômica ou do objetivo principal, não importa quanta capacidade ou quais oportunidades possa ter. *O hábito de economizar é a autodisciplina de alto nível!*

P — Qual item você considera mais importante no planejamento da poupança?

R — O seguro de vida! Ele deve ter prioridade sobre todo o resto, sendo o homem casado ou solteiro. Primeiro, o seguro de vida obriga o indivíduo a adotar o hábito de economizar porque os prêmios devem ser pagos anualmente. É uma forma de economia que não pode ser gasta tão facilmente quanto o dinheiro depositado em uma poupança, além de também desenvolver a autossuficiência e proporcionar paz mental e liberdade da preocupação sobre o que pode vir a acontecer aos dependentes em caso de morte ou a si mesmo na velhice.

Capítulo 16
FAÇA DA SAÚDE UM HÁBITO

O silêncio tem uma grande vantagem:
não dá indícios de qual será o seu próximo passo.

O corpo físico é uma "casa" que o Criador forneceu para a moradia da mente! É o mecanismo mais perfeito já produzido e se mantém praticamente por si.

Tem um cérebro que serve como centro do sistema nervoso, o coordenador de todas as atividades corporais e receptor de todas as percepções sensoriais. O cérebro é o órgão que — por meios ainda não explicados pela ciência — coordena toda a percepção, conhecimento e memória em novos padrões que conhecemos como *pensamento*.

O cérebro comanda todos os movimentos voluntários do corpo e os movimentos involuntários levados a cabo pelo subconsciente, tais como respiração, batimento cardíaco, digestão, circulação do sangue, distribuição de energia nervosa e outros. É o centro de armazenamento de todo o conhecimento, intérprete das influências do ambiente e dos pensamentos. É o mais poderoso e menos compreendido órgão do corpo humano.

O cérebro é o local onde habitam as partes consciente e subconsciente da mente, mas a energia e a inteligência com que o pensamento é produzido fluem até o cérebro desde o grande centro de armazenamento universal, a Inteligência Infinita. O cérebro serve apenas como receptor e distribuidor dessa energia.

Entre outras funções, o cérebro opera um departamento químico de primeira linha, com o qual quebra e assimila o alimento levado ao estômago, distribuindo-o pela corrente sanguínea para todas as partes do corpo onde é necessário para a manutenção e reparação das células. Todo esse trabalho é realizado automaticamente, mas o indivíduo pode auxiliar o cérebro a manter a boa saúde física.

O objetivo deste capítulo é descrever meios de auxiliar o cérebro:

1. ATITUDE MENTAL

Na medida em que o cérebro é o chefe incontestável de todo o corpo físico, devemos começar reconhecendo que uma saúde física adequada exige uma *atitude mental positiva*.

Uma boa saúde começa com uma *consciência de boa saúde*, assim como o sucesso financeiro começa com uma *consciência de prosperidade!* Convém enfatizar que ninguém consegue êxito financeiro sem essa consciência de prosperidade, nem desfruta de boa saúde física sem uma consciência de saúde. Pondere essa afirmação, pois ela transmite uma verdade de suma importância na manutenção da boa saúde física.

Para preservar uma consciência de saúde deve-se pensar em termos saudáveis, não em doenças e enfermidades, pois *devemos enfatizar que tudo o que reside na mente, ela traz à existência,* seja sucesso financeiro ou saúde física.

Émile Coué, o psicólogo francês, forneceu ao mundo uma frase muito simples, mas prática para a manutenção da consciência saudável: "Dia após dia, em todos os sentidos, estou ficando cada vez melhor". Ele recomendou que a frase fosse repetida milhares de vezes por dia, até o subconsciente pegá-la, aceitá-la e começar a trazê-la à conclusão lógica, sob a forma de uma boa saúde.

Os "sábios" sorriram, sem muita tolerância, quando ouviram a fórmula de Coué. Os não tão sábios aceitaram de boa-fé, colocaram em prática e descobriram que ela produzia resultados maravilhosos, pois colocou-os no caminho do desenvolvimento de uma consciência saudável.

E aqui está a razão pela qual uma atitude mental positiva é essencial para a manutenção da boa saúde.

Toda a energia do pensamento, seja ela positiva ou negativa, é transportada para todas as células do corpo e depositada como a energia com a qual as células operam.

A energia do pensamento é transportada para as células do organismo pelo sistema nervoso e corrente sanguínea, pois é fato conhecido que o corpo combina a energia do pensamento com cada partícula de alimento assimilada e preparada para liberação na corrente sanguínea.

Pode-se encontrar evidência disso no fato de que a mãe que amamenta o filho pode envenenar o próprio leite por preocupação ou medo, de maneira que o bebê passará mal poucos minutos após ingeri-lo.

Outro exemplo é o fato de que qualquer forma de preocupação, medo, raiva, inveja ou ódio que se possa experimentar durante uma refeição fará com que o alimento fermente no estômago sem ser assimilado, e o resultado natural disso é a "indigestão".

Para manter uma atitude mental positiva adequada ao desenvolvimento e manutenção de uma consciência de boa saúde, a mente deve ser mantida livre de pensamentos e influências negativas mediante a autodisciplina e hábitos estabelecidos.

Não se deve resmungar ou atribuir culpas. Isso fere os órgãos digestivos.

Não se deve nutrir ódio, pois o ódio atrai vinganças e perturba a digestão.

Não se deve sentir medo, pois indica atrito nos relacionamentos humanos, falta de harmonia e compreensão, além de dificultar a digestão.

Não se deve falar sobre enfermidades e doenças! Isso leva ao desenvolvimento da pior de todas as doenças — a doença conhecida entre os médicos como "hipocondria", que, em linguagem leiga, significa *doença imaginária*. Estima-se que três quartos de todos os pacientes que visitam consultórios médicos sofram apenas de doenças imaginárias.

2. HÁBITOS ALIMENTARES

Este assunto é digno de um livro inteiro, mas, como existem muitos bons livros a respeito, vamos nos limitar a algumas recomendações simples que devem ser cumpridas por todos aqueles que querem desfrutar de uma boa saúde.

AS "OBRIGAÇÕES" DA ALIMENTAÇÃO CORRETA

Primeiro, não se deve comer em excesso! Isso sobrecarrega o coração, o fígado, os rins e o sistema digestivo. Uma maneira simples de seguir esse conselho é o hábito de sair da mesa antes de estar completamente satisfeito. O hábito será um pouco difícil de adquirir, mas depois de desenvolvido trará muitas recompensas, entre elas uma grande economia nas despesas médicas.

Comer em excesso é uma forma de descontrole que pode ser tão prejudicial quanto os excessos relacionados a bebidas alcoólicas ou ao uso de narcóticos.

Deve-se manter uma dieta *equilibrada*, que consista em pelo menos uma boa porção de frutas e verduras, pois estas contêm os dezesseis principais elementos minerais que a natureza exige para a construção e manutenção do corpo físico. Nenhum vegetal contém todos esses elementos, portanto, a fim de fornecer ao corpo todo o material necessário, deve-se comer uma boa variedade de alimentos produzidos pela natureza a partir do solo.

Além disso, deve-se ter certeza de que os vegetais ingeridos contêm todos os minerais que a natureza demanda, o que não pode ser determinado apenas pela aparência do vegetal.

Na maior parte dos Estados Unidos, o solo foi negligenciado por muito tempo, não recebendo de volta, pelo tipo adequado de fertilização, todos os elementos necessários para a produção de alimentos saudáveis. Isso ocorre principalmente no sul do país, onde o solo foi "sugado" por várias gerações para a produção de milho e algodão, até ficar deficiente em muitos minerais que a natureza originalmente fornecia.

Essa deficiência revela-se de modo desastroso nos movimentos e atitudes mentais apáticas de muitos sulistas. É claro que eles agem de forma lenta e indiferente porque grande parte dos alimentos que consomem não têm a devida qualidade para proporcionar força e vigor.

O Dr. Charles Northen, da Universidade de Tampa, na Flórida, provavelmente o cientista mais capacitado no campo da nutrição do solo, fez descobertas surpreendentes sobre a produção de alimentos. Com a aplicação da química coloidal, Northen compôs um fertilizante que contém *todos os elementos minerais* necessários ao solo para a produção de frutas e vegetais saudáveis. Ele primeiro analisa o solo a ser fertilizado, descobre quais minerais estão faltando e então compõe um fertilizante contendo esses minerais.

Para demonstrar suas ideias, ele plantou duas fileiras de feijão, com cerca de quinze metros de comprimento, lado a lado no mesmo solo. Uma fila foi fertilizada com um composto que continha todos os minerais necessários para a produção de grãos saudáveis. A outra não recebeu fertilizante. A linha adequadamente fertilizada gerou feijões perfeitos, *que não eram atacados por insetos ou pestes,* enquanto a outra fileira foi literalmente devorada por percevejos e besouros.

Com seus experimentos, Northen descobriu que as frutas e verduras que continham todos os minerais que a natureza pretendia que contivessem desenvolviam imunidade perfeita aos ataques de insetos. Além disso, ele ponderou que o corpo físico sustentado por alimentos que contêm tudo o que a natureza exige para a manutenção da boa saúde física irá igualmente repelir os germes das doenças e tudo que é prejudicial à saúde.

Que diferença entre o sistema científico de fertilização do solo de Northen e aquele dos fazendeiros comuns que, quando o fazem, compram qualquer fertilizante disponível no momento, sem saber se contém ou não os elementos minerais de que seu solo necessita.

FAÇA DA SAÚDE UM HÁBITO

Alimentos saudáveis devem ser cultivados em um solo que tenha sido analisado e que sabidamente contenha todos os elementos minerais de que a natureza necessita para a sua produção.

Alimentos carentes dos elementos minerais necessários fermentam no tubo digestivo, apodrecem e ocasionam uma condição conhecida como envenenamento tóxico. Assim, o alimento carente fracassa em suprir o corpo com os elementos minerais essenciais para sua manutenção e ainda cria um veneno que pode causar uma série de doenças. Alguns médicos admitiram francamente que a maioria das enfermidades começa no tubo digestivo devido à digestão imprópria.

Não se deve comer depressa ou engolir os alimentos. Tais hábitos impedem a mastigação adequada e também indicam uma atitude mental nervosa, que se torna parte do alimento e é levada para a corrente sanguínea.

Não se deve "beliscar" entre as refeições, mas, caso aconteça, deve-se consumir frutas maduras ou vegetais crus, nunca balas ou outros tipos de doces. O melhor é evitar completamente comer entre as refeições.

Bebidas alcoólicas estão na lista de proibições a qualquer hora.

Onde vegetais frescos devidamente mineralizados não forem acessíveis, a deficiência deve ser compensada com a ingestão de vitaminas. Elas estão disponíveis na maior parte das farmácias, mas nunca devem ser utilizadas sem uma completa análise física por um médico competente, que irá determinar a quantidade e o tipo determinado de vitaminas e sais minerais necessários. As vitaminas contêm os fatores construtivos da saúde presentes nos vegetais. Elas são o "élan vital" de todos os vegetais — *a força da vida.*

Talvez não exista ninguém nos Estados Unidos que não precise, de vez em quando, de algum composto vitamínico para completar a dieta. Os benefícios das vitaminas na manutenção da saúde são inúmeros. A vitamina A dissolve pedras nos rins. A vitamina B1 ajuda a audição. A vitamina E minimiza a catarata. A vitamina C reduz os sintomas da febre do feno e alivia a artrite.

A história da descoberta e do uso das vitaminas se parece com a história de Alice no País das Maravilhas! Mas a melhor de todas as fontes de vitaminas está no seu estado natural, como nas frutas e verduras adequadamente mineralizados. Elas existem assim como a natureza as criou, para o benefício dos seres vivos. Victor Lindlahr, no seu livro *Você é o que você come*, descreve uma grande variedade vegetais, com tabelas descrevendo o teor de vitaminas de cada um deles.

Por último, mas não menos importante, a mente deve estar condicionada e preparada para comer. Uma pessoa nunca pode alimentar-se quando estiver com raiva, com medo ou preocupada. Conversas enquanto estiver comendo devem ser de natureza agradável e não muito intensa. Desacordos familiares e castigos nunca devem ter lugar na hora da refeição. Comer deve ser uma *forma definida de culto* em que todos os estados mentais negativos estejam descartados. Deve ser uma expressão de gratidão ao Criador por proporcionar tanta abundância para as necessidades da vida de todos os seres vivos, não uma hora para impropérios e pensamentos negativos.

3. RELAXAMENTO

Relaxamento significa o completo soltar do corpo e da mente, particularmente a eliminação de todas as preocupações, medos e ansiedades. Deve haver um período diário de não menos de uma hora durante o qual corpo e mente fiquem relaxados e *livres de qualquer esforço voluntário.*

O relaxamento para uma boa saúde requer uma média de sono de oito horas por dia. Durante o sono, o subconsciente trabalha cuidadosamente na reparação e reconstrução das células desgastadas e ajusta o corpo inteiro. O tempo de sono não pode ser desperdiçado ou usado para outros fins por longos períodos de tempo sem causar sérios danos ao corpo físico.

É durante o sono que o corpo, por meio de algum misterioso método desconhecido pela ciência, desenvolve e reabastece seu estoque de resistência, a energia milagrosa que mantém os germes que causam doenças sob controle e influencia as incontáveis células a fazer seu trabalho.

Pelo menos uma hora diária deve ser dedicada a algum *hobby* ou lazer, de preferência ao ar livre e ao sol, para quebrar o ritmo da rotina diária. Aqui, assim como na hora da refeição, a atitude mental deve ser positiva, otimista e agradável. Um jogo de golfe, tênis, ou vôlei fará maravilhas para a pessoa cuja mente e corpo estão envolvidos intensamente nas exigências de sua ocupação diária.

4. ELIMINAÇÃO

Existem quatro fontes de eliminação da matéria residual do corpo. São elas: (1) os pulmões, (2) a pele (3), os rins e (4) o sistema digestivo. Elas devem ser mantidas em condição excepcionais o tempo todo, e, para certificar-se de que estão em bom estado, deve-se fazer um *check-up* completo com um médico competente pelo menos uma vez a cada três meses.

Dessas quatro fontes de eliminação, a que causa a maior quantidade de problemas é o sistema digestivo! Ele deve ser inteiramente limpo pelo menos uma vez por semana.

O sistema digestivo deve ser totalmente desintoxicado pelo menos uma vez por mês. Muitos médicos estão preparados para realizar as desintoxicações, que consistem em uma limpeza completa de todo o canal alimentar com o auxílio de água pura. A desintoxicação não deve ser confundida com o enema ou a irrigação do cólon, uma vez que ela é muito mais criteriosa.

O envenenamento tóxico é quase uma tradição nacional do povo norte-americano, devido em grande parte, como já dissemos, ao fato de não receber o tipo certo de minerais pela alimentação. Aqueles que vivem nas cidades e cujas ocupações são de natureza sedentária, praticando pouquíssima atividade física, são quase sempre vítimas do envenenamento tóxico.

Envenenamento tóxico e boa disposição nunca andam juntos!

Envenenamento tóxico e atitudes mentais positivas nunca andam juntos!

Lembre-se disso quando aquela dor de cabeça maçante começar a avisá-lo que seu sistema digestivo precisa de atenção. Lembre-se também quando sua língua estiver fortemente saburrosa pela manhã e você estiver irritadiço.

O envenenamento tóxico mata o entusiasmo.

Prejudica a faculdade da imaginação.

Leva à desesperança e ao desespero.

O envenenamento tóxico também destrói a ambição e a iniciativa pessoal, as duas qualidades que devem preceder todas as realizações pessoais.

O envenenamento tóxico proporciona um lugar de desova favorável para quase todas as doenças físicas conhecidas!

Há sinais que anunciam a presença do envenenamento tóxico, sendo o principal deles o aparecimento de uma dor de cabeça maçante, seguida de perda do apetite.

A dor de cabeça é uma grande bênção.

É a linguagem da natureza para pedir assistência ao cérebro, mas muito frequentemente a "assistência" vem na forma de uma droga que não faz nada além de cortar a linha de comunicação por onde a dor de cabeça está clamando por socorro.

O que a dor de cabeça realmente precisa é de água suficiente para limpar todo o sistema digestivo!

E a evidência de que isso é verdade consiste no fato de que a dor de cabeça geralmente desaparece dentro de trinta minutos depois do sistema digestivo ter sido purificado.

5. ESPERANÇA

A pessoa sem esperança está temporariamente perdida! A boa saúde inspira esperança, e a esperança inspira boa saúde, não importa como alguém olhe o assunto.

A esperança é inspirada por um objetivo principal definido!

A esperança é o fruto natural da pessoa que está indo para algum lugar na vida, sabe aonde está indo, tem um plano para chegar lá e está ocupada com a execução desse plano. O homem cheio de esperança de realização do seu objetivo principal é tão feliz que não tem lugar na mente para medo, preocupação e dúvida. Mas não se engane: esperança e envenenamento tóxico nunca se harmonizam. Onde um deles for encontrado, o outro estará ausente!

6. EVITE O HÁBITO DOS REMÉDIOS

A primeira coisa que se deve fazer para o desenvolvimento de uma consciência de boa saúde é esvaziar o armário dos remédios e jogar tudo fora!

A boa saúde não vem em frascos!

A natureza deu ao homem um sistema muito bom de manutenção da saúde muito antes de frascos e remédios serem inventados. A natureza usa medicamentos para a manutenção da boa saúde, mas armazena-os em vegetais e frutas em estado natural, na forma de mais de quarenta minerais, dos quais os mais importantes são *cálcio, ferro e fósforo*.

Todos estes minerais podem ser obtidos na forma de comprimidos e medicamentos líquidos, mas atendem muito melhor os objetivos da natureza quando ingeridos em sua forma natural, nos alimentos que crescem do solo.

Além disso, a natureza proveu cada pessoa de um perito químico que sabe qual a proporção exata de cada um desses minerais para a manutenção da boa saúde. Nenhum indivíduo consegue entender isso. O químico da natureza assimila a comida quando ela entra no estômago e no canal alimentar, a liquefaz e extrai dela a combinação correta necessária para a saúde. Tudo isto desde que o alimento seja cultivado em solo devidamente preparado.

FAÇA DA SAÚDE UM HÁBITO

Os médicos aprenderam muito sobre a anatomia do corpo físico. Aprenderam muito sobre a manutenção da boa saúde, mas ainda não aprenderam a eliminar as causas das doenças tão habilmente quanto a natureza.

Nenhum médico cura uma doença. Quando a cura é alcançada, é a natureza que a possibilita. O máximo que qualquer médico pode fazer é cooperar com a natureza, *e alguns dos melhores médicos fazem isso sem o uso de remédios.*

Eles são filósofos porque levam em consideração tanto as causas quanto os efeitos de todas as formas de doença e concentram a atenção principalmente na eliminação das causas.

Alguns médicos que prescrevem remédios especializam-se em lidar com os efeitos da doença e muitas vezes prescrevem sedativos que só servem para amortecer a dor temporariamente.

A dor física é a linguagem universal da natureza para se comunicar eficazmente com todos os seres vivos da Terra.

A dor é a maneira de notificar um indivíduo de que alguma parte de seu corpo precisa de atenção, e a pessoa que tenta eliminar a dor sem esforçar-se para descobrir e corrigir sua causa afronta a humanidade e insulta o Criador. É a causa da dor que deve ser eliminada.

Há momentos em que precisamos do conselho profissional de um médico, mas é melhor obtê-lo *antes de adoecer* do que depois, pois na maioria das circunstâncias "um grama de prevenção vale uma tonelada de cura".

Descubra como seu corpo funciona, estude as combinações de alimentos que seu sistema em particular e seus hábitos de trabalho exigem, adquira moderação nos hábitos alimentares, use a disciplina em todos os hábitos. Assim você vai manifestar a mais alta forma de gratidão para com o Criador. Todos nós fomos presenteados com um *médico pessoal*, especialista na manutenção da boa saúde, funcionando dentro de nosso corpo.

Capítulo 17
BENEFICIE-SE DA FORÇA CÓSMICA DO HÁBITO

Antes de descrever a lei da força cósmica do hábito em detalhes, você pode estar interessado em saber quais os benefícios àqueles que se adaptam a ela.

Antes de mais nada, você deve saber que essa lei é o clímax de toda a filosofia da realização individual. Para ter um leve grau de compreensão da importância dessa lei, considere o fato de que ela é a chave mestra para todos os princípios descritos anteriormente *e seus benefícios estão disponíveis apenas para aqueles que dominam e aplicam as instruções dos capítulos anteriores.*

Para que possa abordar o estudo deste capítulo com uma atitude mental favorável, você deve ser informado desde o início sobre a promessa que essa lei oferece àqueles que aprendem a adaptar-se a seu funcionamento.

Compreender a aplicação da lei pode libertá-lo de medos e limitações autoimpostas, *permitindo que você tome plena posse de sua mente!*

Se ela não oferecesse nenhuma outra promessa, isso já seria suficiente para justificar todo o tempo que você possa dedicar a seu estudo.

Ela pode ajudar a alcançar a liberdade econômica para sempre, desde que você siga as instruções dos capítulos anteriores.

Pode ajudar a eliminar a oposição dos outros em todos os relacionamentos, permitindo que você percorra seu caminho pela vida com o mínimo de atrito.

Pode ajudar a dominar a maioria, se não todas as principais causas de problemas físicos que causam doenças e enfermidades.

Pode limpar sua mente de condições negativas, abrindo assim o caminho para o estado mental conhecido como fé.

A força cósmica do hábito é a aplicação particular da energia com a qual a natureza mantém a relação existente entre os átomos da matéria, estrelas e planetas, estações do ano, dia e noite, doença e saúde, vida e morte e, mais importante para nós agora, é o meio pelo qual todos os hábitos e todas as relações humanas são mantidos e o pensamento é traduzido em seu equivalente físico.

Você sabe, é claro, que a natureza mantém um equilíbrio perfeito entre todos os elementos de matéria e energia em todo o universo. Você

BENEFICIE-SE DA FORÇA CÓSMICA DO HÁBITO

pode ver as estrelas e os planetas se movendo com precisão perfeita, cada um mantendo seu lugar no tempo e no espaço, ano após ano.

Você pode ver as estações do ano ir e vir com perfeita regularidade. Pode ver dia e noite seguirem um ao outro com regularidade infinita. Pode ver um carvalho crescer de uma bolota e um pinheiro crescer da semente de seu antepassado. Uma bolota nunca produz um pinheiro, nem uma pinha produz um carvalho, e *nada é produzido sem antecedentes*.

Qualquer um pode perceber esses fatos simples, mas o que a maioria não consegue ver ou entender é a lei universal com que a natureza mantém o equilíbrio perfeito entre toda e energia do universo, forçando todos os seres vivos a se *reproduzir*.

Um vislumbre dessa grande lei da natureza, que mantém nosso pequeno planeta na posição correta e faz com que todos os objetos materiais sejam atraídos em direção ao centro da Terra, foi capturado quando Newton descobriu o que chamou de lei da gravidade. Se Newton tivesse ido um pouco mais longe, talvez tivesse descoberto que a mesma lei que mantém nossa pequena Terra no espaço, associada a todos os outros planetas, *relaciona os seres humanos uns aos outros em exata conformidade com a natureza de seus pensamentos*.

Newton teria descoberto que a mesma força que atrai toda matéria para o centro da Terra também constrói os hábitos de pensamento dos homens em diferentes graus de permanência. Teria descoberto que os hábitos de pensamento negativos de qualquer tipo atraem manifestações físicas correspondentes à sua essência, tão perfeitamente quanto a natureza germina a bolota e desenvolve um carvalho. Além disso, teria descoberto que os pensamentos positivos reagem por meio da mesma lei e atraem manifestações físicas homólogas à sua natureza.

Aqui o interesse é apenas no método com que a natureza assume o poder sobre a mente pela operação da lei.

Antes de ir mais longe, eis uma breve descrição de como a força cósmica do hábito controla todas as relações humanas e determina se um indivíduo vai ser um sucesso ou fracasso na profissão escolhida. *A natureza aplica essa lei para forçar todos os seres vivos a se tornar parte do ambiente em que vivem e atuam diariamente.*

Somos governados pelo hábito, todos nós! Os hábitos são fixados pela repetição do pensamento e da experiência. Portanto, podemos controlar nosso destino terreno apenas na medida em que controlamos nossos pensamentos. É um fato profundamente significativo que uma pessoa possa ter controle absoluto sobre o poder do próprio pensamento. O resto está sujeito a forças alheias ao controle do indivíduo.

A natureza deu ao homem o privilégio de controlar seus pensamentos, mas também submeteu-o ao poder da força cósmica do hábito, com o qual os pensamentos revestem-se de seu equivalente físico.

Se os pensamentos dominantes são de pobreza, a lei transforma esses pensamentos em termos físicos de miséria e necessidade. Se os pensamentos dominantes são de opulência, a lei transforma tais pensamentos em seu equivalente físico. O homem constrói o padrão com seus pensamentos, mas a força cósmica do hábito transforma esse padrão na semelhança física e o torna permanente.

"Mas como pode uma lei da natureza fazer algo a partir do nada?", alguns vão perguntar. É natural que qualquer pessoa prática queira saber exatamente como, por exemplo, a força cósmica do hábito pode transformar pensamentos de opulência em riquezas materiais ou pensamentos de pobreza em evidências materiais de pobreza. Ficamos felizes em levantar e responder a questão.

Para começar, vamos reconhecer o fato de que a força cósmica do hábito é silenciosa, invisível, intangível e trabalha em completa harmonia com todas as outras forças da natureza, como gravidade, eletricidade, evolução, mas difere de todas na medida em que *é a única fonte do poder das demais* e serve de controladora da natureza; é por seu intermédio que todas as formas de poder e todas as leis naturais devem funcionar. *É a chave mestra para o universo*, com um poder tão grande que controla todos os seres vivos e cada átomo de matéria, controle esse executado pela força do hábito estabelecido.

O método da força cósmica do hábito para converter um impulso positivo ou um desejo mental em seu equivalente físico é simples. Ela apenas intensifica o desejo até resultar em um estado mental conhecido como fé, que inspira a criação de planos definidos para a realização de qualquer desejo, planos realizados por quaisquer métodos naturais que a capacidade do indivíduo possa aplicar.

A força cósmica do hábito não se encarrega de transformar os desejos financeiros diretamente em espécie, mas coloca em ação a imaginação, que produz uma ideia, plano ou método de procedimento definido para converter o desejo em dinheiro.

Essa força não opera milagres, não tenta criar algo do nada, mas ajuda o indivíduo — ou melhor, obriga-o — a proceder natural e logicamente

BENEFICIE-SE DA FORÇA CÓSMICA DO HÁBITO

para converter os pensamentos em seus equivalentes físicos, usando todos os meios naturais disponíveis que possam servir ao objetivo.

A força funciona tão silenciosamente que o indivíduo (a menos que tenha uma tendência filosófica) não identifica a relação desta com o que acontece com ele. Em dada ocasião, uma ideia se apresenta à sua mente de um jeito que ele chama de "palpite" e o inspira com uma fé tão definida que ele começa imediatamente a agir de acordo com ela.

Todo o seu ser é alterado de um estado mental negativo para um positivo; o resultado disso é que as ideias fluem mais livremente, os planos que ele cria são mais definidos e suas palavras têm mais influência sobre os outros. Como não entende a fonte do "palpite", ele ignora o assunto e presume que a ideia ou plano recém-descoberto com que alcançou o sucesso foi criação de seu cérebro.

O "palpite" é simplesmente um desejo intensificado que foi dotado de intensidade para permitir que a força cósmica do hábito assumisse o controle e desse o impulso necessário para convertê-lo em uma ideia ou plano de ação definido. A partir daí, o indivíduo deve agir por conta própria, usando as oportunidades, relações humanas e conveniências físicas disponíveis para a realização de seu desejo.

Às vezes nos admiramos com combinações "casuais" de circunstâncias que favorecem a realização de planos, como a cooperação voluntária de fontes inesperadas, uma transação de sorte nos negócios que rende dinheiro inesperado, etc., mas essas coisas estranhas e inexplicáveis sempre acontecem *por um procedimento perfeitamente natural, semelhante às experiências cotidianas.*

O que não se consegue ver ou entender é o método da força cósmica do hábito que rende aos pensamentos a qualidade peculiar de dar o poder para superar todas as dificuldades e resistências e alcançar fins aparentemente inatingíveis com um procedimento simples, mas natural.

Esse segredo a natureza ainda não revelou, tampouco revelou o segredo de como faz com que uma semente de trigo germine, cresça e se multiplique, trazendo de volta uma centena de grãos adicionais.

O mistério de como a natureza obriga o grão de trigo a se multiplicar não é maior do que aquele pelo qual um indivíduo como Henry Ford pôde começar do zero, sem capital de giro e sem ferramentas, e converter um simples desejo em um enorme império industrial. Mas os dois mistérios têm uma coisa em comum: definitivamente são uma resposta à lei da força cósmica do hábito, atuando nos pensamentos do homem e na vida inerente em um grão de trigo.

A força cósmica do hábito guiou-me por um labirinto inspirador de experiências antes de se revelar a mim. Durante todos esses anos de luta houve um objetivo definido predominante em minha mente, o desejo ardente de organizar uma filosofia com a qual o homem comum pudesse se tornar independente. A natureza não teve alternativa senão revelar-me o princípio operante da força cósmica do hábito, pois eu cumpri a lei inadvertidamente ao buscar com afinco o caminho para sua descoberta.

Se eu soubesse da existência da lei e seu princípio de funcionamento no início de minha pesquisa, poderia ter organizado a filosofia da realização pessoal em um período muito curto de tempo. É profundamente significativo que a lei da força cósmica do hábito tenha sido revelada somente após o contato diário de mentes em um MasterMind por quase dois anos.

A maior parte desse tempo foi dedicado à análise de problemas que não tinham nada a ver com uma pesquisa voluntária a respeito da lei, mas o fato importante que eu gostaria de enfatizar é que o *hábito de colocar nossas mentes diariamente em contato para a obtenção de um objetivo comum* na verdade teve o efeito de nos dar o benefício da força cósmica do hábito antes mesmo de sabermos de sua existência.

Antes da descoberta dessa lei, não tínhamos entendido claramente o que acontecia quando duas ou mais pessoas colocavam suas mentes em contato e aplicavam o MasterMind para a obtenção de determinados fins.

Sabíamos que essa forma de cooperação harmoniosa trazia resultados, mas não sabíamos *como* ou *por que* nossas mentes eram tão estimuladas durante uma reunião de MasterMind que os nossos pensamentos assumiam uma característica totalmente diferente e mais vital.

Antes da descoberta da força cósmica do hábito, havíamos observado que, quando fazíamos uma reunião de MasterMind com a finalidade de resolver algum problema, tínhamos poucas dificuldades em suplantar o medo com a fé. Além disso, o simples contato de nossas mentes invariavelmente causava uma mudança mental que transformava automaticamente os medos e dúvidas em confiança e fé.

Agora entendemos que a melhor de todas as formas conhecidas de adaptar-se à influência positiva da força cósmica do hábito é fornecida pelo MasterMind, onde duas ou mais mentes são coordenadas em um espírito de perfeita harmonia para a realização de uma determinada finalidade. Sabemos que o procedimento abre caminho para que a força cósmica do hábito possa agir diretamente sobre os pensamentos do objeto da reunião.

Também sabemos algo sobre a maneira como essa força atua na realização do objetivo da reunião.

Primeiro, o contato harmonioso de duas ou mais mentes para alcançar um objetivo definido fixa o objetivo em cada mente com maior clareza. Isso modifica os pensamentos de cada uma das partes de maneira tal que todas as dúvidas e medos associados ao objetivo são convertidos em confiança e fé.

Quando um grupo familiar ou de parceiros de negócios reúne-se em espírito amigável com a finalidade de analisar qualquer problema que procura resolver, a simples discussão do problema geralmente leva à solução. Quando a solução chega, geralmente vem na forma de um plano ou "palpite" surgido de súbito na mente de um membro do grupo.

Muitas dessas declarações sobre a natureza da força cósmica do hábito são abstratas, mas devo ser objetivo e reduzi-las ao concreto, descrevendo exatamente como essa força atua nos assuntos cotidianos.

Mostrei exatamente como a força cósmica do hábito é o fator determinante que pode levar ao sucesso e à abundância ou à pobreza e à miséria, como traz harmonia e compreensão no casamento ou converte essa relação em decepção e fracasso.

Percebo que simplesmente afirmar que é a mesma força com que a natureza mantém as estrelas e planetas no lugar não é o suficiente para beneficiar o homem comum, mais preocupado com a solução dos problemas diários do que com elétrons, estrelas e planetas.

Sei que o mundo inteiro passou por colapsos econômicos que não apenas reduziram milhões de pessoas à pobreza, mas colocaram suas almas à prova, e acredito que esses milhões de pessoas que lutavam pelo direito de viver a vida em paz e harmonia gostariam de ter todo o conhecimento que pudesse ajudá-las. Uma vez que você pode estar confrontando situação semelhante em sua vida, vou descrever as conclusões mais surpreendentes dos meus quarenta anos de investigação sobre as causas do sucesso e do fracasso com os termos mais simples possíveis.

Quero que você tenha uma visão panorâmica da relação entre a força cósmica do hábito e três outros princípios importantes pelos quais ela se torna o fator mais importante na vida dos homens. Dois desses princípios estão associados ao método de operação da força, e o terceiro é o princípio fundamental pelo qual a potência da força pode ser redirecionada e convertida do uso positivo para o negativo. Esses quatro importantes princípios associados são:

a. Força cósmica do hábito, com a qual a natureza obriga todas as pessoas a assumir e se tornar parte das influências ambientais que controlam seu pensamento.

b. Ficar à deriva, o hábito da indiferença mental que permite que o acaso e as circunstâncias fixem as influências ambientais em um indivíduo.

c. Tempo, o fator com o qual a força cósmica do hábito une os pensamentos dominantes do homem e as influências do ambiente e os transforma em empecilhos ou trampolins, de acordo com sua natureza.

d. Definição de objetivo, o único meio ao dispor indivíduo para controlar a força cósmica do hábito.

Nas afirmações a seguir, você vai observar como todo sucesso é resultado de hábitos cotidianos do pensamento. A força pode ser comparada a um grande rio, metade dele fluindo em uma direção e transportando todos que estão *à deriva* para o fracasso certo, e a outra metade fluindo na direção oposta e levando todos ao seu alcance diretamente ao sucesso e poder.

O rio é o cérebro do homem, e a força que flui em dois sentidos opostos é o poder do pensamento, sendo que a corrente que leva ao fracasso são os pensamentos negativos e a corrente que leva ao sucesso, os positivos. A fonte de energia que mantém o rio fluindo é a força cósmica do hábito.

Você vai observar que nem sucesso, nem fracasso são resultados de sorte ou acaso. Antes que prossiga a leitura, gostaria de adverti-lo de que o conhecimento que está prestes a receber o privará para sempre da prerrogativa de recorrer a desculpas para explicar seus fracassos. Quero adverti-lo também de que nunca mais poderá dizer que a vida nunca lhe deu uma oportunidade, pois você saberá definitivamente que, desde que tenha o direito de formar e expressar seus pensamentos, você tem o poder potencial de alterar as circunstâncias de sua vida para o que quer que deseje.

Se sua vida não é o que você deseja, com certeza você pode dizer que foi levado para essa condição infeliz pela irresistível força cósmica do hábito, mas não pode parar por aí, pois você deve saber que o tempo e a definição de objetivo, apoiados pela força cósmica do hábito, podem fazê-lo renascer, não importa quem você seja ou qual a sua situação.

Você pode estar na prisão, sem amigos ou dinheiro, com uma sentença de prisão perpétua pairando sobre sua cabeça, mas pode caminhar até o portão e voltar para o mundo como um homem livre, caso se adapte a essa força adequadamente. Como sei que isso pode ser feito? Porque já foi feito antes. Porque o bom senso lhe dirá que pode ser feito depois que você

BENEFICIE-SE DA FORÇA CÓSMICA DO HÁBITO

entender o funcionamento e captar o significado da relação entre força cósmica do hábito, tempo e definição de objetivo.

Você pode estar sofrendo com problemas de saúde que o impeçam de usar a mente. Nesse caso, a menos que sua doença possa ser curada, você pode não ser capaz de ordenar a vida como deveria, mas pode fazer alterações que trarão ampla compensação para o seu problema.

Você fará outra descoberta notável relacionada a essa força. Aprenderá que "cada fracasso traz consigo a semente de um benefício equivalente". Descobrirá, sem sombra de dúvidas, que cada experiência, cada circunstância de sua vida é um trampolim potencial ou um empecilho *devido inteiramente à maneira como você reage à circunstância em sua mente.*

Você vai descobrir que as únicas limitações são aquelas que você mesmo configura em sua mente, mas, mais importante ainda, vai entender que sua mente pode remover todas as limitações previamente estabelecidas. Você vai compreender que pode ser "o mestre do seu destino, o capitão da sua alma", porque pode controlar seus pensamentos.

Você aprenderá que o fracasso é um dos métodos da natureza para quebrar o controle da força cósmica do hábito e libertar a mente para um novo começo. Vai entender que a natureza quebra o controle da força cósmica do hábito nos seres humanos com doenças que obrigam a descansar o corpo e o cérebro. Vai entender também que a natureza quebra o controle da lei sobre o povo de uma nação com guerras e colapsos econômicos conhecidos como depressões, quebrando assim o monopólio das oportunidades e reduzindo todos os homens substancialmente ao mesmo nível.

Ofereci um conhecimento prático da relação entre força cósmica do hábito, ficar à deriva, tempo e definição de objetivo. Mostrei com exemplos baseados em experiências reais exatamente como e por que 98% das pessoas são fracassadas.

Quero que você saiba que os fracassados assim o são porque sucumbem ao hábito de ficar à deriva em todas as questões que afetam sua vida econômica, que a força cósmica do hábito os carrega rapidamente por esse caminho até que o tempo fixe o hábito de forma permanente, e depois disso não há fuga, a não ser por alguma catástrofe que quebre os hábitos estabelecidos e propicie uma oportunidade de agir com definição de objetivo.

A combinação do tempo e da força cósmica do hábito obriga cada ser humano a absorver e se tornar parte do ambiente em que vive e onde atua diariamente, tão definitivamente quanto tempo e força cósmica do hábito criam as estações do ano, fazem a noite seguir-se ao dia e mantêm estrelas e planetas em seus lugares de costume por distâncias e tempo imensuráveis.

Ao afirmar e reafirmar os princípios de operação do tempo e da força cósmica do hábito, espero fixar em sua mente a natureza dessas duas forças incontroláveis com tanta clareza que você reconhecerá sua presença e compreenderá o papel que elas desempenham nas experiências que vou descrever.

Quero que você veja que você é o que é e está onde está hoje por causa das influências que chegaram à sua mente a partir do ambiente cotidiano, somadas ao estado mental com que você reagiu a essas influências. Quero que você veja e compreenda que pode agir com definição de objetivo e organizar seu ambiente, ou pode ficar à deriva ao sabor das circunstâncias e permitir que o ambiente controle você.

Em ambos os casos a força cósmica do hábito é uma força incontrolável da qual você não pode fugir. Ela o carrega rapidamente em direção a um objetivo definido, *se você tem um* e está *definitivamente determinado* a alcançá-lo, ou, se você não tem objetivo, força-o à deriva com o tempo e as circunstâncias até você tornar-se vítima de todo sopro de acaso que cruzar seu caminho.

Tudo na vida tem um preço. Não existe a possibilidade de ter algo a troco de nada. Como tive a oportunidade de estudar as conclusões de Emerson sobre esse assunto e a vantagem de analisar homens e mulheres que representam grandes sucessos e fracassos notáveis, estou preparado para descrever por que tudo na vida tem um preço a ser pago. Mas não posso passar essa informação para a pessoa que não esteja disposta a enfrentar os fatos e admitir suas falhas. A disposição de olhar para si com imparcialidade é uma parte do preço a ser pago pela fórmula que leva à autodeterminação espiritual, econômica e física.

Todas as pessoas bem-sucedidas devem fazer uso de uma combinação dos princípios dessa filosofia. O poder que dá vida e movimento a esses princípios é a força cósmica do hábito. Sempre que qualquer combinação dos princípios for utilizada com sucesso, até onde fui capaz de determinar em minha pesquisa e experiência pessoal, a lei foi inconscientemente aplicada. Quero dizer com isso que aqueles que aplicaram essa lei com sucesso fizeram-no por mero acaso, sem reconhecer a verdadeira fonte do poder por trás das suas realizações.

Agora que a lei foi isolada e sua operação foi compreendida, os princípios fundamentais da realização serão tratados pelo seu valor exato, serão usados como um estímulo para adotar e exercer qualquer hábito desejado voluntariamente até a força cósmica do hábito encarregar-se dele e carregá-lo automaticamente até o clímax lógico. Observe a importância do elemento tempo como fator essencial relacionado aos princípios da realização e da força cósmica do hábito.

A força cósmica do hábito é tão inexorável que automaticamente assume os hábitos e os torna permanentes. É por causa dela que o hábito de sofrer de doenças imaginárias, conhecido como hipocondria, começa a se desenvolver a partir do momento em que se reclama de doença ou se admite a presença de dor.

Se a força cósmica do hábito pode transformar o impulso do pensamento de doença e dor em hábito, imagine o quão mais rapidamente ela pode fixar sensações agradáveis como as causadas por intoxicação com álcool e opiáceos e pela emoção do sexo.

Assim, leve sua imaginação apenas um passo além e você reconhecerá rapidamente o que acontece quando esses hábitos são apresentados em uma publicidade inteligente que bombardeia a mente da vítima continuamente com o pensamento de que eles são sinais de inteligência.

Nesse caso, a publicidade torna-se uma aliada voluntária e efetiva da lei da força cósmica do hábito, garantindo a fixação dos hábitos em menos de um décimo do tempo que a natureza levaria para fazer o mesmo.

Quando a natureza tem uma mensagem a transmitir à humanidade, ela não a revela àqueles que se entregam à dissipação, nem aos que foram mimados e protegidos das dificuldades, ela escolhe aqueles que foram provados pela derrota até terem se tornado independentes. Eu não poderia imaginar trabalhadores que recorrem a programas de emprego do governo tornando-se um Edison ou um Ford. A genialidade nasce das dificuldades, da privação e do trabalho pesado para superar as dificuldades, e não do subsídio.

Capítulo 18

CONSERVE A FONTE
DE TODA A RIQUEZA

Agora você tem uma compreensão prática da CHAVE MESTRA para todas as riquezas.

É muito natural que você queira usar a chave que abre as portas para a riqueza material. Passemos então à análise do grande sistema americano da livre iniciativa, pois essa é a maior fonte das riquezas materiais e também a fonte da maioria dos líderes econômicos.

Nosso sistema de livre iniciativa não é uma instituição de crescimento rápido e sim produto de muitas décadas de evolução, desenvolvido e apoiado pela investigação científica, bem como pelo método de tentativa e erro, para agregar informações úteis.

Seu nascimento e desenvolvimento não ocorreram sem erros; alguns foram resultado da avareza e da ganância de poucos em busca de enriquecimento rápido, mas a maioria foram erros honestos de homens que buscavam genuinamente o caminho para a perfeição usando os melhores meios disponíveis do método de tentativa e erro.

Quaisquer que tenham sido os erros dos líderes do nosso sistema de livre iniciativa, erros honestos ou não, o sistema permanece hoje como uma das maiores maravilhas do mundo industrial.

Isso foi comprovado, sem a menor sombra de dúvida, pelo impressionante trabalho da indústria em fornecer os materiais necessários para a condução da Segunda Guerra Mundial.

O mundo inveja o sistema industrial americano por ser composto de líderes e trabalhadores que coordenam seus esforços de forma a desenvolver um alto nível de economia industrial.

Mas há ainda outro motivo para a eficiência que data da fundação da nossa nação e tem raízes na Constituição, escrita de maneira a incentivar o exercício da iniciativa individual e o direito aos benefícios da livre iniciativa, popularmente conhecido como "motivo do lucro".

Esse é o núcleo central da eficiência da indústria americana!

A indústria é eficiente porque os proprietários, os homens que a administram e os que nela trabalham, da gerência até o trabalhador mais humilde, *desejam obter lucro.*

CONSERVE A FONTE DE TODA A RIQUEZA

Ninguém nunca faz nada voluntariamente sem motivo.

O desejo de ganhos financeiros é uma das três maiores motivações de toda a humanidade, sendo as outras duas o amor e o sexo.

Agora, observe como os autores da Constituição sabiamente estabeleceram nesse famoso documento um sistema de governo que não só proporciona ao mais humilde cidadão o direito de exercer a iniciativa pessoal sob o sistema de livre iniciativa, mas também consiste em um sistema de controle e equilíbrio que protege esse direito.

A Constituição prevê o desejo natural do homem de governar a si mesmo por motivações próprias e deliberadamente o incentiva a escolher qualquer motivação que deseje, com a garantia de que terá a proteção do governo para a realização de seu objetivo.

Andrew Carnegie, reconhecido como o maior líder industrial de se tempo, estava tão consciente do efeito estimulante da motivação pelo lucro que encorajou deliberadamente seus colaboradores a aproveitar ao máximo essa motivação. Alguns começaram como operários comuns, mas se associaram a colegas de trabalho sob o nosso sistema de livre iniciativa e acabaram acumulando grandes fortunas pessoais.

Um desses trabalhadores começou como condutor, recebendo um salário comum, e se promoveu até tornar-se o espírito motor da United States Steel Corporation, que contribuiu com centenas de milhões de dólares para a nação americana como um todo, sem falar dos milhões de postos de trabalho que ofereceu a homens e mulheres, direta e indiretamente. Seu nome era Charles M. Schwab.

Em algumas ocasiões, Schwab fez uso tão efetivo do sistema de livre iniciativa que não só ganhou um salário maior do que o do presidente dos Estados Unidos, mas ainda um bônus adicional de cerca de um milhão de dólares em um único ano, conquista que não seria possível sem a cooperação amigável de Carnegie e os benefícios do sistema de livre iniciativa.

Quando perguntei a Carnegie se não poderia ter aproveitado os serviços de Schwab sem pagar um bônus tão generoso, ele respondeu: "Ah sim, poderia ter tido os serviços dele por menos, *mas estou no ramo dos negócios para formar homens tanto quanto para formar riquezas*, e aprendi que a melhor forma de desenvolver um homem é proporcionar um incentivo para que ele faça o seu melhor. Não encontrei nenhum incentivo superior ao desejo de ganhos financeiros!".

Então, aqui está uma declaração clara do maior industrialista que os Estados Unidos já conheceu que aponta diretamente para uma das principais vantagens do sistema da livre iniciativa. Esse sistema desenvolve a iniciativa pessoal e assim ajuda os homens a fazer o seu melhor, voluntária e entusiasticamente.

Esse ponto é enfatizado porque coloca os holofotes sobre o maior de todos os bens da nação "mais rica e mais livre" do mundo, que é a engenhosa coordenação entre a forma americana de governo e o sistema americano de livre iniciativa, que inspira e encoraja todos os cidadãos a fazer o seu melhor.

Tire o direito de um homem de lucrar com seus serviços e limite seu direito de exercer a iniciativa pessoal em qualquer área e você terá destruído o maior bem que alguém pode ter, não importa sob qual pretexto isso seja feito.

O desejo de acumular riquezas materiais está quase no topo da lista de todos os desejos humanos. Ele é tão fundamental quanto o Criador pôde fazê-lo, como é evidenciado pelo fato de ser universal.

Olhamos a história de homens como Andrew Carnegie, Henry Ford e Thomas A. Edison — homens que se tornaram extremamente bem-sucedidos na acumulação de riquezas materiais — e nos maravilhamos com suas realizações, sem suspeitar que talvez por trás dessas conquistas exista um plano muito mais profundo que o desejo de riqueza.

Raramente paramos para pensar se essas realizações podem ou não fazer parte do plano do Criador para incitar os homens a seguir em frente no progresso da civilização, desenvolvendo em suas mentes um forte motivo para o exercício da iniciativa pessoal.

Mas uma coisa nós sabemos: os Estados Unidos foram abençoados — mais do que os outros países — com o privilégio de oferecer ao mundo o primeiro sistema de livre iniciativa. Esse sistema é tão habilmente organizado que inspira homens a fazer o seu melhor e ainda lhes proporciona motivação genuína para fazê-lo.

Com certeza não estamos tão falidos em poder do nosso pensamento a ponto de não ver que por trás de todas essas bênçãos de liberdade e oportunidade de acumular riqueza pessoal possa existir um objetivo mais profundo do que os meros desejos humanos.

Sinceramente acreditamos que tenha sido a falta de reconhecimento desse objetivo divino que levou os Estados Unidos e todas as outras nações à beira da catástrofe mundial em função da falência espiritual.

O Criador tem métodos engenhosos de realizar o plano global do progresso humano, dentre os quais aquele que influencia o homem, por motivos naturais, a fazer o seu melhor.

CONSERVE A FONTE DE TODA A RIQUEZA 251

Pegue os motivos do amor e do sexo, por exemplo, com os quais o Criador elaborou um sistema que assegura a perpetuação da vida humana. Esses motivos são tão sedutores e poderosos que o homem não pode escolher entre reagir ou rejeitá-los.

O Criador certificou-se de que a vida na Terra continue de acordo com seus planos, não importa o que o homem possa querer ou a que motivos atribua o resultado de suas atividades.

Henry Ford pode ter acreditado que era motivado pelo desejo de ganhos financeiros ou orgulho do crescimento pessoal para estabelecer um império industrial que beneficiou a outras pessoas mais do que a ele próprio, mas uma coisa ele provavelmente nunca soube (e não era essencial que soubesse): que seus esforços motivaram milhões de homens e mulheres a realizar os planos do Criador, desenvolvendo suas mentes com o exercício da *iniciativa pessoal*.

O cérebro humano desenvolve-se apenas por iniciativa pessoal!

Esse fato é bem conhecido de todos os psicólogos, mas nem todos reconhecem a possibilidade de que por trás de toda expressão de iniciativa pessoal possa estar o plano do Criador para garantir o crescimento mental e espiritual do homem por seu próprio esforço.

Toda a natureza e os métodos reconhecidos pelos quais todas as leis naturais operam fornecem evidência incontestável da solidez dessa teoria, e o reconhecimento dessa evidência eliminará todo o ódio com que nosso sistema de livre iniciativa foi manchado por aqueles que querem encontrar falhas nele sem oferecer ao mundo um sistema melhor.

Grandes pensadores concordaram que não foi um mero golpe de sorte que proporcionou privilégios e oportunidades sem paralelo às pessoas desse país para se desenvolver e crescer pela iniciativa pessoal.

Esse privilégio supera todos os outros privilégios de que desfrutamos, pois proporciona a todos a oportunidade de escolher a sua motivação, viver sua vida e acumular riquezas da maneira que bem entender.

Andrew Carnegie reconheceu que o povo americano poderia ficar excessivamente absorto na acumulação de riquezas materiais porque sabia, assim como todos nós sabemos, que há tamanha abundância de oportunidades para acumular riqueza nos Estados Unidos que existe o perigo de os homens subestimarem aquilo que vem muito facilmente.

Andrew percebeu a tendência das pessoas de confundir os privilégios de oportunidade com uma licença para exigir e esperar algo sem oferecer nada em troca — tendência que agora destaca-se definitivamente como o maior perigo dos nossos tempos.

Foi a visão de Andrew Carnegie sobre esse perigo que o influenciou a elaborar um plano inteligente para a distribuição da maior parte da sua riqueza pessoal, para que isso influenciasse os homens a se tornarem buscadores de conhecimento.

Assim, ele influenciou mais de quinhentos líderes da indústria a colaborar na organização dos dezessete princípios da filosofia da realização pessoal descrita nos capítulos anteriores.

Ele bem sabia que as riquezas materiais acumuladas pela rigorosa aplicação dos dezessete princípios não poderia ter outro efeito senão enriquecer a nação como um todo, bem como enriquecer os indivíduos que acumulassem as riquezas!

Portanto, é evidente que Andrew Carnegie compreendeu os benefícios de compartilhar, pois obviamente reconheceu a verdade de que os homens são apenas guardiões temporários das riquezas materiais e que estas são uma bênção quando respeitadas e aproveitadas de maneira a dar oportunidade a todos os homens de participar de sua utilização.

"Deus age de forma misteriosa para realizar as suas maravilhas!"

Quem entre nós é tão cego que não vê que há algo mais profundo do que o mero desejo de riquezas pessoais a fazer de nosso país a mais rica e mais livre nação do mundo?

E quem seria tão insensato ou tão cego a ponto de negar que homens como Andrew Carnegie, Henry Ford e Thomas A. Edison fizeram dos Estados Unidos um país melhor do que jamais teria se tornado sem os esforços deles? Esses homens acrescentaram bilhões de dólares à riqueza americana e proporcionaram a revelação dos talentos de dezenas de milhões de homens e mulheres!

E quem é sábio suficiente para dizer que a iniciativa pessoal de tais homens não é parte do plano da Providência onisciente?

O pensador sagaz dirá que precisamos de mais homens desse tipo e não menos; que o grande sistema da livre iniciativa, que oferece oportunidades para todos os homens em busca de canais para seus talentos é uma bênção de grandes proporções, não uma maldição.

E o indivíduo verdadeiramente ajuizado irá abraçar o sistema da livre iniciativa, ajudar a melhorá-lo sempre que puder e se relacionará com ele harmoniosamente para que este possa conduzi-lo à realização de suas ambições pessoais.

Foi nesse espírito que Henry Ford se relacionou com o sistema da livre iniciativa e, embora tenha começado sem dinheiro, com muito pouca escolaridade e tenha escolhido um campo de trabalho no qual teria que se tornar pioneiro, alcançou resultados que surpreenderam toda a indústria.

Sabemos que Ford lutou incansavelmente para aperfeiçoar o automóvel que estava destinado a torná-lo o líder de um grande império industrial, trabalhando horas a fio e utilizando todos os talentos que possuía.

Sabemos que, do uso persistente da iniciativa pessoal por Ford, surgiu uma indústria que proporciona emprego, direta ou indiretamente, para muitos milhões de homens e mulheres, cujos salários somados correspondem a milhões de dólares por dia.

Sabemos todos esses fatos, mas o que não sabemos é a natureza do motivo — o real motivo oculto — que inspirou Ford a seguir em frente. Podemos dizer que foi a motivação do lucro, mas há muitos fatos relacionados à sua carreira que indicam que teremos que ir mais fundo para obter a verdadeira resposta.

De uma coisa podemos ter certeza: a forma americana de governo e o sistema americano da livre iniciativa forneceram ajuda e encorajamento a Ford e lhe deram a esperança e fé necessárias para continuar ao longo de muitos anos de luta. Sabemos também que daquela luta veio uma grande rede de instalações industriais, melhorias nas estradas que cobrem o país, postos de abastecimento, garagens e oficinas mecânicas, lojas de acessórios automotivos e outras empresas que fornecem emprego para milhões de pessoas.

Talvez Ford não tivesse em mente todos esses surpreendentes resultados enquanto trabalhava para aperfeiçoar o automóvel, mas, qualquer que tenha sido sua motivação, os resultados foram os mesmos.

Certamente ninguém em seu perfeito juízo acreditaria que Ford poderia ter chegado a tais resultados se no início de carreira sua iniciativa pessoal tivesse sido subjugada, desencorajada ou limitada de qualquer forma.

Por outro lado, é óbvio que ele teve sucesso porque fez a aplicação inteligente dos dezessete princípios dessa filosofia, relacionando-se harmoniosamente com o grande sistema americano da livre iniciativa.

Se combinarmos os resultados obtidos por Henry Ford aos de outros grandes líderes industriais das últimas décadas, teremos o que é conhecido como modo de vida americano.

Há muitos fatos relativos ao sistema americano de livre iniciativa que não necessitam de grandes análises para que possamos reconhecer seus benefícios. O primeiro é que nosso sistema industrial oferece a maior fonte de inspiração para o uso da iniciativa pessoal. Neste aspecto, a situação atual é a mesma de quando Henry Ford, Andrew Carnegie e Thomas A. Edison começaram suas carreiras.

Todo o sistema incentiva os homens a fazer o seu melhor e recompensa apropriadamente aqueles que, com habilidade, imaginação e iniciativa pessoal superiores, rendem um trabalho melhor — baseando a recompensa na *qualidade* e *quantidade* de serviços prestados, mais a atitude mental com que é prestado.

Nosso sistema de livre iniciativa emprega a maior parte da mão de obra qualificada e grande parte da mão de obra não qualificada com salários que não se encontram em qualquer outro país ou qualquer outro período da história da indústria. Esse mesmo sistema fornece condições de trabalho sem paralelo em qualquer outro lugar ou momento da história da humanidade.

A livre iniciativa fornece a receita que sustenta a maior parte de todos os serviços profissionais, como aqueles prestados por advogados, médicos, dentistas, arquitetos e clérigos.

Provê o dinheiro que paga a maior parte dos produtos excedentes da agricultura. Portanto, não é exagero afirmar que apoia os agricultores, paga os juros das hipotecas fundiárias e provê um mercado para todos os produtos agrícolas.

Paga, direta e indiretamente, a maior parte dos impostos necessários para a manutenção dos governos estaduais e federal. A livre iniciativa é parceira do governo e, como tal, merece ser protegida por ele, conforme previsto na Constituição.

Fornece as máquinas, o equipamento e o capital de giro com que inventores, tais como Thomas A. Edison, podem oferecer os produtos da sua criatividade à humanidade e obter lucro.

É responsável pela construção de todas as rodovias e de cada automóvel que trafega ao longo dessas rodovias, para não mencionar a enorme valorização das terras pelas quais essas rodovias passam.

Oferece um mercado pronto para os talentos de qualquer pessoa que tenha uma ideia comercialmente sólida em qualquer área de empreendimento.

Constrói cada navio de guerra e cada embarcação comercial utilizados na frota americana e fornece todos os materiais de guerra usados na defesa dos Estados Unidos, o que significa que é o braço forte das forças de combate do Tio Sam na terra e no mar, bem como no ar.

Na verdade, o sistema americano de livre iniciativa e o sistema americano de governo são irmãos gêmeos, pois são partes inseparáveis daquilo que chamamos de modo de vida americano.

CONSERVE A FONTE DE TODA A RIQUEZA

A Constituição americana foi escrita de maneira a proporcionar a maior proteção possível ao nosso sistema industrial, e esse sistema foi desenvolvido em estreita coordenação com nosso governo. Portanto, qualquer enfraquecimento de um enfraquece proporcionalmente o outro. Se o sistema americano de livre iniciativa fosse destruído, o sistema americano de governo iria com ele.

O homem que diz "isso não pode ser feito", normalmente está ocupado tentando sair do caminho do homem que está fazendo.

THE NAPOLEON HILL FOUNDATION
What the mind can conceive and believe, the mind can achieve

O Grupo MasterMind – Treinamentos de Alta Performance é a única empresa autorizada pela Fundação Napoleon Hill a usar sua metodologia em cursos, palestras, seminários e treinamentos no Brasil e demais países de língua portuguesa.

Mais informações:
www.mastermind.com.br